A CARRUAGEM
DA MORTE

As Aventuras de Tibor Lobato

Livro Três

A CARRUAGEM DA MORTE

GUSTAVO ROSSEB

Texto de acordo com as novas regras ortográficas da língua portuguesa.

1ª edição 2017.

Editor: Adilson Silva Ramachandra
Editora de texto: Denise de Carvalho Rocha
Gerente editorial: Roseli de S. Ferraz
Produção editorial: Indiara Faria Kayo
Editoração eletrônica: Join Bureau
Revisão: Vivian Miwa Matsushita

Dados Internacionais de Catalogação na Publicação (CIP)
(Câmara Brasileira do Livro, SP, Brasil)

Rosseb, Gustavo
A carruagem da morte / Gustavo Rosseb. - São Paulo: Jangada, 2017. - (As aventuras de Tibor Lobato; 3)

ISBN: 978-85-5539-090-6

1. Ficção juvenil I. Título. II. Série.

17-06198 CDD-028.5

Índices para catálogo sistemático:
1. Ficção : Literatura juvenil 028.5

Jangada é um selo editorial da Pensamento-Cultrix Ltda.

Rua Dr. Mário Vicente, 368 — 04270-000 — São Paulo, SP
Fone: (11) 2066-9000 — Fax: (11) 2066-9008
http://www.editorajangada.com.br
E-mail: atendimento@editorajangada.com.br
Foi feito o depósito legal.

Para meus avós, Seu Francisco e Dona Elza, dois "seres fantásticos". Lendas vivas em minha vida.

Também ao meu pai, pelo apoio desde os primeiros passinhos do Tibor.

À Jangada, pela moradia digna ao meu menino, e a todos aqueles que, de alguma forma, fazem a aventura se tornar real.

FICA DIFÍCIL DESEJAR UMA BOA QUARESMA
EM TEMPOS COMO ESSES.

Posso desejar sorte!

I

ALÉM-TÚMULO

O farfalhar, seco e quebradiço, era ritmado. Os passos, apressados e obstinados, lideravam outros caminhantes, abrindo passagem entre os galhos e folhas que forravam o chão. As copas das árvores atenuavam a escuridão da noite e uma melodia melancólica, vez ou outra, chegava aos ouvidos dos treze caminhantes que seguiam a estranha mulher.

— Por acaso sabe que som maldito é esse? — sussurrou um deles para o mais próximo, buscando quebrar o silêncio. — Até meus ossos tremem quando escuto.

— É o urutau. O pássaro-fantasma — respondeu o outro. — Dizem que canta assim pra anunciar a morte.

O comentário do homem fez com que um arrepio percorresse a espinha de alguns dos outros, que estavam de orelha em pé, atentos aos mínimos sons da floresta, e acabaram ouvindo a conversa. Olharam em torno, desconfiados, tentando adivinhar de onde vinha o canto assombrado do pássaro, mas as sombras abraçavam o cenário por completo.

Mais um tempo caminhando e outro deles expressou a necessidade de todos de romper o silêncio mais uma vez.

— Ei, dona! — chamou, encarando a nuca de cabelos longos e esgrouvinhados que seguia à frente. — Quanto falta para chegar na tumba do ouro?

— Estamos quase lá — respondeu ela, sem olhar para trás ou diminuir o ritmo.

— E é garantido que a pessoa que nos espera sabe mesmo como quebrar a maldição? — quis saber mais o homem. — Espíritos não costumam ser benevolentes com quem fuça suas covas. E os escravos foram enterrados vivos ali pra isso. Pra proteger o antigo ouro dos patrões.

— Ninguém mais sabe quebrar esse tipo de maldição — falou impaciente a mulher morena, de traços fortes e rosto escavado de rugas.

O homem apenas levantou as sobrancelhas, sem acreditar muito.

Depois de alguns minutos de caminhada, a mulher diminuiu o passo e, com ela, todos os outros, homens fortes e destemidos. Caçadores, mercenários, derrubadores de árvores. Todos acostumados com ambientes como aquele. Mas algo lhes parecia diferente. Além do canto que prenunciava a morte, havia uma força malévola naquele lugar. Algo hostil parecia estar prestes a lhes dar as boas-vindas. Um medo incomum começou a se avolumar dentro deles. Fazia-os bater os dentes, as pernas tremerem.

— Chegamos — avisou a única mulher do bando, ignorando todos os questionamentos. Os ditos e os não ditos.

De início não notaram nada de peculiar naquele trecho da floresta, mas então notaram que, logo adiante, uma parte do solo era diferente do entorno. Parecia que a terra era estéril e nada brotava dali.

Aproximaram-se devagar e colocaram seus pertences no chão.

— Comecem a cavar! — ordenou ela. — Logo ela estará entre nós.

Prontamente, seis deles desatrelaram as enxadas e pás das mochilas e começaram a cavar a terra improdutiva. Enquanto isso a mulher desenhava, com um pó vermelho, um grande círculo no chão, ao redor do local que escavavam. Ao longo de duas horas, os homens revezaram pás e enxadas. Até acenderam uma pequena fogueira e assaram alguns animais para comer. E pouco a pouco um enorme buraco foi se abrindo na terra, até um golpe oco denunciar que uma das pás tinha atingido algo sólido. Todos ficaram em alerta.

Um deles foi tirando a terra com as mãos e um tampo de madeira podre ficou visível no fundo do buraco. Mas, antes que alguém ousasse dizer alguma coisa, uma rajada de vento apagou a fogueira, como quem assopra uma vela.

— Ela chegou! Está aqui! — a mulher anunciou, cheia de expectativa.

Na penumbra, notaram um vulto imóvel, mal visível em meio à floresta escura. Se a mulher não avisasse, nem teriam reparado. Pelo que dava para ver, era uma velha coberta dos pés à cabeça com um manto negro e esfarrapado. Do rosto, só podiam ver a boca enrugada, que se remexia frenética, sussurrando coisas incompreensíveis à beira do buraco.

E, enquanto a observavam cheios de cautela, algo passou a lhes atormentar os nervos e só encontravam sossego quando desviavam o olhar.

— Estamos prontos, senhora! — disse a mulher morena.

O vulto calou-se e, devagar, passou a avaliar cada um dos treze homens, fazendo-lhes o estômago revirar de apreensão e mal-estar. Depois, balançando de leve a cabeça, a velha pareceu dar uma ordem à mulher.

— Larguem o que estão fazendo e fiquem em círculo em volta do buraco! — instruiu a que parecia mais nova, com urgência na voz.

Alguns se entreolharam perplexos, sem entender o que ela pretendia.

— O que está acontecendo aqui, pode explicar? — um deles ousou perguntar.

— Não há muito que explicar além do que já sabem — respondeu com rispidez a mulher. — Vamos expurgar o que vigia esta cova e o tesouro sob sua guarda será dividido entre vocês. É simples. Pagando minha parte, conforme o combinado, estão livres para gastar o resto como quiserem.

Sorrisos gananciosos brotaram dos lábios de alguns.

— Só tem uma condição... — continuou ela, atraindo a atenção de todos.

Os sorrisos desmoronaram.

— Só vai ser recompensado com o ouro desta cova quem se mantiver dentro do círculo — disse ela, apontando o círculo que havia desenhado no chão com o pó vermelho. — Abandonem suas posições e vão perder o seu quinhão. — Dois deles que ainda estavam do lado de fora trataram logo de ocupar seu lugar na circunferência. — Não importa o que saia desta cova, não deixem este círculo!

Olhares preocupados cruzaram-se, como se ponderassem os riscos e possibilidades. Depois de um instante, a mulher sentenciou:

— Se ninguém tem objeção nenhuma, é hora de começar. — Ela se virou para o vulto macabro da velha, que continuava imóvel. — Minha senhora, pode prosseguir!

Uma mão enrugada e de dedos tortos projetou-se do manto e estendeu-se em direção ao buraco. A velha voltou a balbuciar coisas que, para os homens, não fazia sentido algum. Todos se mantiveram de cabeça baixa e às vezes olhavam apreensivos uns para os outros, mas nunca para a velha.

Aos poucos, os murmúrios desconexos começaram a se multiplicar e os homens arregalaram os olhos de assombro. A impressão que tinham é que agora outras vozes se juntavam à da velha! E sussurravam coisas nos seus ouvidos! A inquietação era geral. Não ousavam dizer nada, mas era óbvio que se perguntavam se aquilo estava acontecendo de verdade ou se era fruto da sua imaginação.

Outra rajada de vento sobrenatural varreu a clareira e balançou as árvores ao redor. A velha continuava com sua ladainha incompreensível, enquanto o vento esvoaçava seu manto. A mulher que os conduzira até ali lutava para ficar impassível, mas via-se que a cada segundo parecia mais impaciente e ansiosa para que tudo aquilo logo tivesse fim.

As vozes soprando nos ouvidos dos homens agora pareciam carregadas de ódio. Um ódio havia muito reprimido. Até que, de repente, um deles se sobressaltou ao avistar uma sombra cochichando ao pé do ouvido de um companheiro e em seguida se desvanecendo no ar. Não passou muito tempo e todos tinham a impressão de sentir uma presença funesta ao seu lado. E, cada vez que isso acontecia, levavam as mãos à cabeça como se escutassem algo aterrorizante.

Alguns tentavam resistir às vozes, mas os sussurros eram cada vez mais altos e enlouquecidos em seus ouvidos. Era como se um enxame de almas penadas os emboscasse na escuridão.

— Parem! Parem, demônios! — gritou um deles se ajoelhando no chão, sem mais suportar o tormento.

Em outro ponto do círculo, mais um também sucumbiu ao terror infligido pelas sombras. Neste momento, o vento aumentou e as copas das árvores começaram a balançar violentamente, como se suas raízes estivessem prestes a ser arrancadas da terra.

— É a morte! — gritou um dos homens. — Essas sombras estão invocando a morte.

E, de repente, o mundo parou.

Não havia mais sombras sussurrantes nem rajadas de vento. Nada.

Na floresta voltou reinar um sinistro silêncio.

Os homens aproveitaram a calmaria para se recompor. A velha por um instante parou de sussurrar e estendeu os braços pálidos e raquíticos para o buraco. Então abriu a boca e o som que dela saiu demorou a ser assimilado como uma voz. Para aqueles homens de sentidos atordoados o que saía dali era o mal traduzido em palavras.

— Levante-se! — sussurrou ela com autoridade.

Todos se sobressaltaram ao ouvir um baque surdo no fundo do buraco.

— Aceite a minha oferenda e em troca me dê o que peço. — A velha parecia falar com o que havia por baixo do tampo, dentro do buraco.

Mais uma batida na madeira. Desta vez, mais forte. Os olhos de todos se fixaram no fundo do buraco, imaginando que criatura de pesadelo poderia sair daquela cova.

— O qu-que tem ali? — gaguejou um dos homens.

— Aceite minha oferenda e em troca me dê o que peço! — repetiu mais alto a voz rouca e enregelante da velha.

— De que oferenda ela está falando? Não trouxemos nada de valor — falou outro à mulher.

Algo golpeou a tampa com força, fazendo terra e lascas da madeira podre voarem para todos os lados. Com um grito de horror, um dos homens deixou o círculo e correu para a mata; os outros mantiveram suas posições, movidos pela ganância, pela curiosidade, mas principalmente paralisados pelo medo.

— Tome posse do que é seu e me dê o que lhe peço! — gritou a velha para a criatura no buraco.

E então o pesadelo tomou forma e o medo retorceu as entranhas dos homens.

O tampo arrebentou pelos ares num estouro oco. E todos viram um focinho triangular, do tamanho do capô de um carro, se projetar da cova. Um corpo enorme e viscoso saiu deslizando de dentro do buraco. Era uma cobra imensa. Sua boca tinha o formato de uma boca de baleia. Seu corpo era translúcido. Era possível enxergar através da cobra!

Os doze homens fortes que ainda restavam abandonaram suas posições no círculo e puseram-se a correr pela floresta. Em pânico, deixaram seus pertences para trás. Pelo visto, nem todo o ouro do mundo os obrigaria a ficar ali, diante daquela aparição.

Mas um deles não foi rápido o suficiente. A cobra deu o bote e, apesar da distância, não teve dificuldade para alcançá-lo.

A visão do ataque foi chocante.

Não havia limites para aquela assombração. Seu corpo parecia feito de algo não material. Não físico. Deslizava através das árvores como se não existissem. Atravessava qualquer coisa como um fantasma atravessa uma parede.

E, quando a criatura alcançou o primeiro homem em disparada, algo muito estranho aconteceu. Ao toque da cobra, o corpo do homem caiu no chão sem vida, enquanto uma névoa azulada e opaca desprendeu-se dele e aderiu ao corpo do réptil. O homem não fazia mais parte deste mundo. A cobra semitransparente tinha se alimentado da sua alma.

A cabeçorra triangular observou o escuro da mata como se identificasse o paradeiro de todas as suas outras presas. Suavemente deslizou pela floresta, e as árvores não eram obstáculo. Rápida e silenciosa, ultrapassava livremente qualquer coisa que barrasse seu caminho.

Dentro do círculo apenas restou a velha do manto negro e a mulher que conduzira aqueles homens para uma armadilha brutal, da qual sabia que nunca sairiam vivos. Dali ela via lampejos azuis e opacos se acendendo em diferentes pontos, na escuridão da mata. Era a cobra recolhendo sua oferenda.

Pouco depois, a cabeçorra da criatura translúcida deslizou de volta, até parar na frente da velha. Sua pele viscosa tinha um leve brilho azulado.

— Agora me dê o que lhe peço! — ordenou a velha, autoritária.

A cobra abriu a bocarra como se fosse expelir alguma coisa. Seu corpo todo se retesou e começou a se contorcer em espasmos. Algo escuro percorreu toda a extensão do corpo vítreo, até sua enorme boca de jubarte. De uma só vez, a cobra regurgitou algo aos pés da velha.

Algo grande, do tamanho de um ser humano. E que se mexia.

A velha não se espantou. Adiantou-se, estreitando os olhos para ver melhor o ser regurgitado. Era definitivamente humanoide.

Por um momento, apenas observou a coisa, que parecia estar de cócoras.

— Irmã? — chamou a velha.

Devagar, o ser foi se levantando. A primeira coisa que se destacou foram os pés, três a quatro vezes maiores que os de qualquer humano. Aos poucos foi se identificando uma corcunda e então ficou claro que era uma velha tão encarquilhada quanto a que presidia o ritual. A diferença é que seu corpo também era translúcido, assim como o da grande serpente que a vomitara.

— Vou precisar de você, irmã — falou a velha de manto preto. — E em sua melhor forma.

No instante em que um urutau entoou seu canto depressivo em alguma parte da floresta, a velha de pés compridos e enrugados se desmanchou no ar como se feita de fumaça, com um sorriso cheio de malícia.

2

ALVORADA NO VILAREJO MURADO

Um par de olhos verde-folha se abriu. A primeira coisa que viu foi o teto de uma barraca de poliéster azul e amarela. O dono dos olhos continuou deitado por algum tempo. Fragmentos de uma memória antiga o confundiram e, por alguns instantes, ele se esqueceu de onde estava. Lembrou-se de quando era pequeno e acampava com os pais e a irmã, em meio aos ciganos. Já fazia bastante tempo que não acordava sob o tecido impermeável de uma barraca.

Aquela era uma época boa. Se investisse um pouco mais naquela lembrança, seria quase capaz de sentir o aroma de mirra e laranja que inundava suas narinas todas as manhãs. Sua mãe adorava o cheiro de incenso e esses dois, em particular, eram seus preferidos. Ela dizia que o de mirra limpava o ambiente, afastando energias negativas, e o de laranja trazia paz e tranquilidade. Que melhor maneira de acordar? Aonde quer que ela fosse, seus cabelos carregavam aquela mescla do aroma apimentado com o cítrico.

Mais um pouco e ele seria capaz de ouvir a voz do pai. Era incrível como nunca conseguira acordar antes dele. Sempre que abria os olhos, seu pai já estava de pé. Tinha adoração pelo alvorecer. Amava contar aos filhos, logo cedo, como o sol tinha dado as caras aquela manhã e como sua luz pintara todo o acampamento. A história era sempre diferente, já que o acampamento mudava de lugar de tempos em tempos e a criatividade do pai também.

Era interessante ouvir as suas descrições sempre tão variadas. Cada detalhe, cada pormenor. Era quase como presenciar o nascer do sol por si só. Às vezes até melhor do que isso!

Quando era bem criança, foram muitas as vezes em que abriu os olhos e deu de cara com o teto da barraca. Então desistia de se levantar e concedia a si mesmo uns dez ou quinze minutinhos a mais de sono. Só se virava de lado e se aninhava no corpo quentinho da irmã, quase dois anos mais velha, que também sempre aproveitava para dormir mais uns quinze minutinhos. Aquele calor protetor era um convite irrecusável para deixar o mundo lá fora esperando um pouco mais.

Tibor respirou fundo para dissipar o devaneio matutino, esfregou os olhos para afastar o sono e observou novamente a abóbada de poliéster amarela e azul da barraca. Desta vez não havia ninguém dormindo ao seu lado, nem a voz grave do pai, muito menos o cheiro de mirra e laranja da mãe. Ambos haviam morrido no misterioso incêndio no acampamento, muitos anos antes.

Deitado ainda, um pensamento afastou a lembrança dos pais. Um pesadelo.

Por pouco não lhe escapava a imagem de uma cobra translúcida se alimentando de seres humanos numa floresta escura. Lembrava também de um ser, um tanto quanto familiar, sendo regurgitado. E ainda que tudo o que vira nesse sonho desagradável lhe trouxesse motivos para não querer mais voltar a dormir, o que mais lhe causava aversão era a imagem da velha que comandava o ritual. Algo nela era nocivo e perigoso.

Queria que sua mente tivesse esquecido essas visões. Estaria melhor sem elas. Mas algo dentro dele sentia que era importante lembrar.

Um arrepio sacudiu seu corpo. Resolveu se levantar.

Saiu da barraca e quase se arrependeu. Um vento frio o recebeu do lado de fora, gelando seus ossos. O céu ainda estava bem escuro. Sabia que era de manhã, mas o próprio sol ainda não tivera coragem de vencer o frio.

De repente teve uma sensação de *déjà-vu*. Como se já tivesse visto a mesma cena num passado distante.

Estava em meio a um agrupamento de várias barracas, como aquele em que costumavam morar quando seus pais eram vivos.

Do alto das imensas araucárias que cercavam o acampamento, ele era só um pontinho escuro caminhando entre as barracas. Tibor seguia em frente, escolhendo onde pisar. Desviava das pinhas caídas no chão, rumo a uma luz laranja mais adiante. Era de onde provinha o calor e também um vozerio.

Do seu lado esquerdo se erguia, imponente, um muro alto de madeira maciça, que dividia a floresta em dois. Por um momento, quase se esqueceu da noite anterior, quando tinham festejado o fim da construção do muro. A ideia de construir o muro tinha sido proposta no ano anterior e apoiada pelos moradores do vilarejo. Com tantos boatos de que uma bruxa estava reunindo uma espécie de exército de assombrações, ninguém queria esperar a chegada da quaresma — uma época em que coisas estranhas aconteciam e seres fantásticos, como a Mula Sem Cabeça e os Trasgos da Floresta, vinham assombrar as pessoas — para ter certeza.

Resolveram murar a vila toda, isolando-a da mata fechada e, consequentemente, de todas as outras vilas. Os portões ao longo do muro eram vigiados 24 horas por dia. Quem queria entrar no vilarejo tinha que se identificar para conseguir permissão de seguir adiante.

Tibor achava aquilo tudo um pouco exagerado, mas sabia que não podia julgá-los. E foi festejar o término da construção do muro com Antenor e seus companheiros — homens e mulheres que tinham se voluntariado para ajudar na empreitada.

O menino se lembrou de quando conhecera Antenor. A primeira impressão do homem não tinha sido boa. Também, pudera. Ele havia mandado prender, injustamente, seu falecido amigo Málabu. Na ocasião, Tibor e seus amigos tinham conseguido encontrar os verdadeiros culpados dos roubos frequentes em Vila Serena e do sumiço da sua irmã Sátir. Eram a fera Gorjala e o tal do boto Humbertolomeu. E ambos já tinham recebido a sentença que mereciam.

Ele percebeu, tempos depois, que as intenções de Antenor eram louváveis. E que, assim como todo mundo, aquele homem careca só tinha cometido um grande engano. No ano anterior, ele juntara um grupo de doze pessoas para invadir um lugar que supunha ser os domínios de uma bruxa. E, de fato, era. Mas ele e seus homens foram vítimas de uma armadilha tramada pela Pisadeira. O próprio Tibor, sua irmã e seus amigos tinham sido vítimas da bruxa também. Naquela empreitada, Tibor havia perdido dois amigos, o primeiro para a morte e o segundo para a Cuca — o que, para muitos, apesar de o segundo estar vivo, poderia significar a mesma coisa.

Todos os dias, desde então, o menino Lobato se remoía por dentro. Aquelas perdas o mudaram para sempre. Embora só tivesse 15 anos, não era mais o menino ingênuo que um dia fora. E o fato de aquele muro existir, mostrava que o mundo lá fora também havia passado por drásticas mudanças. Não havia mais um lugar considerado seguro na região.

Cada um se virava como podia para se preparar para a quaresma. Muitos somavam forças com aqueles que se propunham a fazer alguma coisa. E Antenor se propunha! Ele havia se tornado um símbolo de esperança e resistência. Não era à toa que seu grupo de seguidores, que já fora de apenas alguns homens, agora era composto de centenas de moradores.

E suas iniciativas não se restringiam à Vila Serena, mas englobavam todos os outros vilarejos. Como era o caso do muro ao redor do Vilarejo Membira.

Não eram apenas os boatos que causavam medo na população dos sete vilarejos. Desde a última quaresma, corriam boatos de ataques de uma misteriosa criatura que aparecia toda vez que a lua cheia despontava no céu. Tibor odiava saber que o amigo Rurique talvez desempenhasse um papel importante nisso. O menino, antes de ser levado pela Cuca, fora mordido por um lobisomem e era quase certo que tinha se transformado em um e assumido seu legado.

O que Tibor sabia é que um dos únicos seres que apareciam, não só na quaresma, mas o ano inteiro, era o lobisomem. Sendo assim, mesmo sendo difícil de acreditar, era bem provável que seu próprio melhor amigo era quem assolava as vilas com investidas violentas, causando pânico geral. O que Tibor ainda não sabia era como encontrar e salvar o amigo, dando cabo da sua maldição.

Se é que isso era possível.

Era por esse motivo que Tibor tinha se aproximado de Antenor e seu exército. Ele sabia que, toda época de lua cheia, o homem reunia um grupo grande de pessoas para caçar a fera. E Tibor precisava evitar que o amigo fosse morto. Precisava, de algum jeito, encontrá-lo antes, para cumprir a promessa que tinha feito de livrá-lo da maldição. E não descansaria até conseguir. O problema é que ainda faltava muito para a próxima lua cheia. Ainda estavam na minguante.

— Bom dia! — cumprimentou Tibor, dirigindo-se aos poucos que já estavam de pé e se esquentavam ao redor da fogueira. Percebeu sua própria voz pastosa, como se suas cordas vocais também não tivessem acordado direito.

Todos responderam. Alguns de um jeito sucinto, outros apenas com um aceno de cabeça, mas todos parecendo muito satisfeitos com o feito que se estendia às suas costas: o muro.

Antenor veio por entre árvores até a fogueira. Em seus braços, um fardo de galhos secos de araucária. Ao chegar perto do fogo, alimentou-o com alguns gravetos, avivando as chamas para aquecer a todos.

— Bom dia, menino Lobato! — disse — Sirva-se do café da manhã dos vitoriosos! — e estendeu para o menino um punhado de pinhões assados na fogueira. À primeira vista, Tibor pensou que Antenor estava lhe oferecendo um punhado de baratas. Mas observou que todos ali se serviam e descascavam a semente da araucária, para comer a polpa branca deliciosa. Logo quis comer também algumas *baratinhas* como aquela.

— Ah, já acordou, é? — perguntou um garoto às suas costas.

Era Pedro. Um amigo que Tibor fizera alguns meses atrás. Ao vê-lo, lembrou-se de um assunto urgente.

— Minha nossa! — exclamou, arregalando os olhos verde-folha — Esqueci completamente. Precisamos ir, não é? Sua mãe vai matar a gente!

— Pois é. Eu quis deixar você dormir um pouco mais — falou o menino, colocando mais galhos e pinhas secas de araucária na fogueira. — Fiquei sem jeito de te acordar quando levantei. Pensei: "Pô, o Tibor fica com esse lance de que não consegue dormir, diz que está com insônia. Já que conseguiu pregar os olhos, vou deixar ele dormir mais um pouco".

— Valeu! — agradeceu Tibor. — Mas tive um sonho tão ruim que, sinceramente, preferia que você tivesse me acordado — Ele deu uma risadinha sem jeito e olhou para o amigo.

— Tá bom. Vou me lembrar disso da próxima vez, hein? Termina logo essas baratas do seu café da manhã e depois vem ajudar a desmontar nossa barraca.

— Arrã — concordou Tibor, com a boca cheia de pinhões torrados, e sabendo agora que não era o único que os via com aparência de inseto.

— Ora, mas vão embora assim tão cedo? — quis saber Antenor.

— A mãe do Pedro não sabe que ele está aqui. Saímos escondidos — contou Tibor.

— E se ela descobre, a gente está numa baita encrenca! — falou Pedro, já desaparecendo entre as barracas.

— E parece que a Dona Lívia costuma acordar bem cedo. É bom a gente voltar antes que ela perceba que não tem ninguém nas camas lá da casa dela — concluiu Tibor.

Minutos depois, os dois jovens já juntavam seus pertences, desmontavam a barraca e guardavam tudo em suas mochilas.

Pedro tinha quase a mesma altura de Tibor, mas umas gordurinhas a mais, aqui e ali. Diferentes dos cabelos lisos e grossos de Tibor, os dele eram um emaranhado de rolinhos castanhos.

Na saída, os dois garotos parabenizaram mais uma vez Antenor e os outros pelo término da construção do muro, se despediram e partiram.

Num dado momento, Tibor olhou para trás e viu o sol nascente tremeluzindo por trás do muro. Ficou imaginando como o pai descreveria aquela cena.

— Cara, acho bom a gente apertar o passo — aconselhou Pedro. — Se minha mãe me pega mentindo, ela me mata. — Pensou um pouco antes de prosseguir. — Ela vive dizendo que não criou o filho pra acabar igual ao pai e blá blá blá...

Passavam agora na frente de um cemitério decrépito, o único da Vila Membira. Lápides de diferentes tamanhos e formatos pontilhavam o terreno, como uma plantação que nunca germinaria nem daria frutos.

Tibor observou o lugar e concluiu que não gostava de cemitérios; ficaria longe de lugares assim quanto pudesse.

— Pensando melhor... — continuou Pedro, olhando para o cemitério —, meu pai acabou como todo mundo acaba um dia. Bença, pai! — falou a esmo, dirigindo o cumprimento às lápides. — Meu pai tinha mania de querer tirar proveito das coisas. Uma mentirinha aqui, outra mentirinha ali... Mas tudo inofensivo. Ele sempre dizia uma frase que gosto muito. Que, pra fazer o que ele fazia, "*responsa* muita habilidade!" — contou Pedro, dando risada do jeito engraçado de falar do pai. — Dizem até que era capaz de enganar a própria morte. Que sempre batia à porta dela e saía correndo antes que ela abrisse e visse quem bateu. Mas acho que um dia essa estratégia não deu muito certo. — Pedro pensou um pouco antes de continuar. — Depois que ele se foi, minha mãe virou um urubu em cima de mim. Sempre tentando evitar que eu fique igual a ele.

Tibor olhou-o, intrigado, enquanto tentava acompanhar o passo apressado do amigo.

— Vai saber o que se passa na cabeça das nossas mães, né? — emendou Pedro, mas logo percebendo ter falado besteira. — Desculpe!

— Pelo quê?

— Ah, você não tem...

— Mãe? — cortou Tibor. — Tenho sim! Ela só não está por aqui. Mas carrego ela sempre comigo no coração. Ela e meu pai. Acredito que você também, não? — O amigo assentiu. — Aliás, eu tenho também a minha avó. Dona Gailde também gosta de pegar no meu pé às vezes.

Um leve sorriso brotou no rosto de Tibor, já suado por causa do sol que esquentava sua nuca.

— Pensando bem, eu sei, sim.

— Sabe o quê? — quis saber Tibor.

— O que se passa na cabeça da minha mãe. Assim como o que passa na cabeça de todo mundo — falou Pedro. — É essa coisa da quaresma. É essa bruxa. Esses ataques... — Tibor apenas escutava. — Minha mãe anda preocupada. Já passou por muita coisa, a coitada. Não quero dificultar ainda mais a vida dela, sabe?

Tibor balançou a cabeça, concordando.

— E, quanto menos eu der motivo, melhor — completou.

— Sei bem como é. — Tibor teve um vislumbre do ano anterior, de como as coisas ficaram tensas entre ele e a avó quando a irmã desapareceu.

A estradinha de terra tinha se transformado numa rua de paralelepípedos e começaram a surgir algumas casinhas dos dois lados. Apesar de ser de manhã cedo, já havia pessoas nas ruas. Um senhor passou por eles, de bicicleta, carregando um saco de pão, e disse bom-dia. Uma senhora varria a porta da frente de sua casa e acenou quando eles cruzaram por ela. Mesmo que as pessoas tentassem levar a vida normalmente, como se nada estivesse acontecendo, notava-se uma certa apreensão em cada sorriso e em cada cumprimento. Era como se uma sombra cobrisse o semblante das pessoas. E era difícil se manter valente quando todos os olhares pareciam tão temerosos.

— Vamos, Tibor! — incentivou Pedro. — Já estamos pertinho.

O menino, apesar de mais rechonchudo, caminhava bem depressa. Tibor estava até ofegante por tentar acompanhá-lo.

Passado um tempo, atravessaram um portão preto de ferro, com um brasão com a letra “M” em destaque, e subiram as escadas de uma imponente casa da época colonial. Portas e janelas altas, em madeira de lei e com molduras largas, pintadas na cor preta, rodeavam toda a casa, caiada de branco.

Pedro abriu a porta da frente com cautela e fez sinal para que Tibor o seguisse pelo amplo saguão de entrada, até as escadas que levavam ao piso superior.

Enquanto subiam, Tibor reparou no gigantesco lustre de metal que pendia do teto. Adorava visitar a casa do amigo. Os detalhes da casa eram muito peculiares. O tal lustre tinha várias lâmpadas elétricas, mas parecia ter sido adaptado, pois nada mais era que um grande candelabro suspenso usado um dia para inserir velas.

Um quadro sempre chamava a atenção do menino quando visitava o amigo. Era uma pintura misteriosa que parecia o desenho de uma lua cheia ou um sol. Era, basicamente, um círculo esquisito. Olhando de frente, lembrava uma lua. De ponta-cabeça, parecia um sol. Por algum motivo, aquela pintura não combinava com o lugar. Quando Tibor comentou isso com Pedro, o amigo explicou:

— Meu pai dizia que esse quadro não era dele e que, um dia, o antigo dono viria buscá-lo. O dono nunca veio buscar, mas acho que minha mãe deixa o quadro aí porque, de alguma forma, lembra o meu pai.

No final do corredor do primeiro andar, havia uma tapeçaria emoldurada, imensa, onde se viam três pessoas. Era na verdade um retrato de família bordado numa talagarça. Nele via-se a mãe de Pedro com um meio sorriso no rosto, sentada com o filho no colo, ainda bebê, ao lado do marido, que era uma versão mais velha e mais rechonchuda do Pedro atual.

Passaram na frente de onde Tibor sabia que era o quarto da mãe do amigo e viram luz debaixo da porta. Aquilo era sinal de que a mulher estava acordada. Pedro devia ter pensado a mesma coisa porque começou a andar mais rápido, mas no seu passo silencioso de *ninja*, sem deixar que nenhuma tábua do assoalho rangesse. Mesmo de tênis, parecia que ele estava só usando meias.

Meias grossas, felpudas e imperceptíveis.

Tibor o seguiu, mas antes resolveu tirar os sapatos. Nem as patas almofadadas de uma onça eram tão silenciosas quanto o amigo.

Pedro entrou no seu quarto de pé-direito alto, e segurou a porta para Tibor entrar em seguida. Fechou a porta atrás de si e suspirou aliviado:

— Puxa! Chegamos bem na hora!

E mesmo conhecendo a mãe do menino e sabendo que ela não era a fera que Pedro dizia, o amigo conseguiu deixá-lo tão nervoso que também se sentiu aliviado por chegar são e salvo ao quarto do seu amigo, Pedro Malasartes Júnior.

3

SUBSTITUTOS

O café da manhã foi digno de um príncipe. Mesmo com o bucho cheio de pinhões, Tibor encontrou espaço para as tapiocas que Dona Lívia tinha preparado, de manteiga e também de queijo branco com goiabada.

Ela fungou, cheia de suspeita, no cangote do filho umas duas vezes, dizendo que o menino fedia à fumaça.

— Não sei de onde a senhora tirou isso. Já pensou que seu nariz pode estar estragado? — disse Pedro, dando risada, tentando distrair a mãe com uma piada sem graça.

— Estragado, é? — retrucou ela, trazendo mais um prato cheio de tapiocas. — Deixa só eu descobrir que anda saindo por aí às vésperas da quaresma! — Tibor e Pedro se entreolharam, com um ar cheio de segredo. — Ainda mais numa quaresma dessas — continuou ela. — Este ano é bissexto!

— O que tem isso? — resmungou Pedro com a boca cheia de tapioca.

— O que tem é que este ano tem um dia a mais — explicou ela, nervosa. — Ora, não ensinam isso na escola, não? — O menino deu de ombros. — De quatro em quatro anos, temos um ano bissexto. Um ano com um dia a mais. E esse dia a mais é em fevereiro. Justamente na quaresma! Ou seja, vem aí uma looonga quaresma... Portanto, estou de olho em você, seu moço!

O sol já subia no céu e invadia os janelões da sala de jantar da casa dos Malasartes.

— O rapazinho vai até o sítio da Dona Gailde, mas volta para cá hoje mesmo, ouviu bem? — avisou ela, apontando para Pedro com a faca suja de manteiga.

— Ah, mãe! — protestou Pedro.

— E nada de "Ah, mãe"! Não quero saber de você dormindo fora de casa hoje.

Pedro já abria a boca para resmungar, mas a mãe emendou:

— E nada de cortar caminho pelo cemitério pra chegar na Vila do Meio! Entendeu bem?

Ele por fim balançou a cabeça, concordando.

— Desculpa, viu, Tibor? — disse ela, agora olhando para Tibor. — Tenho que botar as rédeas aqui, senão esse menino me deixa louca. Igualzinho ao pai dele.

— Ué! Aonde estamos indo?

— Para a sua casa, ué — respondeu Pedro, entrando pelos portões do cemitério.

— Tenho cara de quem mora numa tumba? — perguntou Tibor, parando no portão e percebendo que estava prestes a quebrar a promessa que fizera a si mesmo de ficar longe de cemitérios.

— É pra cortar caminho. Você não ouviu minha mãe dizendo, não?

— Ouvi ela dizendo justamente o contrário. Para você *não* cortar caminho pelo cemitério.

— Quantos anos você tem, Tibor? Porque eu já tenho 16 e não tenho medo de andar em cemitério. Além disso, quero cortar caminho porque estou cansado de andar, você não está, não?

Tibor concordou com a cabeça e seguiu adiante.

— Este é o maior cemitério de todos os vilarejos — disse Pedro, bancando o guia turístico, enquanto liderava o caminho. — E o mais antigo também. Ele vai até a Estrada Viena. De lá a gente chega rapidinho na Vila do Meio.

Tibor sabia que Dona Lívia tinha razão em se preocupar com o filho. As últimas duas quaresmas tinham sido tumultuadas, como havia muito não se via. O que ele sabia é que, muito antigamente, suas tias-avós, a Cuca e a Pisadeira, incitavam o terror nos vilarejos, mas tudo tinha ficado mais calmo depois que o Curupira, bisavô de Tibor, havia prendido a Cuca no extinto Oitavo Vilarejo. Ela, no entanto, conseguiu se soltar de lá e as duas voltaram a causar problemas.

O pior é que ele tinha plena consciência de que a sua própria avó também se preocupava com ele e a irmã, mas isso não significava, de modo algum, que ele ficaria dentro de casa esperando a quaresma passar. Seu lugar era ali fora, procurando seu melhor amigo Rurique e caçando a tia-avó que restara, pois, pelo que sabia, a Pisadeira tinha morrido no ano anterior. Foi então que novas perguntas começaram a pipocar no seu cérebro: será que aquele sonho que tivera, com a cobra transparente, significava que a Pisadeira estava de volta? Seria possível alguém voltar dos mortos? A Cuca teria poder para isso? Tibor achou melhor apostar que não. Era só um pesadelo e ponto-final.

— Como eu estava dizendo, a minha mãe só está preocupada — continuou Pedro, andando entre as lápides. — Nem a casa da sua avó ela considera segura. Afinal, seu amigo sempre dormia lá, né?

— É, mas não foi por isso que ele sumiu — retrucou Tibor, contrariado.

— A questão é que mais nenhum lugar é seguro. E minha mãe acha que, pelo menos do lado de dentro do muro, estamos um pouco mais a salvo.

— Um pouco mais a salvo? Isso não parece muito.

— Digo isso mais por conta deste cemitério. Aqui também não é lá muito seguro...

— Por falar em cemitério, por que você não deu a ideia de fazermos esse caminho na vinda pra cá? — quis saber o menino Lobato.

— Ora! — exclamou Malasartes. — Porque já estava anoitecendo. Eu não sou maluco de passar aqui à noite. Dizem que tem um tal de Corpo Seco que fica aqui.

— Corpo Seco? O que é isso?

— Nunca ouviu falar do Corpo Seco?

— Eu não.

— É uma história digna de filme de terror!

— Fique à vontade pra contar, faz um bom tempo que não vejo TV — disse Tibor.

— Eu também. Todo televisor que a gente compra, lá em casa, pifa quando chega a quaresma. Acho que minha mãe desistiu de comprar outro.

Pedro percebeu, pela cara de expectativa do amigo, que Tibor parecia estar mesmo interessado era na história do Corpo Seco. Então resolveu contar.

— Ninguém sabe dizer quem ele era antes de virar assombração. Mas dizem que, quando morreu, foi rejeitado pela morte. É um defunto seco que mora na própria cova sem ter para onde ir. Quem já viu conta que ele fica o tempo todo guardando a chama de uma vela, que dizem que é um artefato mágico. Mas ninguém sabe dizer mais do que isso.

Os dois andaram um tempo em silêncio, pensando na história, enquanto desciam uma ruazinha íngreme, cheia de mausoléus de arquiteturas variadas.

— Falando assim parece só história para assustar criança — falou Pedro, depois de um tempo.

— Eu acredito — afirmou Tibor com uma expressão séria.

— O quê? Você acredita na história do Corpo Seco?

— Sim. Em todas as histórias de assombração. Acho que tudo é possível! — E Tibor fez questão de dizer isso com um olhar que não permitia contestação.

Tinham entrado agora na parte mais antiga da necrópole. As lápides estavam mais gastas, dilapidadas pelo tempo. Ao chegarem ao muro que delimitava o cemitério, um ajudou o outro a saltá-lo.

Do outro lado avistaram uma das portarias do grande muro que cercava Vila Membira. Alguns homens davam os retoques finais. Batiam pregos, aqui e ali. Os meninos se identificaram para os homens, que também controlavam quem saía e entrava na vila.

— Se quiserem voltar para Membira hoje, é bom que estejam aqui antes do pôr do sol, porque os portões se fecham — disse um deles.

— Antes do pôr do sol? — resmungou Pedro. — Somos prisioneiros agora?

— Isso é por precaução. A quaresma está chegando! Não percebe o perigo à espreita? — retrucou o homem, enxugando a testa, aparentemente cansado do trabalho extenuante de bater pregos sob o sol.

Achando tudo aquilo um grande exagero de gente supersticiosa demais, Pedro tomou fôlego para responder, mas Tibor o calou, colocando a mão no ombro do amigo.

— É melhor a gente aproveitar ao máximo o tempo que ainda temos juntos, não acha? — sugeriu Tibor.

A contragosto, Pedro concordou. Às vezes, o menino tinha um temperamento explosivo que lembrava Sátir.

Encerraram a conversa e se afastaram da segurança oferecida pelo muro, seguindo pela Estrada Viena.

Depois de uns vinte minutos de caminhada, chegaram à encruzilhada com a Estrada Velha. Assim que pisaram na estrada, Tibor ouviu uma voz conhecida às suas costas.

— Tibor!

Seu coração quase parou. Seria Rurique?

O menino se virou pra ver quem o chamava. Mas, quando viu quem era o dono da voz, sua esperança afundou no peito. Era, na verdade, Seu Avelino, o pai do amigo desaparecido.

Tibor e Pedro aguardaram Seu Avelino alcançá-los, acompanhado de um vira-lata branquelo, que abanava o rabo para eles.

— Estão indo para casa?

Os meninos confirmaram.

— Ótimo! Acompanho vocês até a minha casa.

O cachorro farejou os meninos, futucando suas canelas com o focinho gelado.

— Quem é esse aí? — perguntou Tibor, coçando atrás da orelha do animal.

— Não sei, não — falou Seu Avelino. — Veio me seguindo desde Diniápolis. Estou pensando em ficar com ele. Quem sabe traz um pouquinho de alegria lá pra casa?

Tibor sentiu um aperto no peito.

— Já faz quase um ano, não é mesmo? — comentou ele, num tom pesaroso. — Rurique se foi no final da quaresma passada.

— Oi, eu sou o Pedro! — disse o menino de repente, estendendo a mão para o homem com a intenção de cortar a conversa.

— Avelino, muito prazer — disse o homem, apertando a mão do garoto.

— Devia dar um nome a ele — sugeriu Pedro, apontando para o vira-lata.

— Ainda não pensei. Vou pedir uma sugestão para a minha esposa.

Seguiram juntos pela estrada até chegar ao portão da casa de Rurique.

— Ei, Tibor, não quer entrar? — convidou Seu Avelino. — Eulália vai ficar contente em te ver.

Tibor achou uma boa ideia, pois não via a mãe de Rurique havia algum tempo. Ele costumava ter aulas com ela num cômodo em Diniápolis, mas, após o sumiço do amigo, a professora deixou o ofício de lado.

Era triste ver como a família de Rurique seguia seus dias amargurada. No começo, lideraram vários grupos de busca, dos quais Tibor e Sátir sempre participavam. E, toda vez que um grupo voltava sem trazer notícias do menino, era como se Avelino e Eulália murchassem um pouco.

Tinham mais rugas no rosto, mais cabelos brancos, e os olhos fundos davam a impressão de que mal dormiam à noite.

Ainda assim, não pareciam ter desistido de encontrar o filho.

Na época do ocorrido, fizeram Tibor e a irmã contar e recontar todo o episódio vivido na pedreira. Desde a mordida do lobisomem até a Cuca passando uma corrente pelo pescoço do garoto, carregando-o para as profundezas da floresta. Além da família Lobato e de Horácio — o homenzarrão, estilo lenhador, que os ajudara naquele dia fatídico —, mais ninguém sabia da mordida do lobisomem e do seu legado. Por isso, quando as buscas foram substituídas por uma caçada pelo monstro, Avelino e Eulália ficaram desolados.

Caso o menino tivesse mesmo se transformado em fera, estava correndo perigo de ser morto a qualquer momento. Era prisioneiro da Cuca e jurado de morte pelos moradores.

Antenor, o homem careca, não acreditava na hipótese de que era o menino quem se transformava a cada lua cheia. E, quando os pais de Rurique o procuraram, ele disse que, mesmo que aquilo fosse verdade, o lobo precisaria ser detido. E por ser uma fera violenta — segundo os boatos, suas aparições sempre envolviam sumiços e mortes —, não havia outro modo de detê-lo senão pagando com a mesma moeda: a morte!

Com isso nem Tibor, nem os pais de Rurique podiam concordar. Mas eles eram poucos contra muitos... Os pais do menino tinham optado por não dizer a mais ninguém que o filho poderia ser o lobo responsável pelos ataques, pois sabiam que os moradores das vilas não aceitariam o fato muito bem. E por isso nenhum dos seus argumentos conseguiu convencer os moradores de que o lobo não precisava ser morto.

Então, de maneira democrática, a maioria votou pela caça do bicho.

Dona Eulália estava sentada à mesa da cozinha, com o olhar perdido. Fitava sem ver um raio de sol que entrava pela janela e iluminava a pia.

Só despertou do seu devaneio quando Tibor entrou na casa, de braços abertos, andando na direção dela.

— Oi, Dona Eulália!

A mulher deu um abraço no amigo do filho, mas Tibor notou que o corpo dela estava gelado, como se a falta de Rurique estivesse lhe tirando a vida aos poucos. Ele a estreitou mais nos seus braços, como se quisesse lhe passar um pouco do seu calor.

— Como é que está o senhor Tibor Lobato? — perguntou ela na terceira pessoa, como sempre fazia, mas desta vez se esforçando para imprimir um pouco de ânimo à voz.

— Vou indo — respondeu ele, esboçando um sorriso. — Com saudade das suas aulas, na verdade.

Ela sorriu.

— Só vocês pra me alegrarem um pouco... — disse ela. — Sua irmã e sua avó vieram aqui ontem. Conversamos a tarde toda.

— Como vai, Tibor? — perguntou, de um canto escuro da cozinha, uma voz que havia muito não lhe chegava aos ouvidos.

— Raul! — exclamou o menino indo até o homem de bigode. — Como vai? Há quanto tempo você não aparece!

Raul era o conselheiro tutelar que um dia fora incumbido de levar os órfãos, Tibor e Sátir, até o seu novo lar, no sítio da avó, Dona Gailde. Ao se aproximar do menino, ele abriu um sorriso sem graça. Provavelmente lhe passava pela cabeça a última vez em que estivera ali. Dera uma carona para Tibor, Sátir e Rurique até o Oitavo Vilarejo e, ao vê-los de ponta-cabeça numa ponte com o campo gravitacional ao contrário, tratou de dar no pé bem rápido.

— Pois é, faz tempo mesmo, não é? — confirmou Raul. Seu bigode ainda parecia estranhamente vivo. Era como se o tufo de pelos falasse pelo homem.

— Não quer outra xícara de café, Seu Raul? — perguntou Eulália. — E você, Tibor, aceita?

— Não, obrigado — agradeceu Tibor com uma careta. — Acabei de tomar o segundo café da manhã do dia.

— Por favor, Dona Eulália, me chame só de Raul. E, quanto ao café, também agradeço, mas já estou indo embora — falou Raul. Então se dirigiu a Tibor. — Vim apenas oferecer minha ajuda à família Freitas. Mesmo estando lá na cidade eu soube do ocorrido. Acabo de ser promovido. Agora sou o diretor do Orfanato São Quirino — anunciou, com o peito estufado de orgulho. — Substituí Dona Romilda. — Sem jeito depois de ouvir os parabéns de Tibor e Dona Eulália, suas mãos rodaram o chapéu e ele se voltou outra vez para a mãe de Rurique. — Já deixei minha equipe de prontidão para que fiquem atentos a qualquer notícia, qualquer detalhe, qualquer coisa sobre o menino Rurique.

— Muito obrigada, Raul — agradeceu Dona Eulália.

Tibor fez sinal para o amigo, que brincava com o vira-lata no quintal e agora estava na porta.

— Esse é o Pedro. — O menino entrou e acenou com a cabeça para Dona Eulália. — Essa é a mãe do Rurique. E esse é Raul, o homem que nos trouxe lá do orfanato da cidade para morar com a minha avó.

Dona Eulália mediu Pedro dos pés à cabeça, com uma antipatia nos olhos que surpreendeu Tibor. A amargura tinha deixado Dona Eulália muito mudada...

— Sua avó comentou que você foi dormir na casa de um colega — disse Dona Eulália, com um ar ressentido.

— É. Fomos ver o final da construção do muro de Membira.

— Ah, esse muro! — exclamou ela, contrariada. — Não achei boa ideia.

— Também achei a construção desse muro um pouco de exagero — concordou Pedro. — Eu me sinto mais prisioneiro lá dentro do que seguro.

— É, agora todo mundo só pensa em ficar seguro, enquanto meu filho continua perdido por aí, correndo perigo...

Antes que Pedro respondesse alguma coisa e sua língua solta aumentasse a revolta de Dona Eulália, Tibor mudou de assunto:

— Estávamos voltando para o sítio quando cruzamos com o Seu Avelino. Ele está trazendo uma novidade...

Talvez o cachorro fosse a carta na manga para aliviar a tensão, que já reinava na cozinha.

O pai de Rurique nesse exato momento apareceu na porta da cozinha com o vira-lata no colo. A esposa olhou para ele de cara feia.

— Bom dia! — cumprimentou ele, dirigindo-se a Raul.

— Seu Avelino! — cumprimentou Raul também.

— Esse vira-lata veio me seguindo desde Diniápolis. — Avelino esboçou algo quase próximo a um sorriso. O cãozinho parecia mesmo ter o poder de aliviar as tensões. — Acho que ele não tem onde ficar. Pensei que a gente pudesse...

— Não! — disse Dona Eulália, categórica.

O marido se espantou com a reação da esposa, mas logo pareceu resignado, como se já estivesse se acostumando àquele tipo de reação.

— Amor, mas estamos precisando de...

— Precisando de quê? De um substituto? — vociferou ela, com os olhos fixos no marido.

— Substituto? — repetiu ele, chocado. — De maneira alguma, querida...

Seu Avelino até tentou argumentar, mas parecia que nem tinha mais forças dentro de si. Encarava a esposa com uma atitude resignada, como se já estivesse cansado de brigas.

— Pois é isso o que eu vejo — continuou ela, desgostosa, como se estivesse apenas esperando uma desculpa para desafogar as mágoas. — Todos nas ruas me olham com pesar. Como se o meu menino, o meu Rurique, tivesse morrido!

— Dona Eulália, Rurique não morreu! — contestou Tibor. Ele gostava muito dela. Não lhe agradava nada ver a mãe do seu melhor amigo desolada daquele jeito. — Vamos encontrá-lo, eu prometo.

— E como pensa em fazer isso, Tibor? — ralhou ela, com o tom de voz alterado. — Porque o que vejo é meu menino sendo cada vez mais esquecido. — Lágrimas brotaram dos seus olhos. — Há um cachorro no colo do meu marido. Há um novo amigo ao seu lado. — Aquelas palavras doeram mais em Tibor do que se tivesse levado um tapa. — Eu mesma, a cada dia tenho a impressão de que esqueço um pouco mais meu filho... Hoje mesmo me peguei largando umas tralhas no quarto dele, em cima da cama, como se ele não fosse mais voltar... Meu Rurique! — Ela foi até a pia e olhou pela janela. Por um momento o que se ouviu foram apenas soluços engasgados.

Tibor olhou para Raul, esperando que ele soubesse o que dizer para consolá-la. Afinal, como diretor de um orfanato, o homem devia lidar com o sofrimento humano todos os dias. Mas, ao ver Raul sem reação, tão sem palavras quanto ele, concluiu que talvez lidar com crianças fosse mais fácil.

Seu Avelino foi até a esposa, mas, antes deixou o cachorro com Pedro, que assistia toda a cena com cara de dó.

— Querida... — disse Avelino, abraçando-a. — Por favor, não desanime desse jeito. Eu preciso de você. O Rurique também precisa. Precisa de nós dois. — Ele falava com delicadeza, mas com voz firme. — Precisamos ser fortes e acreditar que Rurique vai voltar.

Tocados pelo sofrimento dos pais de Rurique, Tibor e Pedro saíram de fininho da cozinha e foram até o portão que dava para a rua. Viram que Raul os seguia, talvez porque também achasse melhor deixar o casal a sós para resolver suas diferenças. Mas, depois de alguns instantes, Seu Avelino foi ao encontro deles.

— Por favor, perdoem o mau jeito de Eulália. Ela tem passado por muita coisa e...

— Não precisa dizer nada, nós entendemos... — Tibor se apressou em dizer.

Raul estendeu um cartão ao pai de Rurique.

— Como eu já disse à sua esposa, Seu Avelino, se precisarem de alguma coisa, podem contar comigo — disse o bigode de Raul. Em seguida, levantou o chapéu cordialmente, se despedindo. Depois se voltou para Tibor e Pedro. — Se quiserem posso dar uma carona pra vocês até o sítio.

Quando os meninos aceitaram a carona, ele avisou que os esperaria no carro e se afastou.

— Se não se importar, eu fico com o cachorro — falou Pedro para Seu Avelino. — Minha mãe anda uma pilha de nervos também. O senhor sabe, "A quaresma vem aí!" — disse ele, como que imitando o tom de voz da sentinela do muro de Membira. — Talvez o que falte lá em casa seja um rabo abanando.

Enquanto o menino falava, Seu Avelino fitava o cão com o olhar distante.

— Talvez Eulália tenha razão, não é mesmo? — comentou ele. — Um cachorro? Onde eu estava com a cabeça? Logo quando meu filho corre por aí na pele de um lobo... — E seus olhos marejaram. Apesar de querer insuflar coragem na esposa, era nítido que a sua própria estava beirando o fim. — Talvez eu tenha mesmo usado esse cachorro para preencher um vazio... — Sua mão direita pousou instintivamente do lado esquerdo do peito. — Um vazio que não deve ser preenchido.

— Eu vou achar o Rurique, Seu Avelino! — repetiu Tibor com convicção.

— Como? — quis saber o homem. Depois fez uma pausa, meditativo, como se ele próprio procurasse em sua mente uma forma de responder àquela pergunta. — Sabe, Tibor, meu menino gosta muito de você. Talvez mais até do que você imagina.

Depois Seu Avelino se voltou para o cão e sorriu para ele, acariciando a cabeça do animalzinho. O vira-lata lambeu a mão dele.

— Dê um bom nome pra ele, tá, Pedro?

— Pode deixar — assegurou o menino.

Os dois se despediram e entraram na lata-velha de Raul. Era estranho pensar que já fazia dois anos que ele e Sátir tinham sacolejado naquele mesmo carro. A primeira vez em que andara naquela verdadeira carroça de Raul, Tibor sentiu como se estivesse sendo resgatado pelo seu salvador, pois ele e a irmã estavam sendo levados do orfanato onde viviam a contragosto desde a morte dos pais, para a casa de uma avó amorosa, que os acolhera de braços abertos. Ele e a irmã não tinham boas lembranças do orfanato, e fora naquele automóvel que partiram de lá, rumo a uma vida nova. Mas o menino constatou que uma vida nova não era garantia de felicidade plena. Pois uma vida nova também significava novos desafios.

Pela janelinha do carro, Tibor pôde ver uma placa de "vende-se" afixada diante da casa dos Bronze. Talvez com tudo o que acontecera na quaresma passada, os Bronze tivessem decidido que, longe dali, conseguiriam viver com mais segurança.

Sacolejando nos buracos da estrada, Tibor recapitulava o drama que tinha testemunhado na casa da família de Rurique. Era a primeira vez que via de perto o sofrimento dos pais do amigo.

Será que Dona Eulália tinha mesmo razão? Estavam arranjando um substituto para Rurique? O fato de ele estar na companhia de Pedro era prova de que o amigo estava sendo esquecido?

Mas Tibor sentia falta de Rurique todos os dias! Pensava em mil maneiras de cumprir a promessa de encontrá-lo, mas tudo que fizera até ali não tinha dado resultado algum.

Quando Dona Eulália desistira de dar aulas, a avó mandou Tibor e Sátir para uma escola em Membira, onde tinham estudado no ano anterior. As aulas só não haviam recomeçado ainda porque a escola também respeitava o período da quaresma.

Foi lá que ele conheceu Pedro e ficou amigo dele.

Enfim chegaram à porteira do sítio, desceram do carro e se despediram de Raul. O carro arrancou e foi embora, levantando poeira e levando com ele a nostalgia que envolvia Raul, seu bigode falante e toda a sua ligação com um passado longínquo.

Tibor viu a plaquinha que um dia Rurique tinha lhes dado de presente, esculpida por ele mesmo, com seu talento para a marcenaria. Pendurada em cima da porteira, ela dizia: "BEM-VINDO AO SÍTIO DA FAMÍLIA LOBATO".

E foi aí que o menino Lobato constatou uma coisa que sempre soubera: Rurique era insubstituível!

Ele viu a avó Gailde sentada na varanda da casa e também a irmã, que já corria em direção a eles.

Assim que ela os alcançou, deu logo um beijo na boca de Pedro. Foi um choque tão grande para Tibor que desligou qualquer pensamento que ele tinha na cabeça.

Por alguns instantes, esquecera completamente que Pedro era namorado da irmã.

IRMÃOS LOBATO

O dia estava com jeito de que seria tão exaustivo quanto qualquer outro dia no sítio. Dona Gailde tinha ido à casa de Dona Arlinda e, antes de sair, incumbira os netos das tarefas que tinham à espera depois que Tibor voltasse da casa do amigo.

— É dia de colheita — avisou ela.

De posse da lista que a avó tinha feito das hortaliças que já estavam boas para colher, Tibor e Sátir foram para a horta atrás da casa, com um cesto nas mãos. Retiraram cápsulas de quiabo de um quiabeiro, pés de alface e de repolho da terra, e também agulhas de cebolinha e folhas de couve e hortelã de um mesmo canteiro. Berinjelas e tomates também foram para dentro do cesto, que ficava cada vez mais pesado.

Pedro se ofereceu para ajudar, mas Sátir não quis, dizendo que ele só iria atrasá-los. Então o menino ficou brincando com o vira-lata, enquanto os irmãos trabalhavam na horta.

Mais tarde, foi a vez da Mimosa no curral. Encheram meio balde com o leite da vaca, que, de tão acostumada com a ordenha, nem prestava atenção nos meninos. Seu eterno mastigar lhe parecia muito mais interessante.

Com a água do poço, encheram os bebedouros da vaca e das galinhas. O vira-lata, sem nem titubear, atacou o bebedouro de Mimosa. Logo Sátir arranjou um pote só para ele e a vaca pôde beber água em paz.

No almoço, comeram pão com as geleias deliciosas de amora e de morango, que a avó tinha feito aquela semana.

De volta à lida, Tibor pegou alguns ovos no galinheiro e Sátir regou as flores de Dona Gailde, que ficavam na varanda e no jardim. Como última tarefa, Tibor lavou um resto de louça que ainda havia na pia da cozinha, enquanto Sátir colhia mangas, jabuticabas e laranjas.

Depois de tudo feito, os irmãos puderam brincar um pouco com o cachorro. Às vezes, Tibor era surpreendido por um beijo entre o casal de namorados. O menino ainda não havia se acostumado com o namoro da irmã. Parecia estranho, mas ele tolerava, afinal, Pedro era, antes de tudo, amigo dos dois.

Ao final da tarde, Pedro tratou de se despedir dos irmãos, para não contrariar a mãe. Dona Lívia não queria que o filho dormisse fora de casa e, pelo que dissera a sentinela do muro de Membira, os portões costumavam ser fechados ao pôr do sol. É claro que a despedida entre Pedro e Sátir presenteou Tibor com mais alguns momentos desconcertantes...

Tibor e Sátir se sentaram na escadinha que subia para a varanda da casa. Pedro e o vira-lata já haviam partido e a avó ainda não tinha voltado.

Um sol cor-de-laranja descia devagar por entre as árvores ao longe. Algumas estrelas já estavam visíveis no céu. As Três Marias entre elas.

Sátir comentou que Raul tinha passado no sítio antes de seguir para a casa de Rurique, mas não mencionou nada que evocasse a nostalgia que cercava a figura do homem. A menina preferia esquecer o tempo que vivera no internato. Ele já fazia parte de um passado distante. Tinham outra vida agora.

— E aí, deu tudo certo lá em Membira? Dona Lívia não percebeu mesmo que vocês foram escondidos ver o fim da construção do muro? — perguntou Sátir, puxando assunto.

— Pedro te contou? — quis saber Tibor.

— Ora, meu namorado não esconde nada de mim, maninho. Além do mais — disse ela, com seu sorriso de espertalhona —, eu sou sua irmã mais velha, esqueceu?

— E o que isso tem a ver?

— O que isso tem a ver? Nada a não ser o fato de que eu nasci, aprendi a falar e a andar quando você ainda era uma mera ideia na cabeça dos nossos pais... Portanto, conheço você como a palma da minha mão.

Tibor a encarou. Foi quase como mirar o próprio reflexo. Ali estavam os mesmos olhos verdes-folha, o mesmo nariz e o mesmo cabelo, só diferente no comprimento.

— E não se engane. Nossa avó com certeza não caiu naquelas desculpazinhas que vocês dois inventaram para que você pudesse dormir na casa do Pedro... — Por alguns segundos, um silêncio ficou pairando no ar. — E então, como foi lá com Antenor e os outros?

Tibor teve de admitir. A irmã era mesmo espertalhona. E ela fazia questão de demonstrar isso da maneira mais inconveniente de todas: sendo direta. Não deixando espaço para dúvidas ou tempo para que Tibor pudesse se safar com uma resposta mais elaborada. Ele admirava esse dom da irmã. Mas apenas quando ela fazia isso com outras pessoas, não com ele.

— Foi estranho, se quer saber — começou ele. — Ainda acho a ideia do muro um pouco perigosa. Ele nos separa dos moradores de outros vilarejos. Se algo está mesmo vindo aí nessa quaresma, temos de nos unir. Lutar juntos.

— São opiniões diferentes, Tibor — Sátir falou pensativa. — Cada um tem uma razão para pensar como pensa. Quem pode dizer o que está certo, não é mesmo?

O menino olhou a irmã em silêncio. Aquelas palavras caberiam muito bem na boca da avó Gailde. Foi então que ele se lembrou daquela pequena Sátir de outrora e a comparou com a que estava diante dele.

— Você cresceu, Sátir!

— Cresci, é? — falou ela encarando o irmão e logo puxando-o para um abraço. — *Nós* crescemos, maninho. Me lembro bem da nossa primeira fogueira aqui no sítio. Bem ali! — E ela apontou para onde costumavam fazer fogueiras. — Batata-doce e refrigerante.

Tibor sorriu.

— Tudo deixado de lado por causa de uma disputa minha com o Rurique para saber quem era mais corajoso. Você ficou o tempo todo dizendo que aquilo era desnecessário.

— E a gente viu que eu tinha razão, não foi? — perguntou Sátir com um sorrisinho irônico. — O ataque do gorro, a Pisadeira farejando a gente no escuro... Você só estava falando aquilo porque estava com medo.

O irmão fez menção de protestar, mas o que ela disse em seguida o tranquilizou.

— Mas você tinha razão desde o início. E, depois daquela maluquice toda, você gritou comigo e com o Rurique, colocando a gente no nosso lugar. Sendo a voz da razão. Foi como um chacoalhão pra mim. Eu tinha a idade que você tem hoje e foi naquele momento que percebi que meu maninho estava crescendo.

Os dois ficaram quietos por uns cinco minutos, só ouvindo os pássaros enfeitando a tarde com as suas cantorias.

— Como faremos nessa quaresma? — perguntou ela. — Me refiro a Rurique.

— O que quer dizer?

— Ora, maninho, sei que você não vai ficar dentro de casa. Sei que vai querer sair por aí, assim que possível, e procurar por ele.

Tibor não respondeu. Dirigiu o olhar para longe, ponderando o que a irmã dizia.

A menina soltou o braço que envolvia o irmão e apontou para uma casa de joão-de-barro, numa árvore no terreno do sítio. Um amontoado de barro seco e oco que o pássaro tinha construído para ele e a parceira. Mas a casa era meio diferente das outras. Parecia ter dois andares. Tibor achou aquilo curioso. Nunca vira um joão-de-barro construir um sobrado. Até os pássaros da mesma espécie eram diferentes uns dos outros.

— Não somos como as outras pessoas, Tibor — começou Sátir. — Enquanto todos se escondem atrás de muros e dos trincos das casas, você e eu vamos no caminho contrário. Por isso, sei que você vai sair por aí atrás do Rurique, seja qual for o perigo que estiver lá fora. Sei disso porque é o que você e ele fizeram por mim quando fui raptada. E porque é o que vou fazer também.

Tibor olhou para a irmã, surpreso.

— Você não pode, Sátir. A nossa vó não pode ficar aqui sozinha.

— E você pode ir sozinho? Acha mesmo que eu vou deixar? Desde quando planeja suas aventuras na quaresma sem me incluir?

Tibor não respondeu.

— Vou com você, de um jeito ou de outro — disse Sátir, com firmeza. — A vó vai ficar bem brava com a gente e se, quando voltarmos, ela quiser arrancar a nossa cabeça, tem todo o direito — finalizou a menina.

Nesse momento, um carro velho irrompeu na estrada e parou diante da porteira do sítio. Gailde saiu de dentro dele, com uma aparência abatida.

— Meus netos! — chamou ela. — Venham, entrem no carro.

Quando os dois se aproximaram, ela explicou:

— Precisamos prestar nossas últimas homenagens à minha amiga. Dona Arlinda faleceu esta manhã.

O carro seguiu pelas ruas de terra esburacadas até parar em frente a um pequeno cemitério, na Vila Guará. Tibor e a irmã tinham visitado aquele vilarejo em poucas ocasiões. Nenhuma em especial de que conseguissem se lembrar, além daquela em que estiveram pelos arredores, na entrada do extinto Oitavo Vilarejo.

Poucas vezes, também, haviam tido contato com Dona Arlinda. Vira e mexe, esbarravam com ela, entre um chá e outro, na sala do sítio. Tibor sentia até um pouco de remorso por isso. Conhecera tão pouco a grande amiga da avó e dali em diante não teria mais chance de conhecê-la melhor.

Ao andar por entre as lápides do cemitério da Vila Guará, Tibor se deu conta de que era a segunda vez que pisava num cemitério naquele mesmo dia. Não estava gostando nada daquilo. Definitivamente, não apreciava cemitérios e já contava os segundos para dar o fora dali.

Ao final de uma das ruazinhas ladeadas por campas e pequenos mausoléus, avistaram algumas pessoas. Três delas, Tibor reconheceu no ato. Uma delas era Horácio, o filho de Dona Arlinda. O homem que os havia ajudado a enfrentar a Pisadeira no ano anterior. Estava ao lado da esposa, Janaína, e do filho, Flavinho. A última vez que Tibor vira a família de Horácio, Flavinho era apenas um bebê de colo. Agora, já estava dando os primeiros passinhos ao redor da mãe.

Outro homem segurava uma pá, parecendo indiferente ao que ocorria ali. Devia ser o coveiro, que aguardava a família se despedir da falecida para seguir com seu trabalho. Mais umas três pessoas que Tibor não conhecia circundavam um quadrado escavado na terra. Todas com um semblante triste e acabrunhado. O silêncio só era quebrado por duas crianças que conversavam, sentadas ao longe, em cima do muro do cemitério. Observavam a despedida da família como quem assiste a um jogo de futebol da arquibancada. Tibor viu um descampado do outro lado do muro e algumas casas ao redor. Aquelas crianças deveriam morar por ali, o que fazia daquela cena algo comum para elas.

— Arlinda foi uma boa mãe, uma boa avó, uma boa amiga! — disse Gailde, que se prontificara a dizer algumas palavras em nome de todos os presentes, numa última despedida. — Não havia um só dia em que ela não voltasse os seus pensamentos para seus entes queridos. E é com a mesma atenção que peço, a todos os presentes, que se lembrem dela todos os dias. Assim ela nunca partirá de verdade. Morará dentro dos nossos corações e descansará no além, em paz.

Enquanto a avó falava, Tibor fitava o caixão simples ao lado da cova, onde descansava o corpo de Dona Arlinda. Ela estava com o semblante tão sereno que parecia dormir. Algo nela lembrava o rosto do filho Horácio, mas Tibor não conseguia identificar o quê.

— Me lembro, como se fosse hoje, do dia em que minha amiga Arlinda nasceu. Foi um parto difícil, mas ela lutou pela vida e venceu...

Enquanto Gailde continuava seu discurso, Sátir deu um cutucão no braço de Tibor.

— Uau! A vó estava presente no parto da Dona Arlinda! Com quantos anos será que a Dona Arlinda estava? — cochichou a menina para o irmão.

— Não sei. Mas ela tinha cara de velhinha... — cochichou o irmão de volta.

— A nossa avó não parece mais velha do que ela.

— Devia ser bem criança quando Dona Arlinda nasceu. Ela não pode ter muito mais idade que a amiga — concluiu Tibor.

— O tempo é a única força que nada perdoa — continuou Gailde. — Ele flagela toda e qualquer coisa à medida que passa... — Suas palavras ecoaram pelo cemitério e pelos pensamentos de todos os presentes.

O céu ficava mais escuro à medida que a tarde caía. A tampa do caixão cobriu para sempre o corpo de Arlinda. O homem com a pá pediu ajuda para descer o caixão na cova aberta e Tibor foi um dos que se ofereceu. O coveiro passou uma corda por entre os puxadores, nas laterais do caixão, e estendeu uma ponta para Tibor, uma para Horácio e outra para um dos desconhecidos, para que pudessem descer o caixão pelos sete palmos de terra. Quando o alçou, Tibor pôde sentir o peso do corpo de Dona Arlinda. Um peso morto.

O caixão encontrou o chão e, logo em seguida, o coveiro começou a jogar terra em cima dele, com a pá.

Tibor e Sátir expressaram suas condolências a Janaína e Horácio e cumprimentaram os outros só com a cabeça.

Horácio derramou algumas lágrimas, mas logo se recompôs. As outras pessoas começaram a se despedir, à medida que a noite se aproximava.

Tibor, mais tarde, soube que a avó encontrara a amiga caída no jardim de casa, assim que chegou lá, logo pela manhã. Mandou chamar Horácio e, dali em diante, passaram o dia todo cuidando dos preparativos do enterro.

— Ela viveu uma vida plena, Horácio! — falou Gailde dando um abraço no homenzarrão.

— Deve ser uma grande perda para a senhora também, Dona Gailde — respondeu o filho de Dona Arlinda, abatido. — Nenhuma parteira, ninguém que ajudou uma pessoa vir ao mundo, deveria ser quem a encontra morta também. A senhora a viu chegar e a viu partir.

Tibor ouviu aquilo e achou que Horácio estivesse um pouco confuso e atordoado por conta do choque de perder a mãe. Gailde não poderia ter sido a parteira de Arlinda. No máximo estava presente, mas deveria ser apenas uma criança. Tibor achou que a avó devia ter pensado o mesmo, pois não o corrigiu.

Os irmãos, num dado momento, distanciaram-se um pouco de onde todos estavam e caminharam rumo à saída do cemitério.

— Parente de vocês? — quis saber o coveiro, que havia terminado de cobrir a cova e voltava pela rua paralela com a pá no ombro.

— Amiga da nossa avó — respondeu Sátir.

— Não fiquem tristes, garotos — falou o homem, buscando confortá-los. — Logo, logo ela vai encontrar descanso. A noite vem aí e é quando a carruagem passa para levar os mortos do dia.

— Carruagem? — perguntou Tibor, surpreso, imaginando por que uma carruagem levaria o caixão da dona Arlinda dali, se ele acabara de ser enterrado.

— Ora! A carruagem da Morte — explicou o coveiro. — Dizem que, toda noite, ela passa coletando os mortos do dia e levando seus espíritos para descansar no Além.

Um calafrio percorreu os irmãos quando o homem terminou de falar.

— É o que dizem por aí, eu nunca vi — disse ele, dando de ombros. Então encostou a pá numa lápide e foi cuidar dos seus outros afazeres, se despedindo dos garotos.

Tibor refletiu sobre o que o coveiro dissera. Uma carruagem que toda noite busca os mortos do dia... Ele que não ficaria ali para ver se aquilo era verdade ou não!

Um dos moradores de Guará os levou de volta ao sítio. Os grilos já estrilavam alto sob o céu noturno, em que a lua tinha resolvido não aparecer. Gailde fez pão de queijo para os netos e trocou algumas palavras com eles sobre as tarefas cumpridas ao longo do dia no sítio.

Mais tarde, os irmãos se despediram de Gailde ao pé da escada e foram para seus quartos. Mas, antes de entrar no seu, Sátir lembrou o irmão da pergunta que fizera com relação a Rurique. O que ele pretendia fazer para ajudar o amigo?

Tibor se deitou na cama, ainda pensando na pergunta de Sátir. Já fazia dias que não dormia bem justamente porque não parava de se preocupar com o amigo. Apagou a luz do quarto e se enfiou embaixo do edredom. Queria conseguir dormir aquela noite, mas a conversa que tivera com a irmã só servira para lhe causar ainda mais desassossego. Lembrou-se de Dona Eulália e Seu Avelino lhe fazendo a mesma pergunta, sobre como pensava em encontrar o filho deles. E, no meio de tudo isso, via o rosto sereno de Dona Arlinda, deitada no caixão. Tentou se concentrar na sua respiração para acalmar a mente e afastar os pensamentos que o impediam de dormir. Mas, quando se deu conta, estava imaginando quantos anos sua avó deveria ter. Buscou na memória alguma lembrança de festas de aniversário da avó e constatou que não tinha nenhuma. Seria possível?

Foi então que ele começou a sentir um cheiro adocicado no quarto. Não reconheceu o que era e voltou a tentar dormir. Ficou se revirando na cama, de um lado para o outro, e de repente teve a impressão de ver uma sombra se mover num canto do quarto. Desejou que fosse só coisa da sua mente agitada, mas, quando percebeu outro movimento, começou a se preocupar.

Levantou da cama e, um segundo depois, seu dedo apertava o interruptor na parede. Não havia nada no tal canto a não ser roupas em cima de um baú herdado do seu pai. Estranho. Apagou a luz e tentou dormir de novo. O cheiro doce ainda estava no ar.

O menino mais uma vez tentou relaxar, voltando os pensamentos para o ar que fazia seu peito subir e descer, mas bufou de raiva quando ouviu o barulho de um tropel do lado de fora da porteira do sítio. Não teve escolha senão sair de debaixo do edredom e ir até a janela conferir.

A noite estava bem escura e era difícil enxergar alguma coisa, mas reconheceu a careca de Antenor, liderando um grupo de pessoas. Passavam agora na frente do sítio dos Lobato, num passo decidido, como se fossem cumprir algum tipo de missão.

Tibor vestiu uma roupa quente o mais rápido possível e sem fazer barulho. O ranger da porta o fez estancar com uma careta. Ao constatar que ninguém parecia ter acordado, saiu do quarto, desceu as escadas na ponta dos pés e correu para fora. Na porteira, Tibor chamou uma moça que acompanhava o pequeno bando. Ela saiu do grupo apressado e parou na porteira, onde Tibor estava.

— Ei, o que está havendo? — ele quis saber.

— Soubemos que acabou de acontecer um ataque no curral do velho Benson — contou a mulher, que carregava um pedaço de ferro na mão. — Algum animal matou todas as suas cabras. Achamos que estamos muito perto de encontrar o Lobisomem.

Assim que acabou de falar, ela voltou a seguir pela estrada de terra, acompanhando os outros.

Tibor olhou para o céu, instintivamente, e se lembrou de que faltava muito ainda para a lua cheia. Nem havia lua no céu. As nuvens cobriam tudo. O responsável pelos ataques não poderia ser um lobisomem.

Mesmo assim, algo dentro dele o alertava de que deveria acompanhar aquele grupo. Só não sabia se aquilo era mesmo um aviso ou só sua curiosidade. No fim das contas, decidiu que era mais um senso de dever. Ele se sentia responsável não só por salvar Rurique, mas por ajudar a resolver qualquer transtorno ligado à sua maligna tia-avó. Já fazia algum tempo que o menino havia tomado aquela decisão. Estava claro, na sua cabeça, que tudo o que vivera nas quaresmas passadas tinha ligação com a bruxa e talvez só ele pudesse pôr um fim àquilo. Não sabia por quê, mas tinha um palpite de que o ataque ocorrido naquela noite também estava relacionado com a Cuca. Era isso ou sua imaginação estava começando a lhe pregar peças.

Viu os últimos do grupo sumirem numa curva da estrada. Quase pulou a cerca para ir atrás deles, mas se conteve. Será que deveria seguir o grupo sozinho ou chamar a irmã? Ela não o perdoaria se não a chamasse...

Voltou para a casa correndo e resmungando entredentes, para acordar Sátir.

5

O CHUPA-CABRA

A menina deu um pulo da cama, quando ouviu o irmão chamando seu nome. Quando ele explicou o motivo, ela nem pestanejou. Levantou-se, pronta para adiar algumas horas de sono, e começou a enfiar na sua pequena mochila alguns itens que poderiam ser necessários na sua excursão noturna, como lanterna e canivete multiuso.

Já estavam no gramado do lado de fora, quando ela se deu conta:

— Tibor, não vamos conseguir mais alcançá-los.

— Eles foram para a fazenda do velho Benson.

A irmã levantou as sobrancelhas.

— Que velho Benson?

— O homem que fornece leite de cabra e café para todos os vilarejos.

A expressão dela mudou, ao se lembrar do vizinho de sotaque estrangeiro.

— Ah, sim! Sei quem é! E acho que sei como podemos alcançá-los! — falou Sátir, mais animada. — Pedro deixou duas bicicletas aqui no sítio um dia desses. Uma é dele e a outra pegou emprestada da mãe, para eu andar.

As duas bicicletas estavam encostadas atrás do galinheiro. Os irmãos subiram até a porteira, levando-as pelo guidão. Montaram nas bicicletas e, com uma última olhadela para o sítio, se asseguraram de que não tinham acordado a avó e partiram para a fazenda do velho Benson.

Mesmo pedalando loucamente e sentindo o traseiro castigado pelos buracos e pedregulhos da estrada, Tibor não pôde deixar de reparar em como era bom andar de bicicleta. Quanto mais velocidade ele imprimia na magrela, maior era a liberdade que sentia. Por um instante deixou de lado a preocupação com o suposto ataque de lobisomem e pensou na possibilidade de pedir a bicicleta emprestada por uns dias, só pra ter aquela sensação de novo.

Tibor ia na frente. Já tinha feito aquele caminho algumas vezes com a avó, pois costumava acompanhar Dona Gailde até a fazenda do velho Benson, quando ela ia comprar queijo de cabra fresco.

Já dentro da fazenda, avistaram uma pequena aglomeração em torno de um senhor de cabelos brancos, que gesticulava sem parar. Parecia exasperado, tentando explicar alguma coisa. Tibor e Sátir pedalaram até eles.

— ... Era muito barulho! As cabras baliam alto. Acho que, até do centro de Diniápolis, dava pra escutar os berros assustados dos animais!

— relatava o velho com a voz rouca e um sotaque carregado nos erres. — Eu e a minha esposa ficamos atordoados. Logo depois, não ouvimos mais nada. Um silêncio mortal.

Tibor reparou que o velho ainda vestia uma espécie de camisão, que devia usar para dormir.

— Olhei pela janela e vi ele correndo — contou o velho com os olhos arregalados. — Lá para os lados do cafezal...

— Ele quem? — perguntou Antenor, com sua careca agora opaca, sob a noite sem luar.

O velho Benson deteve por um momento sua narrativa, para responder.

— O Chupa-cabra!

Tibor e Sátir se entreolharam, deitaram as bicicletas no chão e se aproximaram um pouco mais do grupo. A história parecia ganhar novos contornos.

— Como sabe que era o Chupa-cabra? — perguntou a moça que havia conversado com Tibor à porteira do sítio.

— Ele já tem assolado minhas terras há muito tempo! Muita gente da região conhece esse bicho — disse ele, pesaroso. — Já faz meses que tenho sofrido ataques. E nem estamos na quaresma ainda! — O homem passou a andar na direção do curral enquanto falava, e todos o seguiram. — Meu fornecimento de leite já caiu. As pessoas também estão com medo de que os animais sobreviventes estejam infectados. Mas agora — e ele acendeu as luzes do curral — acho que nem preciso mais me preocupar com isso... Não sobrou quase nenhum!

Tibor e Sátir levaram um susto.

Havia cabras, daquelas do tipo que dão lã, caídas por todo o curral. Mas não se via sangue espalhado. Os animais pareceriam só adormecidos, se não fosse uma coisa muito estranha: todos tinham marcas de sangue no pescoço.

Um homem do grupo foi até a cabra mais próxima e olhou mais de perto.

— Ela parece estar...

— Seca? — completou Benson, levantando seu queixo proeminente.

— Isso mesmo! — falou o homem. — O sangue dela parece ter sido drenado.

— Drenado? — repetiu Antenor, chocado.

— É! — o homem passou a analisar outra cabra. — Essa daqui também. Parece que alguém chupou o sangue delas. Estão completamente secas.

Dois outros homens do pequeno bando de Antenor, que tinham ido dar uma olhada na lavoura de café, voltavam agora com novidades.

— Encontramos uma trilha de sangue, logo entre as primeiras fileiras do cafezal — avisou um deles.

Antenor se virou para Benson.

— Essa plantação de café é muito grande? — quis saber.

— Não muito, mas é um cafezal de montanha. Por isso andar por ele não é lá muito fácil — avisou Benson.

Antenor fez sinal para que alguns o seguissem e pediu para que os outros permanecessem com o velho Benson e a esposa.

— Irmãos Lobato! — chamou Antenor, ao reparar nos dois, um pouco antes de seguir para o cafezal. — O que vocês fazendo aqui...?

— Queremos ajudar — respondeu Tibor.

— Bom, se querem ajudar, sugiro que fiquem aqui com o Senhor e a Senhora Benson.

A contragosto, Tibor continuou parado ali, observando o grupo seguir na direção do cafezal.

— Bom, ele apenas sugeriu, não é mesmo? — falou a irmã.

Os meninos não perderam tempo. Correram logo atrás do primeiro grupo, incumbido de investigar o rastro de sangue. Ao chegar ao cafezal, Antenor e os outros constataram que havia respingos de sangue por todo o labirinto de pés de café, na encosta da montanha.

Como era época de florada, os arbustos, que na maior parte do ano eram verdes, agora estavam coalhados de flores brancas. Visto de cima, o cafezal parecia uma sucessão de linhas brancas paralelas, descendo desde a casa de fazenda, no alto, até o pé da montanha. Mas cada fileira ficava num degrau de terra, de modo que a fileira seguinte ficava num patamar um pouco mais baixo que a anterior. Era quase como se a montanha fosse uma grande escada, sendo cada degrau, uma fileira. Havia também um corredor transversal no centro da lavoura, este maior, que cruzava os demais e descia direto do cume até o limite da fazenda.

O grupo seguiu pelo corredor central e ali se separou em duplas, cada uma seguindo por uma fileira. A intenção era percorrerem o cafezal inteiro, para descobrir o paradeiro da criatura.

Munidos de lanternas, cada dupla faria a varredura de algumas fileiras. Tibor e Sátir evitaram ficar perto de Antenor, assim puderam formar uma dupla e andar juntos pelos corredores.

— E se a gente encontrar esse Chupa-cabra? Faz o quê? — perguntou Sátir. — Dá uma surra nele?

Tibor deu de ombros. Só estava ali para ter certeza de que não era Rurique quem drenara o sangue das cabras. Sabia que Antenor e os outros tinham essa convicção. Mas ele achava que, se um lobisomem tivesse atacado aquelas cabras, o cenário no curral seria outro. As paredes estariam cobertas de sangue.

À medida que a busca prosseguia, perceberam que o terreno do cafezal era todo desnivelado, o que os obrigava a andar se equilibrando, até ficar com os tornozelos doloridos.

De repente, ouviram um barulho num pé de café bem atrás deles. Os meninos viraram as lanternas no mesmo instante, para o lugar de onde o som parecia ter vindo. Tentaram enxergar a fileira de baixo, por entre os arbustos cheios de flores brancas, mas a folhagem era muito espessa.

Sátir virou-se para o irmão e colocou o indicador sobre os lábios, pedindo que fizesse silêncio. Então conseguiram ouvir alguma coisa respirando na fileira vizinha.

— Quem está aí? — perguntou Sátir, com impaciência. Era isso ou era medo. Tibor não soube identificar.

No instante seguinte, ouviram a criatura, na fileira ao lado, começar a correr. Sem titubear, Tibor e a irmã dispararam atrás dela, seguindo pela fileira acima.

— E aí, o que a gente faz quando alcançar ele? — perguntou Tibor enquanto corriam.

— Foi justamente o que eu perguntei antes! — rebateu a irmã, com a voz entrecortada.

À medida que corriam, o caminho ficava cada vez mais íngreme e o terreno, mais acidentado.

— Acho melhor a gente avisar os outros — falou Tibor, já começando a gritar: — AQUI! ACHAMOS ELE! ACHAMOS ELE!

Ouviram um falatório no cafezal, seguido de passos pesados vindos de todas as direções. Os irmãos continuavam a correr, quando Sátir escorregou e ralou o joelho na terra. Tibor estendeu a mão para ajudar a irmã a se levantar e viu que ela tinha tropeçado num amontoado de frutinhas de café.

Nesse instante, Sátir apontou o dedo para uma abertura entre dois pés de café.

— Ali, maninho!

Havia uma passagem, entre as folhagens, para a fileira vizinha. Mas o menino teve um sobressalto quando percebeu que a irmã não apontava apenas para a abertura.

Algo os observava pelo vão!

Tibor não foi rápido o suficiente. Quando apontou a lanterna, o vulto mais uma vez desatou a correr. Os irmãos passaram pelo buraco entre os pés de café e começaram a perseguir a coisa pela mesma fileira em que ela estava.

A criatura era rápida! Os meninos tentaram correr mais depressa para não perdê-la de vista. Toparam com um corredor central e perceberam que ela já descia a montanha.

Quando apertaram o passo e já podiam divisar a figura à frente, algo irrompeu por entre as folhas e galhos do cafezal e trombou com Tibor e Sátir.

Todos desabaram no chão.

— Desculpem! — disse o homem que havia analisado as cabras no curral.

Logo eles se recuperaram do encontrão e se levantaram, partindo outra vez na direção da criatura.

Segundos depois, outras pessoas passaram por Sátir e Tibor, saindo dos corredores entre os pés de café e seguindo no encalço do suposto sugador de cabras.

Os meninos foram atrás, acompanhando os outros, barranco abaixo. Então ouviram um tumulto, gritos nervosos, e deduziram que tinham alcançado a criatura.

Mais à frente, o corredor central terminava numa cerca de arame farpado meio derrubada, que delimitava os domínios da fazenda dos Benson.

O alvoroço vinha de algum lugar além dela. Tibor e Sátir passaram pela cerca e a sola do tênis de Tibor enganchou num arame farpado. Ele rapidamente puxou o pé e desvencilhou o calçado, seguindo em frente. O menino apontou a lanterna para uma vegetação avermelhada que apareceu em seu campo de visão. Os irmãos desviaram dos arbustos e, por fim, encontraram o bando de Antenor.

— Então esse é o Chupa-cabra? — dizia um dos homens, olhando para algo que estava de costas, amarrado com uma corda, e se sacudia, tentando se soltar.

Tibor e Sátir se aproximaram, ofegantes e com os pés doloridos.

O Chupa-cabra usava... botas?, foi o que Tibor se perguntou ao ver as pernas da criatura, agora vencida pelo pequeno grupo de pessoas.

Antenor pediu que carregassem o Chupa-cabra para a casa do velho Benson. Dois homens do bando se prontificaram. Quando colocaram a coisa em pé, Tibor percebeu que ela tinha cabelo comprido.

Cabelo humano.

Depois reparou que, não só o cabelo, mas o corpo também era humano.

Os fachos das lanternas, vez ou outra, iluminavam o ser amarrado, revelando uma vestimenta rota, suja e, em muitos lugares, com manchas escuras e avermelhadas.

— O que é isso aqui? — perguntou alguém, iluminando um amontoado de baldes de latão próximo à estranha vegetação vermelha. Alguém apontou a lanterna para os baldes e todo mundo viu onde tinha ido parar o sangue das cabras. Ele não tinha sido sugado para alimentar criatura alguma. Ao menos, não por enquanto. No momento, o líquido preenchia os baldes até a boca.

— Minha nossa! — exclamaram.

A descoberta distraiu todo o grupo e, na confusão, a criatura conseguiu se soltar e derrubar os homens que a mantinham presa. Passou correndo por dois e, antes de ser derrubada por Antenor, deu um encontrão em Sátir, que se desequilibrou e teve de se segurar nos galhos de folhagem avermelhada para não cair.

Tibor, por breves segundos, tentou ver o que era aquela coisa que agora tentava se soltar de Antenor e do emaranhado de pés e pernas daqueles que tentavam detê-la. Estava entretido com o alvoroço, quando se surpreendeu com um grito da irmã. Um grito de dor. Todos se viraram para Sátir.

— Ai! Isso queima! — gritou ela, presa entre os galhos vermelhos.

Tibor, antes de qualquer um, enfiou o braço por entre os galhos e puxou a irmã com força, desvencilhando-a dos arbustos. Os braços e as mãos da menina tinham vergões vermelhos, como uma alergia forte.

— O que houve? — perguntou ele, mas sentiu a resposta na própria pele, ao encostar nos ramos da planta. Um ardor se espalhou pelo braço e quase o fez gritar de dor tão alto quanto a irmã.

— Ai! Isso arde mesmo! — reclamou. — Que planta é essa?

— Parece urtiga. Uma urtiga-vermelha — falou uma mulher do bando. — Evitem coçar onde ela queimou. — Com a manga da blusa, ela retirou do galho uma folha do arbusto. — Mas tem uma coisa estranha nessa urtiga...

— E o que é? — perguntou um rapaz, poucos anos mais velho que Tibor.

— A urtiga-vermelha não queima. Essa urtiga é diferente — concluiu ela.

Nesse instante, Tibor percebeu seu pé molhado dentro do tênis. Provavelmente, tinha pisado numa poça e a água entrara pela sola furada pelo arame farpado. Mirou a lanterna no chão e notou que pisava num barro avermelhado. Iluminou outros pontos e viu que estavam todos pisando num charco escarlate, de onde brotavam os pés de urtiga.

Percebeu a mesma pergunta nos olhares de todos. Que tipo de ligação medonha havia entre os baldes cheios de sangue, o barro vermelho e as plantas avermelhadas que queimavam a pele?

Antenor foi quem deu voz à dúvida coletiva.

— O que são esses baldes todos, cheios de sangue de cabra? Já sabemos que você não bebeu o sangue — disse ele, com firmeza, dirigindo-se à coisa que estava, de novo, amarrada.

Tibor, que estava de costas para a criatura, tratou de dar meia-volta e se aproximar dela. Queria ver o que tinham capturado. Sátir, ainda esfregando os braços que queimavam, foi atrás do irmão.

O tal Chupa-cabra não abriu a boca.

— Se não vai responder, as coisas vão ficar interessantes por aqui. Não é mesmo, pessoal? — falou Antenor, com um sorriso malicioso nos lábios, tentando assustar o ser aprisionado, agora de cabeça baixa.

Seus cabelos cobriam o rosto, ocultando sua reação. Mas, pelo jeito, a ameaça tinha funcionado. A criatura levantou a cabeça e olhou furiosa para Antenor.

E nesse momento Tibor viu seu rosto.

Não era um animal, mas não deixava de parecer uma fera. Quem estava aprisionada entre eles era uma mulher! Uma mulher de pele morena e cabelos e olhos escuros.

— Quem podia imaginar? — continuou Antenor. — Você está de volta, Moura? — Nesse momento, muitos olhares se voltaram para a careca do homem. Pelo visto, ele sabia quem ela era.

Tibor olhou de volta para a mulher e teve a impressão de conhecê-la também. Só não sabia de onde.

— Ei! — falou Sátir. — Eu conheço você!

Tibor olhou para a irmã, perplexo.

— De onde, Sátir?

Antenor também se voltou para Sátir, surpreso.

— Lembra quando eu estava com o Muiraquitã roubado pelo boto, no ano passado? — ela perguntou a Tibor.

Ele não precisou se esforçar para lembrar. A visão da irmã invocando o Boitatá por detrás de uma moita, com o amuleto esculpido em jade nas mãos, não era uma visão fácil de ser esquecida.

— Pois é. Depois que fomos para a casa do Antenor, pedir que soltassem Málabu, você, Rurique e eu conversamos no quarto dos filhos dele. Lembra que eu contei um pesadelo que tive com a nossa mãe?

— Lembro! — afirmou Tibor. — Você contou que, no sonho, alguém tirava cartas para ela, numa tenda cigana. E a alertava sobre um destino ruim.

— Era ela, maninho! — revelou Sátir. — Ela era a cartomante que tirava as cartas para a nossa mãe, dentro da tenda.

— Não é possível! — Antenor olhava para Sátir. — Você não poderia...

— Eu também me lembro de você! — dessa vez foi Tibor quem falou, apontando para a mulher amarrada, que o encarava de volta com ódio nos olhos.

Era uma lembrança medonha. Naquele dia mesmo, pela manhã, ele havia sonhado com uma mulher que levava vários homens para uma armadilha da qual não saíram vivos. Um ritual, à beira de uma cova, de onde uma enorme assombração saía. Uma cobra translúcida, trazida à superfície por sua própria tia-avó, a Cuca.

Sátir percebeu o olhar do irmão longe dali, perdido em lembranças.

— De onde você se lembra dela, Tibor?

Ele fitou novamente os olhos negros da mulher, para ter certeza.

— Sonhei que ela levou vários homens para uma armadilha dentro da floresta — falou o menino. — Nenhum deles voltou para contar a história.

No mesmo instante, a mulher olhou para Tibor de maneira diferente. Como se ele soubesse de uma informação que não deveria saber.

— Isso não é possível! — exclamou Antenor. — Não poderiam se lembrar dessa mulher. Muito menos sonhar com ela. — O homem parecia buscar entender alguma coisa que fugia da compreensão dos jovens Lobato. — Vocês não poderiam lembrar. Acho que nunca nem chegaram a conhecê-la. Eram muito pequenos quando...

Os irmãos esperaram que o homem careca terminasse a frase, mas ele se calou.

— Éramos muito pequenos quando o quê? — inquiriu Sátir, desconfiada.

— Vocês são os filhos dos Lobato? — falou a mulher morena, com uma voz rasgada. Ela tentava dar uma boa olhada nos garotos, mesmo em meio à escuridão. — Filhos de Leonel e Hana?

Ao escutarem os nomes dos pais, os irmãos ficaram em alerta. Precisavam saber quem era aquela mulher estranha. Como sabia a respeito de seus pais? Antenor a conhecia? Por que a tinham visto em sonho?

— Homens! Levem a Moura daqui, direto para o curral dos Benson. Vamos interrogá-la lá em cima — ordenou Antenor, coordenando os próximos passos do bando.

— Quem é essa mulher? Por que a chamou de Moura? — Sátir continuava tentando obter alguma resposta.

— Ela conheceu nossos pais? — perguntou Tibor.

— E não deixem que ela fuja desta vez! — ordenou ele, ignorando Sátir e Tibor. — Essa é a especialidade dela.

— Tibor — sussurrou a irmã, chamando-o num canto. — Meus braços e minhas mãos. Estão queimando demais. Parece que alguém jogou água fervente em mim. Tô me segurando pra não sair gritando como uma desvairada. Vão pensar que fiquei louca. Mas não sei o que fazer!

— Acho que temos que parar de coçar. — O menino entendia bem o que a irmã dizia. Seu braço também parecia queimar. A sensação era que estavam espetando alfinetes incandescentes na sua pele.

Todos tomaram o caminho de volta, em direção às fileiras de pés de café. A subida era íngreme.

Tibor, Sátir e Antenor seguiram mais atrás. Uma parte do grupo se distanciou um pouco, dois homens segurando a prisioneira e os outros de guarda, para o caso de ela tentar fugir outra vez.

E foi exatamente isso que ela tentou fazer.

Os meninos perceberam uma movimentação frenética à frente e apontaram a lanterna para lá. Era como se uma briga estivesse acontecendo ali.

Viram a Moura atacar dois deles.

Algo brilhou na mão dela e parecia um instrumento cortante. Mais tumulto e gritaria, e Tibor ouviu alguém gritar ao ser cortado. E o talho devia ser fundo, pois o grito ecoou pela noite.

A Moura não era mais prisioneira. Não demorou muito para os meninos perceberem sua silhueta escura partindo na direção deles.

Tibor mirou a lanterna e, dentro do facho de luz, viu a Moura atacando Antenor.

— Minha especialidade é sentir coisas preciosas! — ela disse, montando sobre Antenor, caído de costas no chão, e o ameaçando com algo que o fez parar de se debater. — Coisas poderosas! — disse, elevando a voz. — Sabe disso, Antenor.

— Solta ele! — disseram Tibor e Sátir juntos.

Ela voltou-se para os Lobato, espremendo os olhos para enxergá-los melhor.

— Eu sabia que estavam pelas redondezas. Senti vocês — disse a estranha mulher, a voz quase o silvo de uma serpente.

Os homens de Antenor correram para tentar capturá-la uma vez mais. Mas ela foi rápida. Devia conhecer aquelas terras como os calos da própria mão.

Saiu de cima de Antenor e embrenhou-se no labirinto de pés de café, com a rapidez de um raio, desaparecendo em meio às flores brancas.

Ajudaram Antenor a se levantar e viram que ele tinha um corte na barriga. A camiseta estava rasgada, pouco acima do umbigo. Mais dois do grupo tinham sido feridos também.

— Não vimos a faca que ela tinha escondida — disse um deles.

Antenor apenas olhou para Tibor e Sátir, os mais jovens do grupo.

— Sempre os Lobato. Coisas incompreensíveis sempre rondam a família de vocês. Parecem atrair as coisas — começou ele, fazendo uma careta de dor. — Preciso falar com a avó de vocês. É bem provável que esse sangue todo nos baldes, essas plantas estranhas e o reaparecimento dessa mulher — e ele apontou para onde a Moura tinha desaparecido — tenham ligação com algo maior. Algo que vem aí com essa quaresma. — Ele fez uma pausa, verificando o ferimento na barriga. — E talvez

— disse, mais reflexivo — seja bem provável que tudo isso tenha relação com o passado de vocês dois.

Sem dar espaço para mais perguntas, Antenor deu as costas aos irmãos e seguiu na direção da casa dos Benson, com a mão segurando a barriga.

6

O ÚLTIMO MUIRAQUITÃ

O grupo todo ficou de guarda até de manhã na fazenda do velho Benson, para o caso de a Moura resolver voltar.

Tibor e Sátir viram o sol despontar por entre as fileiras de café, mas só pela janela da casa. Tentaram ajudar no que fosse possível, mas não antes que a própria Senhora Benson cuidasse das suas queimaduras de urtiga.

— Encostar numa urtiga é como levar uma ferroada — explicou ela. — Estão vendo esses pelinhos sobre a pele irritada? — Tibor só conseguiu perceber os pelos minúsculos depois que a Senhora Benson os apontou. — Eles ficam nas folhas e nos galhos da urtiga e têm várias substâncias que irritam a pele e causam coceira.

— A sensação é muito ruim! Parece que a pele está queimando! — desabafou Sátir.

Com uma fita adesiva, a Senhora Benson tirou todos os fiapos de urtiga que picavam os meninos. Depois, lavou delicadamente os ferimentos com água e sabão. Já havia pequenas bolhas nos pontos mais afetados.

Ela os instruiu a não coçar. Depois explicou que era tudo o que podia fazer por eles naquele momento e que, ao voltarem para casa, Dona Gailde poderia aplicar algum unguento, visto que tinha fama de ter sido uma exímia curandeira em outros tempos.

Os irmãos ficaram acordados a noite inteira, como os outros. Sátir conseguiu tirar um cochilo, já que suas queimaduras haviam aliviado um pouco. Tibor não conseguiu. Seu corpo pedia descanso, mas, toda vez que se deitava, mil preocupações afligiam sua mente. Além do mais, o fato de a fugitiva ter mencionado o nome dos seus pais tirara completamente seu sono.

Nesse meio-tempo, os Benson foram colocados a par de tudo o que havia ocorrido na plantação de café. Antenor prometeu deixar algumas pessoas de olho na fazenda, só por precaução.

Partiram quando o calor da manhã afastou o frio da madrugada. Antenor se despediu do grupo numa encruzilhada, dizendo que acompanharia os meninos até o sítio de Dona Gailde.

Por um tempo, seguiram os três pela estradinha de terra, sem conversar. O ranger das correntes das bicicletas dos garotos, a cada pedalada, era a única coisa que se ouvia.

— Quem era aquela mulher, a Moura? — quis saber Tibor, esforçando-se para não voltar a coçar o braço irritado.

Antenor ficou calado por alguns instantes. Parecia ponderar o que dizer.

— Nós a chamávamos de Moura Torta — começou ele. — Não se enganem com a aparência dela. Dizem que é muito mais velha do que parece. Quando digo "velha", quero dizer que já viveu muito mais do que um ser humano normal viveria.

Sátir olhou bem fundo nos olhos do homem. Queria ver se Antenor realmente acreditava no que estava dizendo. Ao mesmo tempo, também se segurava para não coçar os vergões vermelhos nos braços e nas mãos.

— Parece história da carochinha, eu sei. Mas, como vocês bem sabem, há coisas por aí que não conseguimos explicar, não é mesmo? — continuou o homem, sua careca já reluzindo de suor sob o sol.

— Dizem que ela já foi uma princesa — disse ele, fazendo aspas com os dedos para destacar a palavra "princesa". — Em outros tempos. Outros lugares também. Muito longe daqui.

A cada passo que davam, Antenor esclarecia um pouco mais as milhares de dúvidas dos irmãos.

— Vocês ouviram ela dizer que sente coisas? Coisas poderosas? — Os dois irmãos fizeram que sim com a cabeça. — Ela sente o ouro, o poder. Por isso é atraída para onde quer que fareje isso. Enganou muita gente da classe alta. Um dia foi desmascarada e depois passou a vagar por aí.

Ficaram outra vez em silêncio.

— Não consigo imaginá-la como uma princesa — comentou Sátir.

Tibor não sabia se aquele era só mais um dos comentários ácidos que a irmã tinha o costume de soltar às vezes, nos momentos mais impróprios, ou se o ardor das queimaduras de urtiga a tinham deixado simplesmente mal-humorada. Sendo uma coisa ou outra, o menino teve vontade de rir. Também não conseguia enxergar aquela mulher como alguém da nobreza.

Meia hora depois, já estavam entrando na sala do sítio. Bastou devolverem a porta ao batente para a avó emergir da cozinha.

— Quer dizer que essa quaresma vai ser assim? Vocês vão simplesmente desaparecer da cama e sair por aí, sem avisar? — repreendeu-os a avó, num tom severo e com as mãos na cintura. — Que tipo de netos estou criando aqui? — Nesse instante ela percebeu que eles não estavam sozinhos e voltou-se para Antenor, reparando na sua calça cáqui toda suja de terra. — E o senhor? O que tem a ver com essa história de meus netos zanzando por aí sem me avisar?

— Vó — Tibor falou primeiro —, é tudo culpa minha.

— Dona Gailde — adiantou-se Antenor, sério, antes que ela dissesse algo mais —, precisamos conversar.

Ela o perscrutou, identificando certa urgência na fala do homem, e fez um gesto indicando o sofá.

Mas, antes de deixar que o homem começasse a falar, ela viu os vergões vermelhos nos braços dos netos e quis saber a causa daquilo. Quando soube da urtiga, mandou que esperassem quietinhos ali e saiu porta afora, para buscar algo em algum canto do jardim. Voltou de lá com uma planta pontuda, de casca verde e polpa gosmenta e transparente. Foi justamente a parte gosmenta que ela esfregou nas queimaduras de urtiga, explicando que a tal planta, chamada babosa, iria aliviar as coceiras. De fato, o alívio foi instantâneo.

Depois disso, Antenor contou à Dona Gailde sobre a noite na fazenda do velho Benson, enquanto ela, entre um resmungo e outro, dava uns retoques no curativo que a Senhora Benson tinha feito na barriga do homem.

— Então, ela matou as cabras do Benson? Todas elas? — perguntou Dona Gailde. Antenor e os meninos assentiram. — Drenou o sangue delas? — Eles assentiram de novo. — Provavelmente era com esse sangue que ela regava as urtigas. Por isso são vermelhas. Não é porque são da espécie vermelha. Pelo ferimento me parecem urtigas comuns, mas devem ter adquirido essa coloração avermelhada porque o chão é encharcado de sangue.

Tibor olhou para o seu tênis, parcialmente tingido de carmim. Não quis nem imaginar a situação em que se encontrava seu pé dentro do calçado furado...

— O que a senhora acha de tudo isso, Dona Gailde? — quis saber Antenor.

— Já ouvi falar de urtigas regadas com sangue uma vez, há muito tempo. Faz parte de algum tipo de ritual. Algo nada bom. Um ritual macabro — explicou ela, num tom de voz sombrio.

— E a Moura? O que será que significa o retorno dela? Ela já não causou estrago suficiente? — Enquanto falava, o homem buscava uma posição que não fizesse o corte na barriga doer, mas isso não parecia fácil. Cada vez que abria a boca para perguntar alguma coisa, fazia uma careta de dor e punha a mão no ferimento.

Tibor e Sátir absorviam cada trecho da conversa. Cada detalhe. Queriam preencher todas as lacunas na sua mente.

— Sim, sim. Ela já causou estrago demais — respondeu Dona Gailde, pesarosa. — Como você disse. Ela sente coisas! Deve ter sentido algo de valor suficiente para fazê-la querer se reaproximar de todos nós.

— Ou foi recrutada. Não seria a primeira vez, não é? Em cada canto desses vilarejos se ouvem boatos de um exército de criaturas.

Tibor e Sátir ouviam tudo com uma expressão compenetrada. Queriam entender as entrelinhas do que estava sendo dito ali. Às vezes, notavam certo cinismo nas palavras de Antenor.

Dona Gailde começou a dar impulso, para a frente e para trás, em sua cadeira de balanço. Era algo que a ajudava a refletir.

— A última vez que soubemos da Moura, ela estava atrás de um dos Muiraquitãs. O último que agora nos resta — refletiu.

Tibor ficou de orelhas em pé. Lembrou-se de que, no ano anterior, a sereia Naara havia lhe contado que fora nomeada a Guardiã de Muiraquitãs pelo próprio bisavô de Tibor. O Curupira.

Lembrou-se também de que, segundo a sereia, existiam apenas três amuletos. Uma das pedras esculpidas em jade tinha ficado com Dona Gailde. Mas, durante a batalha no Oitavo Vilarejo, dois anos antes, Sacireno Pereira a destruíra. Um segundo Muiraquitã, roubado por Humbertolomeu, o boto, despedaçou-se quando João Málabu mergulhou para a morte com a Pisadeira, do alto da pedreira, na última quaresma.

Portanto, o Muiraquitã que restava só poderia ser o que o Curupira dera de presente aos seus pais.

— Foi assim que a Moura conheceu meus pais? — perguntou Tibor, atraindo a atenção de todos na sala. — Ela sentiu a presença da pedra e os encontrou?

— Foi exatamente assim — respondeu a avó. — Vivíamos uma época conturbada. Vocês ainda eram bem pequenos.

Tibor e Sátir se ajeitaram em seus lugares para ouvir o relato da avó. A primeira vez que tinham travado uma conversa como aquela, o mundo deles tinha virado do avesso. Haviam descoberto seu parentesco com o Curupira. E, pelo rumo que tomava a conversa, era mais prudente que se preparassem, porque lá vinha chumbo.

— Tibor ainda ia completar 1 ano de idade. Minha meia-irmã, a Cuca, tinha cometido uma de suas maiores atrocidades até então. — A avó fez uma pausa e engoliu em seco, como se fosse um assunto difícil. — Tinha acabado de sumir com quarenta crianças dos vilarejos.

— Os trasgos da floresta! — exclamou Tibor, interrompendo a avó. Dona Gailde confirmou com a cabeça, chamando a atenção de Antenor.

— Ficamos sabendo disso através de uma cigana muito poderosa que tinha montado uma tenda numa praça em Diniápolis, para tirar cartas.

— Deixa eu adivinhar — pediu Sátir. — Minha mãe se consultou com ela? — O balançar da cabeça da avó confirmou o sonho que a menina tivera uma vez.

— Hana queria saber o futuro. Você tinha apenas 2 anos. — Ela apontou para a neta. — Seu irmão ainda mamava no peito. Ela não queria ver os filhos nas mãos de uma bruxa como a Cuca. — Os netos não tiravam os olhos da avó. — A cartomante tirou as cartas para ela e, pelo que todos perceberam, o que ela viu ali a deixou bem assustada.

— Eu disse à Hana que os Lobato... — soltou Antenor, só para emudecer no meio da frase. Parecia só ter pensado alto.

— Eu sei que disse, Antenor. Mas, o que é o amor senão a força mais indestrutível desse mundo? — perguntou Dona Gailde, com seu semblante bondoso, e o homem apenas concordou a cabeça. — A dica do acampamento quem deu foi a própria cigana — continuou ela. A expressão de bondade foi substituída por outra, mais grave. — Hana discutiu a ideia com meu filho Leonel, comigo e com meu pai.

— Como assim? Que ideia? — quis saber Tibor.

— A de morarem num agrupamento de ciganos — contou a avó, ignorando o espanto no rosto dos netos. — Seus pais precisavam desaparecer de vista e a Moura sugeriu o próprio agrupamento do qual fazia parte. Ela explicou que o grupo de ciganos vivia se mudando. Viajando de cidade em cidade, sem endereço fixo. Seria bem mais difícil que fossem encontrados.

Tibor e Sátir estavam boquiabertos.

— Quer dizer que o acampamento cigano onde morávamos na infância foi a maneira que eles encontraram de fugir? De se esconder? — perguntou Sátir.

— E talvez a única maneira — respondeu Gailde. — É claro que fui contra. A única pessoa que foi contra! — E ela levantou as sobrancelhas grisalhas para dar mais ênfase ao fato. — Meu filho e a esposa perambulando por este mundo com dois filhos pequenos? E eu? Ficaria sem vê-los por quanto tempo? — As feições de Gailde endureceram, como se ela ainda não aceitasse aquela decisão. — Os pais de vocês e o Curupira acharam a ideia muito boa. Não houve maneira de tirar isso da cabeça do meu filho, e os preparativos começaram. — Antenor pigarreou, desconfortável com o rumo da conversa. — Algumas pessoas se dispuseram a ajudar. Se prontificaram a ir com eles. Pessoas mais próximas, que lutavam por uma causa, que sabiam dos problemas que enfrentavam todos os vilarejos...

— Pessoas que já tinham perdido muita coisa! — acrescentou Antenor, com uma expressão que mesclava raiva e tristeza.

— Antenor foi uma dessas pessoas — revelou a senhora, apontando o homem careca e detendo o balanço da cadeira. — Sempre foi amigo de seus pais, mas, mesmo antes disso, sempre fora o melhor amigo de Hana.

Tibor e a irmã olharam para Antenor, tentando imaginá-lo como alguém próximo dos pais.

— Depois de ter a família dizimada, decidiu se apegar à causa de Hana e Leonel.

— Não podia deixá-los partir. Eram tudo que eu tinha — admitiu Antenor.

— Família dizimada? Isso não faz sentido. Nós estivemos na sua casa no ano passado. Usamos as roupas dos seus filhos — falou Tibor para Antenor.

— Me lembro de ver um quadro com a foto deles na sala de jantar. Você disse que estavam viajando — recordou Sátir.

— Eu menti! — confessou o homem, com os olhos baixos. — Nunca tive coragem de desfazer o quarto deles. Quando vocês dormiram lá, era como se trouxessem a vida de volta àquele lugar.

— Então, o que aconteceu com eles? — quis saber o menino.

— Também foram vítimas da minha irmã. — Foi Dona Gailde quem explicou. — Mia, Noel e Lineu estavam entre as quarenta crianças que se foram.

Sátir levou as mãos à boca. Não sabia o que dizer. Tibor se levantou indignado e foi até a janela.

— Lilá, minha esposa, caiu doente — contou Antenor. — Não aguentou! No dia da caçada à bruxa, voltamos para casa desolados. Não havíamos encontrado nenhum sinal dela. Apenas o antigo moinho do Seu Antônio, que estava abandonado. Nunca vou esquecer o grito da minha mulher quando percebeu que Noel, Mia e Lineu tinham sumido, não estavam em suas camas. — Ele encarava o tapete. Narrar os fatos do seu passado era algo que lhe custava muito. — Lilá adoeceu — continuou ele, após enxugar os olhos. — Uma semana depois de sabermos que não iriam mais voltar, ela resolveu dar um fim à própria vida...

Sátir foi até Antenor e colocou a mão no seu ombro, solidária à sua dor.

A sala parecia fria. Mesmo com as cores quentes dos tapetes e das cortinas. Mesmo com o sol invadindo as janelas. Tibor refletiu que era comum encontrar pessoas nos vilarejos carregando mágoas e dores. E que, de uma forma ou de outra, elas estavam sempre relacionadas à Cuca.

— O meu pai decidiu que não podia deixar aquilo seguir adiante — continuou a avó, que até agora acompanhara em silêncio o relato. — Embora fosse um ser fantástico, o Curupira estava velho demais para deter a Cuca. Mesmo assim, travou uma batalha com ela na Vila Guará.

Tibor escutava a avó e imaginava o bisavô como alguém cheio de coragem. Alguém que personificava a vontade que ele mesmo sentia naquele momento. Vontade de combater a Cuca. Detê-la. Começava a sentir, cada vez mais, quanto ele e o bisavô eram parecidos.

— Ela havia crescido em poder — Gailde continuou. — E o Curupira não conseguiu derrotá-la. A solução que encontrou foi dividir o vilarejo e criar uma prisão. — Ela deu alguns instantes a eles para que assimilassem os fatos narrados. Sátir respirou fundo como que tomando fôlego para o que viria a seguir. — Esse momento foi um divisor de águas. Seus pais partiram com os ciganos — concluiu a avó, com pesar. — E eu nunca mais veria meu filho e minha nora outra vez.

Os pássaros matutinos do lado de fora cantavam, anunciando ao mundo que era um dia bonito para se voar por aí. Mas dentro daquela sala, nenhum dos quatro se dava conta disso. Só remoíam as reminiscências que vinham à tona.

— Logo depois de partirmos com os ciganos, descobrimos o plano da Moura — contou Antenor, levantando-se com dificuldade. Foi até a lareira, apoiou o braço nela e continuou. — O plano dela era afastar seus pais da proteção do seu bisavô — relembrou ele, olhando para os irmãos. — Ela havia sentido a presença do patuá de jade que seus pais possuíam. E o queria para si.

Tibor percebeu que aquela cigana era uma estrategista perigosa. Em seu sonho, ela havia conduzido os homens até a Cuca, o que foi o fim para todos eles. Pelo que Antenor e a avó diziam, ela também havia conduzido seus pais para uma armadilha.

— Por sorte, descobrimos que a Moura não fazia parte daquele agrupamento cigano havia muito tempo — revelou Antenor. — Ela tinha pedido o amparo dos ciganos e sido aceita, assim como nós. Mas os ciganos tinham suas regras. E, quando a Moura foi pega tentando roubar a pedra, foi expulsa do grupo por decisão unânime.

— Por que não voltaram pra cá, já que a Cuca tinha sido presa? — quis saber Tibor.

— Seria o mais lógico a fazer, não? — completou Sátir.

— A minha outra irmã ainda era uma ameaça em potencial. A Pisadeira sempre foi uma seguidora assídua da Cuca. Provavelmente estaria à espreita — falou Gailde.

— O plano de viver com o agrupamento de ciganos era realmente bom. A nosso ver, não havia maneira de sermos encontrados — explicou Antenor.

— Bem, a história não para por aí — anunciou a avó. — Como sabem, a Cuca fugiu do Oitavo Vilarejo num dia fatídico. Causou a morte do meu pai e só conseguiu fugir de lá depois de prender Sacireno em seu lugar. — Tibor e Sátir confirmaram com a cabeça. — Assim que ela fugiu, foi atrás da pedra. Atrás do agrupamento de ciganos. Atrás dos seus pais.

— Mas como ela soube onde procurar? — indagou a menina.

— Com a ajuda da Moura Torta — revelou Antenor. — Mesmo longe, ela ainda sentia a pedra. Não importava aonde íamos, ela sabia tudo. Essa foi a nossa falha. O furo em nosso plano. Não tínhamos previsto. Nem tínhamos como imaginar! — Ele cerrou os punhos. — E então foi uma questão de dias até a Cuca nos encontrar.

— A Cuca encontrou vocês? — perguntou Tibor, ao mesmo tempo que um arrepio subia pelas suas costas.

Antenor fitou Gailde com um ar de indagação. Depois, voltou-se para os irmãos.

— Achei que soubessem disso — estranhou. — Sua avó não contou a vocês?

— Contou o quê? — lançou Sátir, confusa, o olhar oscilando entre a avó e Antenor.

— Nunca se perguntaram o motivo da morte dos seus pais? — desferiu Antenor.

— Meus pais morreram num incêndio! — disse Tibor, categórico.

— Todos sabemos disso — concordou Antenor. Os irmãos o fitavam com intensidade, tentando adivinhar aonde ele queria chegar. — Mas nunca notaram a coincidência? — alfinetou ele.

— Antenor! — advertiu-o Dona Gailde, como que lhe dando um aviso, para que não falasse além da conta.

— Que coincidência? — questionou Sátir, impaciente.

— Na mesma época em que um incêndio mata os seus pais e obriga vocês a irem para um orfanato, a Cuca mata seu bisavô e foge do Oitavo Vilarejo! — rebateu ele.

— O que está querendo dizer? Fale logo! — exigiu Tibor, evitando pensar no que parecia mais provável.

— A morte de seus pais não foi um acidente. Eles foram assassinados! — afirmou ele.

Gailde se levantou como que encerrando o assunto.

— Antenor! — repreendeu-o.

Tibor e Sátir já haviam chegado a suspeitar de que o incêndio não fora acidente. A avó uma vez lhes dissera que os bombeiros não encontraram nada que pudesse ter começado o fogo. Portanto, daquele dia em diante, uma dúvida sempre pairava no ar quando pensavam na morte dos pais. Mas, apesar disso, a certeza de um homicídio mudava tudo.

— A Cuca fez isso? Matou meus pais? — Tibor sentiu o sangue deixar seu rosto. A possibilidade de que aquilo fosse verdade o deixava zonzo.

— Na verdade, não foi a Cuca propriamente dita.

— Já chega, Antenor! — ordenou Gailde.

— Eles precisam saber a verdade, Dona Gailde — insistiu o homem.

— Eu sei o que eles precisam e o que não precisam. Sou a avó deles!

— Então, como avó deles, a senhora já deve ter percebido que é o sangue de vocês que atrai essas coisas. Era isso o que eu sempre dizia para a minha amiga Hana. "Não se meta com os Lobato. Eles atraem coisas ruins." Mas ela insistiu nisso e acabou morta. — Antenor começou a falar depressa, exaltado. — Meus dois amigos acabaram mortos. E aí eu pergunto — disse, dirigindo-se à Dona Gailde —, do que adiantou terem nas mãos uma pedra capaz de chamar o Boitatá? — Ele enfatizou "Boitatá", com uma cara de deboche. — Uma cobra de fogo! Um espírito da floresta que traz equilíbrio.

Todos olharam surpresos para Antenor, que parecia descontrolado. Era como se o talho na barriga não o incomodasse mais. Desatou a falar, como se precisasse desabafar havia muito tempo.

— Sabe, quando escutei rumores de que um garoto tinha conjurado o Boitatá, nunca imaginei que seria um dos Lobato. Quando descobri quem era, fiquei perplexo. Logo no ano seguinte — ele foi até Tibor, colocando a mão no ombro do garoto —, achei que você tinha realizado um grande feito contra o Gorjala. — O tom cínico de antes agora pontuava cada palavra dele. — Pensei comigo: "Minha nossa! Esse menino merece o título que lhe deram. É mesmo um herói. Ele e a irmã têm uma compaixão que eu não possuo. Uma grande capacidade de perdoar..."

Sátir se irritou e foi até eles.

— Tire a mão dele! — mandou ela, arrancando a mão de Antenor do ombro de Tibor e se colocando entre ele e o irmão. — Vai logo com isso. Aonde quer chegar com essa ladainha toda?

— De que adianta? — continuou Antenor, como que para si mesmo. Agora falava baixo, quase sussurrando, mas o silêncio na sala era tão absoluto que sua voz parecia ecoar nas paredes rústicas. — O maior aliado do bisavô de vocês! — E olhou para os dois irmãos. — De que adianta tudo isso se ele mesmo perde o controle e ataca quem deveria proteger?

As pernas de Tibor bambearam. Ele não queria fazer a ligação entre uma coisa e outra. Não queria enxergar o que era mais que evidente.

— Seus pais morreram naquela noite. Perderam a vida para proteger uma pedra. — O homem caminhava lentamente pela sala. — Um amuleto que deveria chamar o Boitatá para defendê-los. Defendê-los! — ressaltou ele, nervoso.

Todos tinham os olhos fixos em Antenor. Dona Gailde não tentava mais calá-lo. O homem estufou o peito, mirou os irmãos e despejou:

— Os seus pais morreram queimados, não é mesmo? — Ele deixou a pergunta no ar por alguns segundos. Depois voltou à carga: — Mas, pelo que sei, essa maldita bruxa não solta fogo!

E o mundo dos irmãos virou do avesso mais uma vez, como já desconfiavam.

7

JOÃO PESTANA

Então o Boitatá era o responsável pela morte dos seus pais?! Isso queria dizer que Leonel e Hana tinham sido assassinados! Que alguém era culpado por tirar os dois da vida dele e da irmã. Alguém era responsável por tudo que ele e Sátir tinham passado naquele orfanato. E esse responsável não estava pagando por isso. Corria a solta por aí. E esse alguém era o... Boitatá? Como poderia? O Boitatá que o ajudara quando enfrentou Sacireno. Quando os trasgos tentaram invadir o sítio. Quando o Gorjala ia esmagá-lo no chão. Esse Boitatá era o assassino?

Tibor se sentia traído.

E o sentimento era como uma friagem que o acometia por dentro. Percorrendo suas veias, enregelando cada milímetro do seu corpo. Baixando sua temperatura. Um frio que tirava o chão dos seus pés. Um acabrunhar do dia. Queria perguntar tanta coisa e ao mesmo tempo não queria saber mais nada.

Estava com ódio do mundo.

Ele nem pôde se despedir dos pais!

— Você sabia, vó? — questionou Sátir. Ela e o irmão esperaram ansiosos por uma resposta que não os fizesse se sentir ainda mais traídos.

— Eu nunca consegui acreditar nisso — falou Dona Gailde. — Soube que os bombeiros, de fato, nada encontraram.

— Eu vi com meus próprios olhos — cortou Antenor. — O Boitatá os atacou. Depois a Cuca, em pessoa, tirou o amuleto do peito de Leonel.

Sátir chorou. Um choro silencioso.

Ficaram assim por um bom tempo. Em silêncio. Até que Gailde foi à cozinha e voltou trazendo copos d'água para os netos.

— Bom — voltou a falar o homem. — Meu intuito aqui não era chegar a esse ponto. — Ele baixou a cabeça, como se estivesse um pouco arrependido. Havia despejado uma bomba naquela sala e se dava conta disso. — Falei o que falei porque acho que os pais de vocês iriam querer que soubessem. Os Lobato atraem mesmo as coisas por aí, portanto, é bom estarem preparados. Saber dos fatos é a chave para isso.

Nesse momento, Antenor levou as mãos à barriga. Seu ferimento parecia estar aberto novamente. A mancha de sangue sob a camiseta ficava maior.

— A avó de vocês também tem razão. — Ele olhava para Dona Gailde. — Tudo tem seu tempo. Talvez seja nesse ponto que discordamos. Ela talvez não ache que seja o momento certo. Mas tem razão. É a avó de vocês. — Ele se aprumou e rumou para a porta. — Agora já sabem que o último Muiraquitã está nas mãos da Cuca. E, se a Moura está por aqui, não é por acaso. — E, no instante em que disse isso, suas pernas fraquejaram e ele tombou para o lado, como se fosse desmaiar.

Tibor e Sátir o ajudaram a se sentar e viram a mancha de sangue na barriga de Antenor ainda maior. Gailde achou melhor abrir o curativo para dar uma olhada. Mesmo que a conversa tivesse sido indigesta, o trio Lobato, ainda sim, primava pela praticidade.

— Tinha algo na lâmina da cigana — deduziu a avó. — O corte não fecha e o sangramento não para. É algum tipo de veneno. Algumas picadas de cobra fazem isso.

Tibor subiu as escadas correndo. Já sabia o que devia fazer. A maleta que a avó guardava embaixo da cama tinha diversas folhas e galhos que o menino nem fazia ideia do que se tratavam. Mas já vira a avó operar milagres com ela. Sátir correu para buscar mais bandagens e esparadrapos para um novo curativo.

Com a maleta nas mãos, Dona Gailde separou algumas folhas e fez um chá para Antenor. Segundo ela, tinha aprendido as artes e propriedades curativas da natureza com o próprio Curupira. E era evidente para todos que ela dominava essas artes como ninguém.

Horas mais tarde, o homem já estava corado novamente. O curativo fora refeito e o sangue estancara.

— Prefiro que fique aqui por mais algumas horas, Antenor — falou Dona Gailde, quando ele fez menção de se levantar. — Quero acompanhar de perto esse corte para ver se o sangramento parou mesmo.

E assim passou o dia. Os irmãos e a avó se revezaram nos cuidados de Antenor, mas sem muita conversa.

Depois do almoço, quando todos foram descansar na sala, Tibor procurou um lugar isolado, atrás da casa, para refletir. Estava de cabeça quente. Desde o dia anterior, uma avalanche de acontecimentos vinha tirando a sua paz. E a quaresma ainda nem havia começado! Ele tinha muito que pensar e mal sabia que assunto abordar primeiro.

Seus olhos pousaram, então, em algo que não tinha nenhuma ligação com tudo aquilo. Um amontoado de pedras num canto do terreno. Ali estava enterrado João Málabu desde o ano anterior. Tibor nunca entendera o pedido do amigo. Ser enterrado na Vila do Meio. Como a vila onde moravam não tinha cemitério, para atender ao último pedido do amigo decidiram enterrá-lo ali mesmo, no terreno do sítio.

O menino achava que nunca saberia o porquê daquele pedido do antigo caseiro dos Bronze, pois agora ele jazia sob sete palmos de terra. Será que o passado dos pais e os motivos do Boitatá e da Cuca ficariam também sem resposta? Não importava o que pensasse, a mente de Tibor ficava dando voltas, sempre retornando aos mesmos questionamentos.

O dia passou e, ao cair da tarde, Antenor já parecia melhor.

— Se está corado, está curado — recitou Dona Gailde, ao examiná-lo mais uma vez.

— Preciso avisar os outros que também foram feridos pela lâmina da Moura. Senão vão sangrar até a morte — falou Antenor, assim que se colocou de pé.

Percebendo que o tratamento aplicado na ferida dera certo, Dona Gailde providenciou mais uma porção das mesmas folhas que usara para tratar de Antenor e ensinou-o a preparar o chá que curaria os outros.

Depois que o convidado se foi e a casa voltou a pertencer apenas aos Lobato, os três se reuniram na sala.

— Imagino o que estão sentindo — começou a avó. Tibor duvidava, pois nem ele mesmo conseguia decifrar o que sentia. — Sei que pode parecer abuso, mas gostaria de pedir algo a vocês. — Os netos continuaram em silêncio. — Peço que reflitam sobre o que escutaram. Revisem todos os fatos. Se Antenor tem razão, e eu receio que tenha, a Moura não está aqui de graça. Ele está certo quando diz que saber dos fatos é uma forma de se preparar, portanto, ponderem sobre tudo — disse ela com firmeza. — Sugiro que subam para seus quartos. Estas são as últimas horas antes da quaresma. Aproveitem o derradeiro sopro de paz, antes de mais quarenta dias conturbados.

Depois de comer alguma coisa e tomar banho, os três se despediram no corredor do primeiro andar. Já era tarde quando cada um se acomodou em seu quarto.

Tibor achava que seria difícil dormir aquela noite. O corpo ansiava por repouso, mas a mente estava a mil por hora.

A certa altura, um cheiro peculiar invadiu o quarto. Não era a primeira vez que isso acontecia. Da última, tinha sentido um aroma adocicado, mas, dessa vez, era um cheiro de queimado. O menino vasculhou o quarto com os olhos, procurando a origem do cheiro, mas não viu nada de estranho. Então saiu pelo corredor escuro, só para voltar em seguida, pois reparou que o cheiro se concentrava em seu quarto.

Depois de buscar sem sucesso o que causava o tal odor, decidiu por fim se deitar. Apagou a luz e tentou dormir.

Os grilos, que sempre cantavam à noite, pareciam fazer voto de silêncio. Ele era quebrado apenas por uns estrilos dispersos. Vez ou outra, uma brisa agitava os galhos das árvores.

Tibor pensou no Boitatá. Não podia acreditar. Tinha compactuado com o assassino dos seus pais. Pedido ajuda a ele na quaresma de dois anos antes. Emprestara sua força vital para que a cobra de fogo pudesse se materializar. Pudesse existir!

A irmã também. Foi assim que se salvaram de um tenebroso Gorjala e fizeram surgir uma quaresmeira de folhas pretas, bem no meio de um campo de futebol.

Um barulho o despertou do devaneio. Um estalo no canto do quarto, próximo a uma pilha de roupas sujas, em cima do baú velho do pai.

Tibor sentou na cama e teve a impressão de ver uma sombra se mover na parede iluminada pela luz da lua. O menino não pensou duas vezes. Saltou da cama e voou para o interruptor. A luz banhou o quarto todo, mas não revelou a causa do barulho. E o cheiro de queimado continuava a incomodar seu nariz.

Passados alguns minutos, desistiu. Depois de apagar a luz, voltou a se deitar na cama e se pôs a pensar.

Outro estalo.

— Quem está aí? — falou em voz alta, sobressaltado.

Não houve resposta.

Então viu uma sombra se mover pela parede outra vez. Parecia uma aranha de patas finas e enormes.

— Quem... quem é?

— João — respondeu uma voz soturna.

— Jo-ão? Jo-ão Málabu? — gaguejou o menino, atemorizado.

— Ô, garoto! — a voz sombria mas jovial ecoou pelo quarto. — Por que afrontar a memória do seu amigo? Pelo que eu saiba, ele morreu, não morreu?

A sombra se moveu novamente, e não era apenas uma sombra. Tinha volume. E o que agora pareciam os cotovelos e os joelhos da criatura apontavam para cima, como se, o que quer que fosse, ela andasse de quatro.

A coisa saiu de detrás do baú antigo. Estendeu um braço fino e, de onde estava, dando apenas meio passo com sua perna comprida, atravessou o quarto e debruçou-se sobre o garoto.

Tibor se encolheu ao ver a forma escura muito próxima do seu rosto.

— Eu não deveria me mostrar para você, mas você realmente não tem facilitado em nada o meu trabalho. Durma!

E, antes que o menino pudesse ver algo mais na escuridão, um dedo longo encostou em sua testa e o menino foi transportado para longe dali.

— Onde estou? — foi a primeira coisa que perguntou.

— Não seja bobo, você está na sua cama — respondeu a voz que dizia ser João.

Tibor tentou ver alguma coisa na escuridão ao redor.

— Estou morto?

— Não. Você está dormindo.

— Estou... sonhando?

— Exato.

O menino se sentiu perdido. Que lugar era aquele? Não havia nada no entorno.

— Acalme-se, garoto — disse a voz onipresente. — Uma cabeça repleta de preocupações não tem espaço pra sonhar. Preciso que mantenha a calma. Afinal, está seguro aqui comigo.

O menino se lembrou de que a sombra parecia uma aranha e imaginou que tipo medonho de criatura conversava com ele naquele momento. Estava com um medo sem tamanho.

— Estou cumprindo uma tarefa. A pedido de um amigo — explicou a criatura.

— Amigo? Que amigo? — Tibor se esforçava para que seu medo não ficasse tão evidente.

— Ainda não é hora de contar. Ele prefere assim. Não temos muito tempo para explicações, portanto você vai ter mesmo que confiar em mim.

O menino achava bem difícil sentir confiança por... "aquilo". Tudo o que via era um negrume profundo.

— Mas quem é você? — insistiu.

— Já disse. Sou o João — falou a imensidão preta. — João Pestana. O Senhor dos Sonhos.

O menino não entendeu. Senhor dos Sonhos? Ele devia estar delirando. Tentou lembrar se, antes de se deitar, tinha se sentido febril. Uma vez tivera febre alta e ela lhe causara alucinações. Mas já não tivera sua cota de esquisitices até ali?

— Eu controlo os sonhos das pessoas. E estou aqui para lhe trazer um sonho específico.

— O que quer dizer com isso? — quis saber o menino, sem nem saber o que perguntar. Até porque a sonolência dificultava o seu raciocínio.

— Esse amigo me pediu para lhe trazer alguns sonhos. De modo que possa ter sorte em seu caminho — continuou a voz sem rosto. — Quando acordar, já terá começado a quaresma e você precisa estar pronto para o que vem por aí. — O menino tentava descobrir de onde vinha a voz, mas ela parecia vir de todos os lados. — Vim lhe trazer uma vantagem, um pouco de conhecimento!

A voz calou-se por um momento.

Pequenas luzes apareceram em algum lugar da imensidão negra. Pareciam girinos luminosos dançando no ar.

— Os sonhos são feito areia. O que é a areia senão um amontoado de grãozinhos? — Os olhos de Tibor se fixaram nas luzes, como se fossem hipnóticas. — Micropedaços de conchas e pedras de todos os tipos que, juntos, formam uma coisa só.

A voz, ao mesmo tempo que falava, conduzia o menino para algum ponto longínquo, afastado de tudo que ele conhecia. Mas, mesmo sendo um terreno nunca explorado, ele sentia uma certa familiaridade, que também insistia em carregá-lo para além dos limites do nada.

— Com os sonhos é a mesma coisa — continuou a voz.

Tibor agora não sabia se estava de pé ou de ponta-cabeça. Não havia como saber o que era chão e o que era teto.

— Lembranças, memórias, vontades. Tudo isso que mora na cabeça das pessoas são como grãozinhos. E eu sou o orquestrador desses grãos. — Tibor, mesmo no escuro, percebeu uma sombra se movimentando no vazio. — Sei exatamente o que você precisa rever ou vislumbrar pela primeira vez. Despejo o punhado certo de areia sobre suas pálpebras e, assim, posso carregar você daqui e fazê-lo ver o que precisa.

Uma chuva, que o menino não soube identificar de onde vinha, começou a cair. Mas não era uma chuva molhada. Estava mais para uma chuva seca. Uma chuva de areia. Os pequenos grãos o pinicaram de leve, mas ele não saberia dizer que parte do corpo eles tocavam.

— Sempre é alguma coisa que pode ser útil a você. Minha função é dar uma ajudinha.

— Como assim, uma ajudinha? — Tibor estava começando a ver os sonhos de uma forma que nunca imaginara.

— Eu preciso fazer você acordar com uma ideia na cabeça, uma vontade nova. Eu impulsiono a vida! — A voz parecia rebombar. Como se o negrume todo vibrasse. Uma frequência sólida e invisível. E, por algum motivo, Tibor ficou emocionado. Parecia estar diante de uma força gigantesca. Algo muito maior do que qualquer coisa que já tivesse presenciado antes. — Sou eu que faço a roda do destino girar. Encontro, dentro de você, a sua vocação, o seu caminho. Injeto o sonho certo em seu coração e faço você lutar por ele.

O menino não soube o que falar. Estava maravilhado com os girinos luminosos e com o esclarecimento todo sobre os sonhos.

— Nunca acordou com remela nos olhos? — Tibor pensou, "sempre". E a voz jovial pareceu ler seus pensamentos. — Essa é a prova mais pura de que meu trabalho está sendo feito. Isso que vocês chamam de "remela" é o resquício da areia dos sonhos que despejei sobre os seus olhos para que sonhassem.

Tibor percebeu que os girinos estavam cada vez maiores e agora flutuavam em sua direção. Inundavam o negrume. Pareciam gotas de... esperança. Algo quente e reconfortante que vinha direto ao encontro dele.

— O sonho que selecionei para você é um pouco diferente de tudo isso.

— Diferente como?

— É um sonho que não tem um cheiro muito bom — falou a voz do vazio.

As luzes estavam mais perto ainda, mas algo nelas de repente pareceu ameaçador. Tibor começou a querer fugir, ir embora dali. Evitar que as luzes se aproximassem. O medo, que nem se lembrava de sentir, tomava conta dele.

— Vasculhei as mais profundas memórias de outros seres para deixar você assistir. Depois preciso devolvê-las!

Memórias de outros seres? Um sonho com um cheiro não muito bom?

— É isso mesmo. São sonhos de outras pessoas. Fragmentos de memórias. Memórias antigas. E sobre o cheiro... — disse a voz, como se mais uma vez lesse os pensamentos de Tibor. — Todo sonho tem um cheiro. Os seus costumam ter um cheiro imperceptível para o olfato humano. Não conseguem senti-lo; ao menos, não pelo nariz. — Tibor tentou imaginar um cheiro que não pudesse ser sentido pelo nariz e teve a certeza de que estava delirando. — Mas esse em especial, que vou lhe mostrar hoje, tem o que você interpretaria como cheiro de queimado.

O menino entendeu, por fim, o cheiro que estava sentindo por todo o quarto.

— Ah, sonho pronto para ser sonhado! — avisou a voz, parecendo mais animada. Tibor não sabia o que fazer, além de observar a luz que se aproximava ainda mais. Os girinos luminosos agora mais pareciam baleias cintilantes, que se entrelaçavam diante dos olhos de Tibor e pareciam querer engoli-lo a qualquer momento.

— Bom, desejo a você uma boa viagem e que tire proveito do que vai ver por lá.

— Espere! Para onde vou? — perguntou Tibor em pensamento. Mas, se a coisa que o mantinha ali conseguiu escutar esse pensamento, fez questão de ignorá-lo.

— O futuro de muita coisa depende disso — foi a última mensagem anunciada pela onírica voz.

E as luzes gigantescas o alcançaram.

8

A LÍNGUA DO BOI

O chão era de madeira. Com os pés descalços, Tibor percebeu assim que deu o primeiro passo. Era noite e a lua brilhava janela adentro. As janelas pareciam as da casa do amigo Pedro Malasartes Júnior. Eram grandes e altas. Tibor olhou em volta e viu uma cama de casal. Parecia muito antiga. Aliás, tudo naquele quarto parecia pertencer a outra época.

Uma porta, que dava para um corredor escuro, estava escancarada. O som de pisadas fortes vinha dali. Sem muito tempo para pensar, Tibor se escondeu atrás de uma poltrona. Foi bem a tempo de ver alguém passar pelo corredor, com uma vela acesa na mão.

Escutou os passos seguirem até um cômodo vizinho. Aguardou alguns minutos em silêncio e, sorrateiro, foi até a porta observar o corredor, agora vazio. Uma porta se abriu em algum lugar do casarão e Tibor ficou de orelhas em pé, como um cachorro em alerta.

— Esses são os escravos que eu chamei? — falou uma voz carrancuda que o menino nunca tinha escutado antes.

— Pu favô, sinhô! — suplicava outra voz. — Mi dexa explicá!

O menino andou pelo corredor o mais silenciosamente que pôde. Chegou até a porta do cômodo de onde provinham as vozes. O clarão laranja da vela acesa iluminava as paredes.

— Explicar? Explicar o quê? Vocês mataram o meu boi. O que tem pra explicar nisso? — A voz carrancuda parecia inconformada. — Vocês serão é punidos. Isso, sim. Vão para o tronco levar umas boas chibatadas.

O menino arriscou um olhar rápido para dentro do cômodo. Viu um homem carregando algo que parecia uma arma grande. Um casal vestindo roupas sujas e rasgadas estava ajoelhado diante de outro homem. Os dois pareciam desesperados. A luz da vela tremeluzia em sua pele escura e brilhante de suor.

— Deixe ele se explicar, querido — pediu uma voz feminina. Tibor também não conhecia aquela voz, mas no momento em que a ouviu sentiu uma certa insegurança. O tom era de malícia, como se a mulher fizesse troça da situação do casal.

— Então está bem! — disse o homem autoritário. — Estou escutando, homem. Explique-se! — ordenou, feroz.

Tibor se adiantou um pouco mais. Queria ver quem falava com tanta severidade. Quando conseguiu um ângulo favorável, viu um homem de idade, usando um chapéu típico dos fazendeiros dos vilarejos.

— Sinhô, Catirina tá prenhe — começou o homem ajoelhado. — Era desejo de muié prenha, sinhô.

O homem de chapéu soltou uma gargalhada.

— Desejo de mulher prenha?

— É, sinhô. Ela queria cumê a língua do Bumba — explicou o homem humilde, com a voz trêmula. Era como se soubesse que corria risco de vida. — E desejo de muié prenhe a gente tem que satisfazê, senão o *fio* nasce morto.

O homem gargalhou outra vez, deixando o casal ainda mais apreensivo. A gargalhada era tão maldosa que causou pânico até em Tibor.

— E ela ficou satisfeita? — lançou o fazendeiro, quando parou de rir. — Mas se ela quis comer a língua do meu melhor boi, justamente do Bumba, agora vai ter que pagar. Catirina é quem vai ter que apanhar! — Se ouviu um fuzuê de vozes no cômodo. O homem com a arma grande na mão levantou a mulher do chão pelos cabelos e Tibor pôde ver o tamanho de sua barriga. Pelo jeito, o bebê já estava perto de nascer. Desesperado com a perspectiva do que aquele homem de voz carrancuda ordenava, Tibor pensou em interferir. Mas se deu conta de que não sabia nem onde estava. E aqueles homens pareciam extremamente perigosos. Precisava pensar numa boa solução ou causaria ainda mais problemas para aquele casal.

— Sinhô — implorou o homem, que continuava de joelhos. Sua voz era puro desespero —, e se nóis trazê o boi de volta?

— O quê? — surpreendeu-se o homem de chapéu.

O fuzuê no cômodo estancou.

— Não, Francisco! — pediu a mulher grávida.

— Cala tua boca, Catirina! — mandou o homem ajoelhado. — Você vai fazê isso, sim. É pra salvá nosso fio.

O velho fazendeiro inclinou-se para ficar cara a cara com o negro ajoelhado. Ao perceber que o carrancudo queria encará-lo nos olhos, desviou o olhar. Algo, naquele gesto, dava a entender que aquele homem sabia das consequências severas de olhar direto nos olhos do fazendeiro. E que o tal fazendeiro fazia isso de propósito.

— Que história é essa de trazer o boi de volta? — questionou o fazendeiro. — Tá com conversa pra boi dormir pra cima de mim, escravo? — Então tirou um chicote do cinto para ameaçar o homem.

— Querido! — chamou a voz suave e feminina uma vez mais. — Deixe que ela faça o que está dizendo. Quero ver se são mesmo capazes de brincar com as coisas do Além. De brincar com a morte.

Tibor não conseguia ver a mulher. Ela estava num canto mais escuro do cômodo. Mas não teve dúvida de que suas intenções não eram boas. Isso estava implícito em cada sílaba que proferia.

No segundo seguinte, tudo à volta de Tibor se desfez. Ele voltou à imensidão escura. O fazendeiro e a mulher, o casal ameaçado, as paredes, a vela. Tudo se dissipou e mergulhou no breu.

Foi quase num piscar de olhos. De repente ele se viu na clareira de uma floresta. O velho fazendeiro também estava ali. Uma mulher trajando um vestido bem antigo estava ao seu lado. O homem que carregava a arma estava lá também, mas, além da arma, tinha na mão uma tocha.

Tibor correu para detrás de uma árvore para evitar ser visto. Não entendia como chegara ali.

No centro da clareira, viu um animal estirado no chão.

Era um boi.

Nesse instante uma mulher entrou na clareira. Era a tal da Catirina. A pele negra da grávida refletia a luz azulada da lua. Ela andou até o boi e passou a dizer algumas palavras que Tibor não entendeu. Depois acendeu uma vela ao lado do corpo do animal e fechou os olhos, como se fizesse uma prece sobre a carcaça.

Ela estaria, mesmo, tentando trazer o boi do fazendeiro de volta à vida? Não era possível.

O boi permanecia imóvel. Ainda assim, ela continuou. Tibor assistia à cena, horrorizado. A que extremos aquela mulher chegava para tentar evitar as chibatadas impostas pelo velho carrancudo! Para salvar o filho na sua barriga, ela estava fazendo aquela encenação toda em cima de um animal morto.

Tibor olhou mais uma vez para o fazendeiro e a mulher ao seu lado, que parecia muito atenta ao que ocorria na clareira. Apertou os olhos para enxergá-la melhor, mas ela estava embaixo de uma árvore. A luz da lua não alcançava seu rosto.

Voltou sua atenção para a grávida, no centro da clareira, e viu nesse instante o boi se mexendo!

Não era encenação, então?!, pensou Tibor, sobressaltado. Ela estaria mesmo revivendo aquele boi? Seria possível trazer algo de volta à vida?

A mulher passou a falar mais depressa e com mais intensidade. Seus dizeres continuavam incompreensíveis.

O boi se mexeu mais uma vez.

Abriu os olhos.

Tibor achou aquilo tudo muito surreal. Era uma sorte que fosse um mero sonho. Mas parecia tão real...

O boi, com certa dificuldade, firmou as patas dianteiras e se levantou. Na mesma hora, a mulher grávida desabou no chão. Estava esgotada e suava muito.

Pela sua expressão, o velho de chapéu e voz carrancuda se assustou com o que viu. O boi voltara à vida, de fato! Estava diante deles! Como num passe de mágica!

O velho levou as mãos ao peito e fez uma careta de dor. Depois arregalou os olhos e caiu duro no chão.

O negrume abraçou toda a volta de Tibor de novo. Engoliu toda a floresta, o boi, a mulher grávida.

Aos poucos, um novo cenário surgiu. Um quarto pequeno e sujo. As paredes todas manchadas. A luz de uma vela se aproximava de Tibor. Uma mulher, de rosto sombrio, carregava a vela na mão e vinha em sua direção, devagar. Tibor não tinha para onde correr. Fora descoberto.

— Que tipo de magia é essa? — quis saber ela.

Era a mesma voz maliciosa. A mulher de vestido antigo, que estava sempre ao lado do velho fazendeiro. Tibor não soube como responder àquela pergunta. Não fazia ideia do que dizer. Imaginou que a próxima pergunta seria como ele tinha vindo parar ali naquele casebre. Não saberia nem por onde começar. Tentou gaguejar alguma coisa enquanto a mulher continuava a observá-lo, curiosa. Como nenhum som saiu da boca de Tibor, ela continuou:

— Agora que meu marido morreu, você vai me ensinar como fazer o ritual. — Seus olhos cruéis estavam fixos nele.

— Mas eu não... — Tibor começou a se explicar, mas alguém falou às suas costas.

— Pra trazê o patrão de volta?

Tibor virou-se e a mulher grávida estava a menos de um metro dele. As duas pareciam ignorá-lo, como se ele não estivesse ali. Ele permaneceu estático.

— Não! — disse a mulher com a vela nas mãos. — Para o meu marido, não. É para mim!

Tibor abriu os olhos. A luz do dia os ofuscou. Demorou alguns minutos para assimilar que estava de volta ao seu quarto no sítio.

O que tinha acontecido com ele? Aquilo tudo que vira, o que significava? Quem eram aquelas pessoas? Uma mulher grávida que trazia um boi de volta à vida? Quanta maluquice! Tinha mesmo recebido a visita de algum João que se intitulava Senhor dos Sonhos, cujo ofício era provocar sonhos?

Tibor sentou-se depressa na cama e olhou para o canto de onde saíra a coisa de pernas e braços compridos. Tudo parecia normal e iluminado pela luz do dia.

Seria possível?

Passou o dedo na lateral dos olhos e limpou as remelas. Olhou para a secreção amarela na ponta do indicador e lembrou-se da explicação de

João. Que aquilo era o resto da areia que ele havia colocado na noite anterior para que Tibor sonhasse.

Recapitulou o que João dissera. Que lhe traria um sonho específico retirado de outro ser, para que ele pudesse compreender algo. Compreender o quê? Disse ainda que ele fazia aquilo a pedido de um amigo. Quem era o tal amigo que pedira para que João lhe mostrasse aquele sonho?

O menino respirou fundo e percebeu que o cheiro de queimado havia se dissipado do quarto.

Tudo que vivenciara no sonho lhe parecia distante. Se tinha ocorrido de verdade, devia ter sido há muito tempo. No tempo dos escravos. Pelo que se lembrava da escola, a escravidão havia terminado bem mais de cem anos atrás.

Que tipo de sonho era aquele? Com que propósito precisava ver aquilo tudo? Se o que o Senhor dos Sonhos lhe dissera fosse verdade, que precisava tirar proveito daquele sonho e que o futuro dependia disso, então estava em apuros, porque não estava entendendo nada.

Levantou-se da cama e correu para a janela. Dona Gailde estava sentada com a neta, num tronco do lado de fora da casa. As duas aproveitavam o sol.

Tibor trocou de roupa, escovou os dentes, desceu as escadas e deu uma passadinha na cozinha para beliscar algumas delícias da avó.

— Até que enfim acordou, maninho! — falou Sátir. — Achei que não acordaria mais. Já são três horas da tarde!

Foi aí que o menino se deu conta.

Eram três da tarde do dia 22 de fevereiro. O primeiro dia da quaresma.

9

UMA QUARESMA NADA TRANQUILA

O que mais atormentava o garoto era a enxurrada de questionamentos que invadia sua cabeça. A confirmação do assassinato dos pais, o sumiço de Rurique, a Moura solta por ali, os boatos sobre um exército de criaturas, o último Muiraquitã nas mãos justamente da tia-avó. E agora somava-se àquilo tudo o sonho sem sentido de um boi voltando à vida.

O menino precisava colocar os pensamentos em ordem.

Pensou em Antenor. O homem fora amigo dos seus pais. Morara no acampamento cigano. Tibor não se lembrava dele. Mas deveria se lembrar, afinal, tinha quase 12 anos quando o incêndio devastou o acampamento.

Isso era uma coisa para se investigar.

Se nem ele nem Sátir se lembravam do homem, isso era sinal de que Antenor tinha deixado de morar com eles quando ainda eram bem pequenos. E, se fosse verdade que ele tinha presenciado o Boitatá assassinar seus pais, o que estaria fazendo por lá exatamente naquele dia? Será que não sabia que ele e Sátir tinham escapado com vida do incêndio e sido enviados para um orfanato? Além do que fora noticiado na TV sobre o incêndio, a avó não conseguira descobrir mais nada sobre o acidente nem sobre o paradeiro dos netos, e por isso ele e a irmã tinham ficado no Orfanato São Quirino por dois longos e árduos anos.

Outra coisa a se investigar sobre Antenor era a história da família dele. O que Málabu uma vez lhe dissera é que a Cuca sumira com quarenta crianças. Todas elas filhos dos moradores que se embrenharam na mata com o intuito de caçá-la. Ao voltarem para casa, seus filhos haviam desaparecido. Essas crianças agora eram trasgos e vagavam pelas florestas da Vila do Meio.

Tibor sabia disso, pois ele, a irmã e o amigo Rurique tinham combatido esses tragos no passado. Será que isso queria dizer que os três filhos de Antenor eram fantasmas que vagavam pela floresta? Se eram, será que os três estavam num estado tão deplorável quanto Miguel Torquado, uma das crianças raptadas que eles tinham conhecido?

Ele se lembrou da conversa que tivera com Miguel no ano anterior. As lembranças do menino pareciam se desvanecer. Só havia dor e lamento. Não havia descanso. Teria acontecido o mesmo com os filhos de Antenor? Não era justo. A Cuca precisava pagar pelo que fazia com as crianças. Ela era um perigo constante que não podia continuar à solta.

E o tal do Muiraquitã? O que fariam sem ter um nas mãos? Os dois outros amuletos já haviam salvo a pele de Tibor antes, mas agora estavam quebrados. A esperança era o último, dado a seus pais e agora sob a guarda da Cuca.

Por outro lado, pensou o menino, a pedra era uma ligação direta com o Boitatá. Justamente quem tinha matado seus pais.

Decidiu não se importar mais com a pedra. Não compactuaria com um traidor. Tibor não era o herói que Antenor dissera. Não tinha tanta compaixão assim. Tamanho poder de perdoar. Não importavam os motivos. Hana e Leonel não estavam mais ao lado dele e da irmã por culpa do espírito de fogo da floresta. Diziam que ele era o espírito que trazia equilíbrio à natureza. Então era assim que encarava seus pais? Como se tivessem trazido desequilíbrio ao mundo? Foi por isso que ele os aniquilara?

Não havia perdão dentro de Tibor.

Encontraria outro jeito de combater a tia-avó. E, por falar em "encontrar um jeito", ainda não fazia ideia de como encontraria o amigo perdido, Rurique. A lua cheia ainda demoraria a dar as caras no céu.

Tentou pensar no sonho que tivera. Lembrava-se do nome Catirina. Uma escrava que sabia ressuscitar os mortos. Segundo o Senhor dos Sonhos, aqueles eram fragmentos de memórias antigas. Então, seriam reais? Lembrou-se de um sonho que tivera antes. Um do qual a Moura fazia parte. Em que homens eram engolidos por uma cobra translúcida. Aquele sonho também seria uma memória de algo real? Quando Tibor comentou sobre ele, a Moura pareceu estranhar que ele soubesse de tudo aquilo. Se foi real, será que se tratava de um ritual como o do boi que viu em seu sonho? Um ritual para trazer alguém ou alguma coisa de volta do Além?

Naquele caso, o menino não tinha dúvida de "quem" ele vira a cobra translúcida regurgitar. Era a Pisadeira. Irmã da Cuca e da avó. Ela tinha morrido no final da quaresma passada, mas parecia bem viva no sonho. Só que um pouco diferente. Parecia feita de fumaça.

O que tudo aquilo significava?

Tibor só tinha uma resposta. Que aquela seria uma quaresma nada tranquila.

O dia transcorreu lentamente. Sátir passou o final da tarde com o namorado em cima da mangueira. Pareciam discutir algo sério. Tibor imaginou que fosse algo ligado ao relacionamento deles e preferiu não interferir.

Deitou-se na grama e observou o céu. As nuvens pareciam não se importar com eles. Seguiam seu próprio caminho, depressa, como se estivessem atarefadas demais para se preocupar com algo fora do seu mundo. Assim que uma delas passou veloz, rumo ao sul, um trio de estrelas apareceu brilhante em meio à luz do entardecer. Eram as Três Marias. O menino gostava de olhar para aquelas estrelas. Sempre unidas e sempre presentes. Já se vira em situações, em que estava perdido na floresta ou se sentindo solitário, em que buscara refúgio naquela tríade.

O menino levou um susto quando Tapioca veio fungar sua axila com o focinho gelado. Tapioca era o nome do cachorro vira-lata que Avelino tinha encontrado e do qual Pedro prometera tomar conta. O nome, praticamente, tinha sido dado por Dona Lívia. O amigo contou que, ao chegar com o cãozinho em casa, a mãe dissera que ele tinha o pelo tão branco quanto massa de tapioca. O filho deu, então, ao animal o nome de Tapioca.

O cachorro era bem inteligente. Já atendia quando gritavam o nome dele.

Tibor coçou atrás da orelha do vira-lata e percebeu que aquele cachorro era mesmo mágico. Conseguira até arrancar um sorriso dele, mesmo num dia tão conturbado como aquele.

Tibor resolveu, então, aproveitar o dia de sol para dar um passeio pela orla do Lago Cinzento, em Braço Turvo, e pensar um pouco. Levou Tapioca com ele.

Chegando lá, resgatou da memória as luzes que lembravam girinos luminosos em meio à mais completa escuridão. Observando a margem distante, do outro lado do grande lago, ele se lembrou da primeira viagem que fizera ao mundo das águas. O mundo da sereia Naara, descendente das Iaras.

Na ocasião, o canto da sereia fez com que ele e Rurique sucumbissem aos seus encantos. Ambos tinham sido sugados para uma espécie de "outro plano", dentro d'água.

Tibor comparou as duas situações. Tanto o negror do Senhor dos Sonhos quanto o mundo das criaturas das águas causavam uma sensação de vazio e grandiosidade. Um por causa da imensidão do breu e o outro por causa da vastidão submarina. Os dois eram claustrofóbicos. Causavam um certo pavor. Eram locais onde era difícil manter o controle. Deixavam a pessoa à mercê de algo muito mais poderoso.

E, por falar em poder, Tibor imaginava que aquele tal de João Pestana fosse mesmo alguém muitíssimo poderoso. Talvez ainda mais que a própria Naara.

Quando Tibor voltou para o sítio, Pedro já tinha ido embora, com receio de ser barrado na portaria do muro de Membira. Dona Gailde fizera um jantar simples mas saboroso para os netos. Tibor e Sátir se esbaldaram com arroz, feijão, ovo e farofa. E cada um complementou o prato com uma banana. Tapioca, que Pedro acabou deixando por lá a pedido da namorada, subia nas pernas deles, pedindo comida. Ganhou até mais do que isso. Era toda hora um pedacinho de banana, acompanhado de um carinho na cabeça.

Logo após a refeição, Dona Gailde voltou ao seu costumeiro tricô, na cadeira de balanço. Uma friagem noturna entrava pelas frestas das janelas e Tibor foi fechar as vidraças, enquanto a irmã acendia a lareira da sala.

— Pedro me contou que teve pesadelos essa noite — comentou Sátir, enquanto ajeitava uma acha de lenha sob o arco da lareira.

— E isso te preocupa, Sátir? — quis saber a avó, que tinha percebido uma certa inquietação na neta, durante o jantar.

— Sei que todo mundo tem pesadelos, é algo comum, mas ele disse que a Dona Lívia também teve. E foram tão ruins que ela nem conseguiu dormir depois — contou Sátir.

Tibor imaginou se João Pestana poderia ser o responsável por aqueles pesadelos. Só o fato de ver uma sombra com membros compridos já era motivo para se ter sonhos ruins.

— E não foram só ele e a Dona Lívia — continuou a menina. — Pedro escutou o mesmo comentário de outras pessoas de Membira também. Os vizinhos, a família do padeiro, o funcionário da farmácia, até o coveiro! — Enquanto falava, ela contava um por um com os dedos das mãos. — Parece que todos sentiram dificuldade para dormir. Passaram boa parte da noite em claro.

— Isso é mesmo estranho — comentou Gailde.

— Muito estranho! — frisou a neta.

Tibor ponderou se devia ou não comentar sobre a sua visita noturna. Enquanto isso, fazia carinho no pequeno Tapioca, que se acomodara entre suas pernas. O vira-lata se misturava com o branco felpudo do tapete em que Tibor gostava de se sentar.

— Mas pode ser apenas coincidência — ponderou Gailde. — As pessoas ficam muito apreensivas com a chegada da quaresma. Os moradores de Membira construíram até um muro por conta disso — ressaltou. — Preocupações nunca trazem sonhos bons.

O menino decidiu manter a visita do Senhor dos Sonhos em segredo, numa gaveta fechada do seu cérebro, colocando um fim às suas reflexões. Queria repensar em tudo aquilo antes. Não queria passar a impressão de que já estava tendo até alucinações, estava a ponto de explodir, de surtar. A verdade é que ele mesmo tinha colocado um fardo pesado sobre os próprios ombros. Quando olhava no espelho, mal conseguia se ver com a idade que tinha. Era apenas um jovem de 15 anos, mas com as preocupações de um homem-feito.

O fogo da lareira já estalava quando Tapioca levantou a cabeça e empertigou as orelhas. Olhou direto para o pé da escada e assustou a todos com um latido forte. Foi como a buzina de um caminhão. Os três deram um pulo em seus lugares. Depois se entreolharam e soltaram uma risada, do susto que o cãozinho lhes deu.

Mas, agora, Tapioca estava saindo de perto de Tibor e rosnando para o nada. Era como se algo ali o incomodasse. Olhava fixo para algum ponto no início da escada.

— Shhh. Quieto! — mandou Sátir, quando Tapioca latiu mais duas vezes. Já não estava mais achando graça dos latidos do cachorro.

Tibor tentou acalmar o vira-lata, mas ele se esquivou e pareceu mais nervoso ainda. Latiu mais, insistente. Algo, de fato, o incomodava.

— Já chega, Tapioca! — mandou Tibor.

E de repente...

As luzes se apagaram. Blecaute geral. Tibor e Sátir se puseram de pé. Gailde parou de tricotar.

— O que é isso? Um apagão? — soltou Sátir.

Tapioca começou a choramingar e, com o rabo branquelo entre as pernas, foi se esconder atrás do sofá, afastando-se ao máximo da escada.

— O que foi, Tapioca? — perguntou Tibor.

— Não acho que seja apenas um apagão — falou Dona Gailde, categórica, levantando-se e colocando-se no meio da sala, entre a escada e os netos. — Quem está aí? — perguntou ela para a sala escura. Apenas as chamas fracas da lareira iluminavam os móveis rústicos da sala.

Uma luz azulada foi surgindo no primeiro degrau da escada. Aos poucos tomou forma. Um calafrio percorreu o corpo dos três, arrepiando os pelos da nuca. Um frio repentino tomou conta do ambiente e as chamas da lareira enfraqueceram.

A luz azulada agora assumia os contornos de uma mulher. Uma senhora.

Aquilo era um fantasma! Aos poucos conseguiram ver que os olhos da forma espectral estavam arregalados, como se ela mesma tivesse levado um susto ou estivesse chocada com alguma coisa. Olhava para a frente, com um ar distante, como se Gailde e os netos nem estivessem ali.

— Arlinda?! — chamou a avó.

O fantasma virou a cabeça translúcida para a direção de onde partira a voz, mas seus olhos continuavam vidrados e distantes. Sua pele era de um branco leitoso e era possível enxergar os degraus da escada através dela.

Tibor e a irmã tremiam. Tinham visto aquela senhora ser colocada num caixão e enterrada no cemitério. Como poderia estar ali na sala com eles?

— Ela não veio! — falou a boca enrugada do fantasma de Dona Arlinda, como se estivesse muito abalada. — Ela não veio! — repetiu o espectro.

Todos se enregelaram ao escutar aquela voz do Além, tentando se comunicar.

— Ela quem? — quis saber Gailde.

— Ela não veio — repetiu, mais uma vez, a forma azulada. Então voltou-se para a frente e deslizou até a porta de entrada. Uma luz fraca emanava de todo o seu corpo, mas não iluminava nada.

Os três acompanharam o vulto até chegar à porta. Dona Arlinda não se deu ao trabalho de abri-la. Simplesmente atravessou-a, como se ela não existisse.

Assim que o fantasma se foi, Sátir saiu de onde estava e foi até a porta. Destrancou-a, abriu-a e esticou o pescoço para ver lá fora. Ela conseguia ver todo o terreno do sítio até a porteira, mas não havia nada se movendo na escuridão da noite. O fantasma de Dona Arlinda tinha desaparecido.

— Mas o que é que foi isso? — perguntou a menina, se dirigindo ao irmão e à avó, com a mão ainda na maçaneta da porta.

O frio incomum diminuiu, as chamas da lareira ficaram mais fortes e as luzes da casa voltaram a se acender.

10

RUMOS

A noite seguiu densa. Gailde percebeu o medo dos netos, depois da aparição de Dona Arlinda, e sugeriu que levassem os colchões ao quarto dela, para que dormissem todos juntos no mesmo cômodo. Mesmo achando que já não tinham idade para isso, eles aceitaram prontamente.

A avó preparou um chá de camomila e serviu aos dois, antes de irem se deitar. Tibor sempre pensara no sítio como um local seguro, mas aquela noite percebeu que estava equivocado. O sentimento de segurança era, na realidade, emanado exclusivamente pela avó.

Gailde não encorajou nenhum comentário sobre o fantasma de Arlinda. Os irmãos dormiram um sono pesado. Até Tapioca pareceu dormir mais tranquilo na companhia de todos no aposento. Nada mais ocorreu durante a madrugada. Foi uma noite sem sonhos, para todos.

Tibor Lobato acordou, pela manhã, com a sensação de que precisava fazer alguma coisa. Uma urgência coçava sua nuca. Assim que se levantou, viu que a irmã ainda dormia, com Tapioca enroscado nas pernas dela, e a avó já estava na cozinha preparando o café.

O garoto foi até seu quarto. Tirou livros e outros materiais da escola de dentro da mochila. Encheu-a com roupas e acessórios, como se fosse passar alguns dias fora de casa. Fechou o zíper, jogou a mochila nas costas e saiu. Colocou o pé no corredor e escutou os passos da avó, para lá e para cá, no andar de baixo.

Tinha que sair sem que ela o visse. Mas para onde ir? Não sabia ainda. Só sentia que precisava agir. Não podia mais ficar em casa, de braços cruzados, só testemunhando aqueles eventos estranhos. As cabras mortas, as urtigas regadas com sangue, os sonhos, o fantasma de Dona Arlinda... Também tinha que buscar uma pista do paradeiro de Rurique e, com certeza, essa pista não viria de bandeja. Ele precisava ir lá fora, procurá-la.

O menino voltou para o quarto, encostou a porta e olhou pela janela. O sol já brilhava forte entre as copas das árvores. Apesar do lindo cenário, a época sinistra da quaresma já o oprimia. Era evidente que dias conturbados estavam se aproximando. Ele precisava se preparar. Mas... para onde iria?, tornou a questionar. Por onde devia começar? Com um bilhete para a avó, talvez?, pensou, lembrando-se do ano anterior.

Humbertolomeu havia induzido Sátir a escrever uma carta de despedida e aquilo tinha gerado enormes consequências. Não poderia fazer o mesmo. Seria um erro. Não! Precisava falar com a avó pessoalmente. Contar a ela tudo o que tinha na cabeça. Ela entenderia. E, se não entendesse, sairia por aí assim mesmo. Eram problemas dele, suas responsabilidades. Precisava resolvê-los. Já tinha idade suficiente para enfrentar seus próprios desafios, como tantos outros que já havia enfrentado no passado.

Abriu a porta com o peito estufado e, mais uma vez, estacou.

A quem ele queria enganar? Tinha dormido no quarto da avó só por causa da aparição de um fantasma. O que o esperava lá fora? Algo menos assustador do que um espectro do outro mundo? De jeito nenhum. E não tinha nem um Muiraquitã nas mãos. Não tinha poder algum. Só poderia contar com ele mesmo — e de mãos nuas. Dependeria apenas da sua coragem e da sorte. Nada mais.

O menino entrou no quarto novamente e fechou a porta. Jogou a mochila no chão, sentou-se na cama e bufou, nervoso. Pensou em desfazer a mochila. Querer enfrentar tudo sozinho era uma idiotice. Era tudo muito maior do que ele. Ao mesmo tempo, a visão de uma velha de manto negro carregando Rurique para dentro da floresta, arrastado por uma corrente, não lhe saía da cabeça. Ele tinha de fazer alguma coisa!

Colocou a alça da mochila sobre o ombro, ergueu a cabeça e mais uma vez, sem plano algum, foi até a porta. Mas ela se abriu antes mesmo que ele encostasse na maçaneta.

Dona Gailde entrou no quarto e fez uma cara de interrogação ao vê-lo com a mochila nas costas.

— Vai a algum lugar, meu neto? — inquiriu.

Tibor gaguejou, tentando formar uma palavra, uma sílaba que fosse. Não conseguiu. Nem para uma conversa com a avó ele se sentia preparado. Soltou a mochila de novo e andou pelo quarto de um lado para o outro.

— Acalme-se, menino. Não é assim que se vence um problema — aconselhou ela. — É preciso botar a cabeça no lugar ou então você está derrotado.

— Vó! — disse ele, tentando imprimir convicção às palavras. — Eu preciso fazer isso. — Depois só ficou olhando para ela, como se tivesse resumido tudo o que lhe afligisse apenas com aquela frase. Como se ela bastasse para que a avó compreendesse tudo.

— Precisa partir? Precisa achar Rurique? Deter minha irmã Cuca? — perguntou ela.

Ele apenas assentiu. Gailde havia dado voz às preocupações dele.

— Talvez essa seja mesmo a sua sina, Tibor. — O menino estranhou. Jurava que ela tentaria detê-lo. — Não posso negar o que Antenor disse aquele dia. O sangue dos Lobato atrai, mesmo, certas coisas.

Tibor se manteve calado, mas seu cérebro funcionava como uma locomotiva sem freios.

— Vamos conversar um pouco sobre todo esse peso que você tem carregado. Tenho louça pra lavar, então por que você não desce e ajuda esta velha senhora? — Ela percebeu que o neto ia começar a contestar. — Talvez precise desviar sua visão do rodamoinho para entender do que ele é feito — finalizou Gailde.

A avó e o neto se colocaram lado a lado, na frente da pia cheia de louça.

O menino respirou fundo e começou a enxaguar o primeiro prato. Ao terminar, passou-o para a avó, que o enxugou com o pano que trazia no ombro e depois o guardou no armário.

— Vó — chamou Tibor, enquanto enxaguava alguns talheres.

— Sim?

— Por que nós? — perguntou, ao entregar a ela os talheres pingando água.

— Como assim, menino?

Ele pensou antes de dizer. Lavou mais uma travessa e a colocou no escorredor.

— Quero saber por que tudo isso acontece à nossa volta. Mistérios, perigos, raptos, mortes...

— À nossa volta? Não pode generalizar dessa maneira, Tibor. É preciso enxergar o todo. Há muito mais do que nós nisso tudo.

— Eu sei, mas... — ele não finalizou a frase.

— Mas?

O menino largou o último prato e se virou para ela.

— Antenor disse que o sangue dos Lobato atrai coisas e a senhora concordou.

— Ah, é isso que vem martelando na sua cabeça? — Ela deixou o pano de prato de lado e fez um gesto para que ele se aproximasse. Os dois se sentaram à mesa da cozinha e ficaram se olhando por um tempo. — Sabe por que Antenor chamou você de herói? — perguntou ela.

O menino pensou um pouco. Olhou para as próprias mãos. Lembrou-se do homem careca chamando-o assim, logo depois que ele e os amigos tinham enfrentado o Gorjala, no ano anterior. Na ocasião, os moradores que presenciaram o feito tinham tratado Tibor como um herói. Antenor estava apenas repetindo o que todos diziam, mas uma certa ironia em seu jeito de falar deixava o menino desconfortável. Como se houvesse algo a mais naquilo tudo.

— Sua mãe o chamava assim! — contou Gailde.

Tibor levantou os olhos e fitou o rosto bondoso da avó.

— Minha mãe?

— Eu fui sua parteira, Tibor. Ajudei você a vir ao mundo. — Ela sorriu de leve quando viu o neto quedar-se boquiaberto. — O parto de sua irmã foi tranquilo. Quando chegou o momento de nascer, ela deixou o ventre de Hana e saltou nas minhas mãos, decidida.

— É a Sátir. Não poderia ser diferente, não é? — comentou Tibor, pensando na irmã. Não pôde deixar de sorrir.

— É verdade — confirmou a avó, com o olhar distante. — Mas com você foi um tanto diferente.

— Diferente como?

— Na maioria dos partos, o bebê vai se encaixando, ficando naturalmente na posição certa quando o momento do parto se aproxima — ela explicou, enquanto demonstrava com as mãos enrugadas o que dizia. — É como se soubesse a hora de partir do ninho... Ele fica de cabeça para baixo. É assim que vem ao mundo. Como se mergulhasse de cabeça.

— E no meu caso não foi desse jeito? — quis saber o menino.

— Não. No seu caso não foi assim. No momento em que Hana começou a sentir que tinha chegado a hora, Leonel a colocou no carro e vieram o mais depressa possível para cá. Hana estava com muito medo de que não desse tempo de chegar. Uma mãe precisa se sentir segura e confortável num momento tão especial como esse.

Tibor ficou imóvel, apenas escutando a avó contar sobre seu nascimento.

— Segundo me contou sua mãe, durante o trajeto algo aconteceu. — Quando disse isso, Gailde notou que o neto ficou inquieto e se ajeitou melhor na cadeira rústica da cozinha. — Você virou dentro da barriga de Hana. Ficou numa posição diferente, sentado.

— E o que isso muda? — quis saber ele.

— O parto fica um pouco mais difícil, mas não é impossível dar à luz assim. Segundo me contou Hana, naquele momento ela sentiu uma conexão com você.

— Uma conexão comigo? — O menino franziu o cenho.

— Sim. Algumas mães relatam uma conexão muito forte com o bebê nesse instante. Hana me disse depois que foi como se você sentisse que ela estava com medo. Que ela não queria tê-lo ali, naquele carro. Que ela queria chegar até onde eu estava e ter seu filho em segurança. Ela sabia que você estava sentindo isso. Por isso, considerou o fato de você ter se virado e mudado de posição na barriga dela um verdadeiro milagre.

Gailde colocou a mão na cabeça do neto, sorriu e fez um carinho. Em seguida, continuou.

— Ainda assim, quando chegaram, eu a orientei a fazer alguns exercícios para que você voltasse à posição mais propícia para o parto. Afinal, a bolsa já tinha rompido e era hora de você nascer. Hana sentia muita dor. Ficamos horas tentando desvirar você, para que ficasse novamente de cabeça para baixo, mas não teve jeito. Você parecia não querer nascer.

Não queria vir ao mundo. — Gailde fez uma pausa, como se tirasse uma memória do fundo do baú. — Num dado momento, senti que Hana mudou de atitude. Fechou os olhos e respirou fundo. Parecia buscar algo dentro de si. Uma resposta. Uma conexão. — Tibor a ouvia, atento a cada detalhe. — Quando abriu os olhos, era uma nova Hana. Parecia muito mais forte. Diferente. Ela me disse, decidida, que tinha chegado a hora, mas que você não queria se virar. Queria nascer daquele jeito. E aquilo tudo já fazia parte da sua história. Era sua primeira aventura. E ela precisava respeitar isso.

— E o que foi que aconteceu, então?

— Já ouviu a expressão: "Nasceu com o traseiro virado para a lua?" — O neto fez que sim com a cabeça. — Ela descreve partos como o seu. E costumam dizer isso de gente que tem muita sorte, pois ultrapassou um obstáculo já no momento em que veio ao mundo.

O menino ficou pensativo.

— Sua mãe encontrou uma posição que lhe pareceu mais favorável e, passados alguns minutos, depois de ela fazer muita força, você nasceu! Estava em minhas mãos! — Gailde contou, emocionada. — E a primeira coisa que Hana fez quando o viu foi chamá-lo de "seu herói". Disse que a conexão entre vocês foi vital para que tudo corresse bem. Que você tinha cuidado dela.

O menino ficou tentando visualizar tudo o que a avó contara. Por um momento, quase pôde sentir o cheiro de mirra e laranja que sua mãe exalava. Ele se levantou e voltou para a pia. Olhou pela janela, para o dia lá fora, e era como se algo o chamasse.

— E o que Antenor tem a ver com tudo isso? — perguntou o menino.

— Antenor estava presente naquele dia. O carro em que seus pais vieram era dele. Ele estava ao volante. Acompanhou tudo. Mas, com tudo que via acontecendo por aqui, foi ficando receoso com a nossa família. Acreditava que o nascimento de Sátir e o seu ligavam sua amiga Hana de vez a esta família. Achava que o menino que ela chamava de herói estava nascendo numa época conturbada e a deixava frágil demais para lidar com o que estivesse para acontecer. E, alguns meses depois, foi quando tudo aconteceu e Antenor perdeu a família toda. A solução foi se apegar ao que tinha. Os amigos. Fugiu daqui com Hana e Leonel para o acampamento cigano.

— Por que não me lembro dele no acampamento?

— Você ainda era pequeno quando Hana e ele tiveram uma discussão. O luto que Antenor viveu pela família tinha dado uma trégua na tensão entre eles. O relacionamento tinha ficado um pouco melhor. Foi na época em que a Moura foi descoberta e expulsa de lá. Mas depois ele tentou convencer Hana a deixar aquela loucura de proteger o Muiraquitã. Disse que, com a Moura à solta, a família Lobato poderia acabar como a sua própria família. — Gailde deu de ombros como se, apesar de tudo o que dizia, ainda não soubesse da história completa. — Talvez ele quisesse seu passado de volta. Voltar pra casa e encontrar tudo em seu devido lugar.

Nesse momento, Tibor pensou que a avó tinha razão sobre Antenor. Lembrou-se da casa do homem e da impressão que ela dava de que uma família ainda morava ali, não apenas Antenor. Ele mantinha tudo no mesmo lugar havia mais de dez anos!

— Hana foi irredutível. Não podia deixar o acampamento dos ciganos — continuou Dona Gailde, chamando a atenção do neto novamente.

— A Cuca não fora destruída, apenas presa. E a Pisadeira ainda estava à solta. E os dois brigaram. Brigaram feio. — A expressão de Gailde indicava que era como se ela visse a cena diante dos seus olhos. — Ele voltou para casa desolado. Mas sua casa e sua nova vida eram solitárias demais. Quando decidiu voltar para os amigos, já era tarde. Os ciganos já tinham levantado acampamento e partido para algum lugar desconhecido.

— Mas no dia em que... — Tibor tentou formular uma pergunta, mas algo embargou sua voz. — Ele mesmo disse que viu o Boitatá... assassinar meus pais — completou o menino com pesar.

— Ele seguiu a Moura — contou a avó. — Antenor sabia que ela estava atrás dos seus pais e arrumaria um meio de encontrá-los novamente. Quando os encontrou, Antenor disse que tentou intervir, mas ela não estava sozinha. A Cuca estava lá. Foi para o acampamento assim que conseguiu sair da sua prisão no Oitavo Vilarejo.

Nesse momento, o menino ficou pensativo.

— A Moura levou a Cuca para o acampamento? Por quê? Por causa do Muiraquitã? — quis saber Tibor.

A avó apenas assentiu. Depois se levantou e foi até o menino. Colocou o braço sobre os ombros dele e admirou o dia lá fora.

— De alguma forma, Antenor atribuiu uma parte da culpa pela morte de Hana e Leonel a vocês, ao Muiraquitã e ao sangue dos Lobato. Por isso ele fala do título de herói dado pela sua mãe com tanta ironia. Porque, para ele, você não é herói coisa nenhuma.

— E talvez ele tenha razão, vó. Como posso vencer isso que está lá fora? Não sou um ser fantástico. Não tenho poder algum.

— Ora, o único poder de que você precisa é escutar seu próprio coração. Escute-o e terá uma vantagem. Foi o que aprendi com sua mãe — disse Dona Gailde, olhando o menino nos olhos. — E foi o que sua mãe disse que aprendeu com você.

Tibor ainda se sentia perdido. Tudo aquilo parecia muito confuso.

— Mas como posso fazer isso? Como vou entender o que o meu coração diz? A única coisa que sei é que as respostas não estão aqui dentro. Estão lá fora — e apontou para a janela da cozinha. — Não posso ficar aqui, esperando que tudo se resolva por si mesmo.

— Talvez não possa mesmo — emendou Gailde.

— Como é?

— Você é um Lobato, Tibor. Os Lobato sempre encontram sua força na natureza. É de lá que nós viemos — e ela apontou para a floresta. — Ela é a nossa origem. Vá à fonte e, talvez assim, consiga captar o que seu coração está gritando pra você. Foi o que sua mãe fez minutos antes de você nascer.

Gailde saiu da cozinha e deixou Tibor sozinho com seus pensamentos.

Mais tarde, o menino saiu para dar uma volta. Durante as aulas em Membira, havia descoberto um lugar que gostava de visitar. Ficava no caminho da escola. Uma trilha na orla da floresta que subia por um morro pelado. Havia apenas uma árvore no topo desse morro. E foi ali que ele escolheu colocar os pensamentos em ordem. Subiu o morro e chegou à árvore solitária. De lá era possível enxergar uma vila ao longe. A Vila

Guará. Tirou o tênis e afundou os pés na terra. Fechou os olhos e puxou o ar puro para dentro dos pulmões. Pensou na mãe.

No início nada aconteceu. Permaneceu em silêncio. Só uma leve brisa o envolvia. O menino abriu os braços. Por um momento esqueceu tudo à sua volta e se concentrou num ressoar compassado que retumbava, distante.

TUM.

Era como um tambor vindo de algum lugar profundo.

TUM.

Ele se concentrou naquele tambor. Sua mente foi sendo guiada até ele. Por um caminho único. Exclusivo. Feito para ele.

TUM.

Sabia que alguém, ou alguma coisa, o guiava com aquele som.

TUM.

Ele seguia por um caminho vivo. Pulsante. Uma fonte.

TUM.

Foi quando percebeu o que era. Seu coração! Ele falava com Tibor. E ele entendia.

TUM.

Sentiu algo correr pelas suas veias. Seu sangue? A cada pulsar do coração, ele corria mais rápido pelos seus braços e pernas.

TUM.

A avó tinha razão. Nunca tinha sentido aquilo. Ele podia ouvir o próprio coração.

TUM.

Era dali que provinham as respostas, era dali que provinha sua força.

TUM.

Foi como se algo definisse por ele o que precisava ser resolvido primeiro. A coisa mais importante.

TUM.

Era preciso parar de andar para descobrir qual era o próximo passo.

TUM.

Abriu os olhos e mirou ao longe. Lá embaixo, viu toda a extensão da Vila Guará. Já sabia por onde começar. Tibor se levantou depressa e correu de volta pela trilha.

Estava ali um menino diferente de quem era.

Enquanto descia correndo pelo declive e entrava na floresta, nem se dava conta de onde pisava ou por onde passava. Estava acostumado com aquele lugar. Com a floresta em si. Ele sentia que era parte integrante dela, parte do todo. Como um animal, corria solto, leve e rápido. Deixava para trás uma infinidade de espécies diferentes de árvores, correndo tão rápido que despistava até os insetos atraídos pelo suor que lhe escorria da pele.

Seus passos quase não faziam barulho. De fato, não era mais o mesmo de outrora. Seu coração lhe mostrara isso. Ele agora sabia sua verdadeira natureza. Não tinha poder, mas não deixava de ser um ser fantástico. Seus movimentos eram ágeis. Seus braços exibiam os músculos que haviam sido trabalhados no último ano. Nada exagerado, seu corpo ainda era esguio, mas os braços eram fortes o suficiente para abrir caminho entre os galhos com destreza.

O coração era doce e habitava um corpo jovem de quase 16 anos. Batia acelerado, no mesmo compasso que a respiração.

A vida lhe impusera isso. Enveredara o menino por um caminho nada usual para alguém da sua idade. Mas ele não seria tão forte se não fossem as mazelas da vida.

Às vezes se sentia vítima do destino. No entanto, sabia que esse tipo de pensamento só servia para deixá-lo travado. Impedia-o de seguir adiante. Não só isso, na quaresma especialmente, esse tipo de pensamento precisava ser abandonado, caso quisesse passar ileso pelos próximos dias. Precisava aprender a "não se fazer de vítima".

Era seu coração que estava lhe dizendo para fazer isso? Mas não era tarefa fácil. Quando sua mente lhe presenteava com memórias nada agradáveis de um passado recente, como ameaças, raptos, mortes... ele logo começava a se sentir um coitado...

Tibor parou de correr. Fechou os olhos e respirou fundo, como fizera pouco antes. O ar puro, livre de qualquer intervenção humana, lhe trouxe uma fragrância verde e uma dose de paz. Esvaziou a mente de tudo o que o afligia. De tudo o que era urgente. E esse era o remédio! Abriu os olhos e reparou nos raios de luz solar que desciam até o chão, coberto de folhas e galhos secos.

Sua avó, seus pais, seu bisavô. Todos compreendiam aquele poder. Algo por dentro em perfeita harmonia com o que havia lá fora. Aquela coisa viva que era a mata. E, agora, ele podia ver. Podia sentir. Mais uma vez respirou fundo. O ar entrou e saiu de seu peito como se o abençoasse. Era relaxante.

Com as energias renovadas, pôs-se a correr novamente. Os joelhos e tornozelos eram ágeis, marcados de cicatrizes antigas e recentes, dignas de um menino criado em sítio. Mas aquelas marcas eram mais do que isso. Eram símbolos do seu crescimento. Ele crescia e seu corpo tinha provas disso.

Os olhos verde-folha agora pareciam treinados para aquele cenário. A cada passo, sabia que estava mais perto da estrada. O menino, de alguma forma, sentia a distância diminuindo. Mesmo calada, a mata lhe dizia para onde ir.

E, como um tiro certeiro, o jovem Tibor Lobato irrompeu da floresta fechada, direto para a estrada de terra que o levaria ao sítio.

11

NO RASTRO DO LOBO

Tibor entrou voando na sala. A certeza de que caminho a seguir o impulsionava. Tanto tempo atrás de Rurique, com mil soluções frustradas... Mas agora sentia que tinha algo real nas mãos.

Sátir já estava com a mochila pronta. Assim que viu o irmão entrar no quarto, comentou que vira a mochila dele e imaginara que era hora de partir. Ela ficou animada quando ele sugeriu que fossem para a Vila Guará, já que era lá que aparecia o antigo Lobisomem, o amigo Málabu. Diziam que a Vila tinha aquele nome porque o lobo lembrava um guará. Pelo avermelhado, pernas longas...

— Seguindo o rastro do antigo Lobisomem na Vila Guará, podemos entendê-lo melhor e talvez conseguir uma pista de como achar Rurique — concluiu Tibor.

Ele soube que Pedro estivera no sítio para ver a irmã e já tinha ido embora, levando Tapioca com ele e dizendo que sua mãe já sentia falta do cachorro. Tibor queria partir imediatamente, mas Sátir chamou-o à razão. Uma viagem à Vila Guará levava um dia inteiro e seria arriscado viajar à noite. Era melhor saírem pela manhã.

Foi o que fizeram. Aquela noite, Dona Gailde estava acabrunhada. Parecia saber que os netos estavam prestes a partir. E sabia que não havia como impedi-los. Por isso fez de tudo para aquela fosse uma noite agradável.

Foram para a cama cedo e Tibor não demorou a dormir. Estava mais tranquilo agora que tinha um plano, ou pelo menos o início de um. Mais uma vez, teve uma noite sem sonhos.

Tibor acordou ao primeiro cantar do galo, seu despertador natural. Estava animado e decidido. Tinha um foco.

Arrumou-se e encontrou a irmã na cozinha, para um café rápido. Colocaram algumas colheres de achocolatado em duas xícaras e correram até o curral. O leite quente, saído da teta da Mimosa, deu um toque especial àquele último café da manhã, antes de partirem. Caía na xícara com pressão e espumava ao se misturar com o chocolate.

A avó também já estava de pé e, ao ver os netos entrando no curral, foi para a horta atrás da casa. Tibor entendeu que Dona Gailde não queria vê-los partir. Eles deram uma última olhada nela, em meio aos pés de quiabo, e se foram, despedindo-se em pensamento.

Assim que passaram pela porteira, Tapioca os seguiu.

— O que ele está fazendo aqui? — espantou-se Tibor.

— Devia estar na sua casa, seu cachorro burro! — falou Sátir pegando-o no colo. — Não podemos levar o cachorro do Pedro para Guará. Precisamos levar ele de volta.

— Sátir — repreendeu-a o irmão, apoiando as mãos na cintura. — Vamos demorar uma eternidade pra ir até Membira e voltar.

— Não vão precisar ir pra Membira — falou uma voz conhecida. — Nós vamos com vocês pra Guará.

— Pedro? — estranhou Sátir.

O menino saiu de trás de uma árvore da estrada.

— Percebi a pressa com que me mandou embora ontem, Sá — disse Pedro, com seus cachos balançando, enquanto atravessava a estrada. — E vi também a mochila no quarto do Tibor. Era óbvio que estavam planejando ir a algum lugar.

— Você não pode ir. É perigoso — avisou Tibor.

— Amigão! Aí temos um problema — rebateu Pedro. — Eu não vou ficar longe da sua irmã, portanto, vai ter que me aturar.

Sátir deu um leve sorriso. Estava orgulhosa do seu namorado e levemente emocionada com suas palavras.

Os garotos discutiram um pouco, mas Pedro mostrou sua mochila pronta para a viagem e grudou nos dois, dizendo que nada o faria mudar de ideia. Queria encontrar Rurique tanto quanto eles.

Pedro acabou vencendo a discussão, quando Sátir o defendeu.

— Se não tem outro jeito... você vai com a gente. Mas vai ter que se bancar! — sentenciou Tibor.

Viajaram um bom tempo pela estrada Viena. Tiveram de parar algumas vezes para descansar e dar água para Tapioca, que resfolegava cansado. Tibor e a irmã haviam feito aquele caminho de carro, dias antes, para o enterro de Dona Arlinda, mas o caminho a pé parecia bem mais longo. Chegaram em Guará quando o sol já baixava por entre as montanhas ao longe.

Guará era o maior dos vilarejos. Lembrava Diniápolis, no entanto era diferente. Tinha praças e ruas de comércio, mas ainda preservava um pouco do verde nas casas e calçadas. Várias ruas eram ladeadas por árvores, cujas copas formavam um dossel sobre quem passasse.

Enquanto andavam pelas ruas, repararam que o clima na vila não era tão pacífico. Os transeuntes caminhavam depressa, como se tivessem urgência em cumprir seus afazeres. Tibor tivera uma sensação parecida ao ver os moradores de Membira.

— Acho melhor observarmos o lugar primeiro — falou Tibor. — Vamos tentar não chamar atenção.

Os três decidiram passar próximo a um grupo de pessoas que conversavam no centro de uma praça, para tentar ouvir alguma coisa suspeita.

E ouviram.

— Minha esposa e meus filhos reclamaram da mesma coisa essa noite — anunciava um deles. — Tive que ficar de olho nas portas a madrugada toda. Cada um teve um pesadelo diferente e não havia o que fazer para deixá-los mais tranquilos.

Pedro deu um cutucão em Sátir. A menina e o irmão entenderam a que ele se referia. Os pesadelos. Tibor notou que o homem parecia assustado. Mas não mais que os outros que o escutavam. Os meninos andaram a passos lentos para tentar ouvir o máximo possível e, ainda assim, passar despercebidos.

— Até meus cachorros dormiram mal — falou outro. — Choramingaram a noite toda. Tive que colocar todos pra dentro. Não ficavam agitados assim desde a época do Lobisomem.

Tibor apurou os ouvidos. Abaixou-se para fingir que amarrava o tênis.

— Não acho que isso tenha a ver com aquele maldito lobo. O que dizem é que ele morreu!

— Morreu? — duvidou um homem de longos bigodes. — E você acredita em tudo o que dizem, é?

— Pessoal, isso é diferente, tá legal? — falou um deles. — Eu comecei a ter pesadelos na noite em que a quaresma começou. — Ele parou de falar quando reparou nos meninos parados perto deles. Ao fazer isso, todos os outros do círculo olharam também, parecendo desconfiados e com expressões de poucos amigos.

Tibor resolveu parar de fingir e se afastar com os amigos dali.

— Ouviram o que eles disseram? — perguntou Pedro, um pouco mais adiante. — Tiveram pesadelos. A mesma coisa que está acontecendo em Membira.

— Acham que aquele homem de bigodes pode saber algo sobre o Lobisomem? — perguntou Sátir, baixinho.

— Sobre Rurique, você quer dizer? — rebateu Tibor, ácido.

— Tibor, já pensou na hipótese de existirem outros Lobisomens? — falou a irmã.

Os três se calaram quando viram duas mulheres passando apressadas e conversando em voz baixa.

— ... um absurdo aquele muro. Onde já se viu? E vamos ficar aqui do lado de fora? Desprotegidos? — dizia uma delas.

— O pior nem é isso — falou a outra. — Ouvi dizer que pessoas têm sido contratadas...

Depois que as duas mulheres se afastaram um pouco, Sátir sussurrou:

— Eu ouvi "contratadas"? Mas contratadas pra quê?

— Nem imagino... — disse Pedro, chamando Tapioca para perto de si. O cachorro parecia procurar um lugar para marcar território.

Os três garotos e o cachorro continuaram seguindo para o centro do vilarejo. Por onde passavam, percebiam olhares cansados nos moradores. Até as crianças tinham olheiras fundas e escuras, como se não dormissem havia dias.

Algo estranho ocorria ali.

Alguns olhares recaíam sobre eles com interesse e surpresa. E isso causava certo receio. Parecia, mesmo, que o melhor era passar despercebido. Todos pareciam desanimados, como se algo os enfraquecesse. O medo se instalara em cada morador.

Um frio pareceu abraçar a vila toda com a chegada da noite. Um vento cortante castigava suas bochechas e parecia vir das montanhas ao longe. O sol já havia partido algumas horas antes e muitos pontos da vila estavam mergulhados numa escuridão profunda.

Pouco a pouco as ruas foram ficando desertas e isso passou a preocupá-los. Passariam a noite na rua? Não tinham pensado nisso. Haviam trazido uma barraca e agasalhos. Se precisassem dormir no mato, estavam preparados. Mas não tinham ideia de como se abrigar no vilarejo. Seria hora de ir embora dali? Encontrar a orla de alguma floresta onde pudessem passar a noite?

As janelas de muitas casas estavam fechadas e não dava para ver o seu interior. Apenas em algumas ainda podia-se ver luzes amarelas e quentes através das vidraças e pessoas zanzando para lá e para cá.

— Precisamos de alguma pista — disse Tibor, abraçando os próprios braços numa tentativa vã de afastar o frio.

Os três vestiram seus blusões, mas foi quase o mesmo que nada.

Tibor não queria sair dali sem algum rastro que pudessem seguir. E lhe parecia que os amigos pensavam o mesmo.

— Málabu se escondeu nesta vila por muitos anos. — Tibor examinava cada canto da vila, cada pessoa, cada janela, em busca de uma pista. — O Lobisomem é o único ser que não respeita a quaresma. Apenas a lua cheia. Portanto, essa vila recebeu muitas vezes a visita dessa criatura.

— O que exatamente precisamos saber? — Pedro, que tentava se esquentar um pouco abraçando Sátir, parecia impaciente.

— Qualquer coisa que conseguirmos já é uma vantagem — respondeu Tibor.

— O que a gente faz, então? — indagou Sátir. — Sai perguntando por aí: "Ei, sabe alguma coisa sobre um lobisomem que assombrava esse lugar?"

— É isso aí, Sá! — confirmou Pedro, soltando a menina e andando na direção de uma das poucas pessoas que ainda podiam ser vistas na rua. Um homem que fechava as portas de um bar.

— Ei, espera aí, Pedro! — chamou Tibor. — Temos que pensar nisso direito. Volta aqui!

— Boa noite, senhor — começou Pedro, sem dar ouvidos ao amigo e chamando a atenção do homem. — Por favor, sabe alguma coisa sobre um lobisomem que assombrava essas terras?

— Sim, eu sei — respondeu o homem com uma cara sisuda.

— Tá legal, muito obrigado — respondeu automaticamente e virou-se para se afastar, encerrando a conversa. Mas, no instante seguinte, estacou, arregalou os olhos e voltou-se para o homem mais uma vez. — O senhor disse que sim? Sabe alguma coisa?

— Sim. Eu disse que sei — respondeu o homem. — Moro aqui desde criança. Sei tudo o que é possível saber sobre o Lobisomem que rondava por aqui.

12

CONVERSA EM TERRA ÁRIDA

— Mas por que eu deveria ajudar você e seus amigos? — quis saber o homem, terminando de trancar as portas do seu estabelecimento.

Quando não ouviu nenhuma resposta, virou-se e os encarou. Os três jovens se entreolhavam e pareciam tentar adivinhar a coisa certa a dizer.

— O que foi? O lobo comeu a língua de vocês? — o homem retrucou, mais uma vez sem conseguir resposta.

Foi Tibor quem quebrou o silêncio.

— O senhor sabe como podemos encontrar o Lobisomem?

O homem deu uma risada desdenhosa, mas ficou sério ao perceber que Tibor parecia de fato esperar uma resposta.

— Garoto, ficou louco? — perguntou agora num tom mais baixo, para que ninguém ouvisse. — Por acaso sabe onde você está? Esta vila é amaldiçoada por causa desse lobo, rapaz!

Sátir encarou o homem com antipatia.

— Se não pode nos ajudar, muito obrigada — respondeu ela, puxando o irmão pelo braço. — Vamos, maninho.

Tibor desvencilhou-se da irmã e olhou fundo nos olhos negros do homem.

— Pode nos contar o que sabe? — pediu. — Por favor?

O vento zuniu, deixando ainda mais sinistras as ruas escuras, onde pareciam se esconder silhuetas macabras.

— Onde pretendem passar a noite? — quis saber ele, primeiro. — É evidente que não são daqui.

Os três deram de ombros, sem saber o que responder.

Meio a contragosto, o comerciante virou-se para a porta que tinha acabado de trancar e voltou a abrir o cadeado.

— Entrem — mandou ele, dando passagem aos três. — É melhor a gente conversar lá dentro.

Os garotos se acomodaram nos bancos em frente ao balcão. As cadeiras estavam sobre as poucas mesas de madeira espalhadas pelo pequeno salão abafado. Na parede em frente a eles, viram enfileiradas em prateleiras garrafas com líquidos de diferentes cores.

Depois de trancar bem a porta da frente e acender uma vela, o homem sumiu por uma portinhola no chão, detrás do balcão, e voltou com um saco de pão cheio até a metade.

Tirou dali um pão para cada um e passou-lhes um pote com manteiga, que sacou de debaixo do balcão.

— Devem estar com fome — arriscou ele. — Comam. Na minha casa poderia servir algo quente, mas a esta hora, aqui no bar, é só o que posso oferecer. — Ele fez uma pausa, que aproveitou para observá-los melhor. — Vocês têm sorte, sabiam? — disse, apontando para a manteiga. — Esta é a melhor manteiga de todos os sete vilarejos. Eu mesmo que faço.

Pedro e os irmãos não esperaram muito para se servir do pão e da manteiga. Enquanto isso, o homem desceu novamente a escadinha atrás da portinhola. Desta vez Tapioca correu atrás dele, até a boca do buraco, e farejou curioso, olhando para baixo.

— O cachorro de vocês é bem esperto, hein? — comentou o homem, voltando à superfície com mais um pote. Dessa vez, cheio de ração.

Os três só fizeram que sim com a cabeça, concordando. A boca estava cheia de pão com manteiga e a barriga, muito agradecida. Até aquele instante, não tinham se dado conta da fome que sentiam.

O homem fechou a portinhola e se postou do lado de dentro do balcão. Parecia ter por volta de 40 anos. Era alto e corpulento. Seus cabelos eram tão negros quanto a cor dos seus olhos e da sua pele. Um homem com cara de poucos amigos, como quase todos os moradores de Guará.

— De onde vocês são? Braço Turvo? Pedra Polida? Parecem ter viajado o dia inteiro.

— Vila do Meio — falou Tibor, assim que engoliu um pedaço de pão.

— Membira — emendou Pedro, com a boca cheia.

— Ora, temos um jovem que mora atrás do muro! — alfinetou o homem. Pedro deu um sorriso forçado, cheio de restos de pão, arrependendo-se de ter dito alguma coisa.

Ele pegou quatro copos e encheu todos eles com leite puro.

— Meu nome é Vlado Queirós. Mas todo mundo me conhece como Queirós — apresentou-se. — Se quiserem podem ficar aqui no bar esta noite. Infelizmente, não tenho camas, nem nada. Mas tenho um teto e uma porta com fechadura. Isso, em tempos como este, aqui em Guará, quer dizer muita coisa. — Os três agradeceram com sinceridade. — Bom, e essa história de falar sobre o Lobisomem. Por que querem saber a respeito disso?

Sátir olhou para o irmão, que logo deixou claro para o dono do bar:

— São assuntos nossos. Só precisamos saber. — O menino sabia que não estava retribuindo com muita educação as gentilezas do homem, mas não conseguia achar uma forma de contar que seu amigo talvez fosse o lobo.

— Como se chama, garoto?

— Tibor.

— Por acaso é um Lobato?

— O senhor conhece os dois? — perguntou Pedro.

— Ah! Então tenho dois Lobatos no meu bar! — deduziu Queirós, olhando de Sátir para Tibor. — Está explicada a bravura... ou a burrice.

— Qual o problema com os Lobato? — desafiou Sátir.

— Ora, os Lobato são famosos. Já fizeram muito por nós — respondeu ele, depois de tomar seu copo de leite num gole só. — Pode ser que vocês não saibam porque por essas bandas tudo fica esquecido depois de um tempo. Mas muita gente deve favores à sua família. Pelo que sei, a lenda do Oitavo Vilarejo é verdadeira.

— Ele não existe mais — falou Tibor.

— O que não existe mais? — interpelou Queirós.

— O Oitavo Vilarejo. Ele não existe mais. Foi destruído pelo Boitatá.

Vlado ficou sério. Ainda mais do que antes. Parecia que o que o menino dissera confirmava algum boato que escutara.

— Bem... — murmurou ele. — Ainda bem que não aceitei o acordo com aquela mulher. — E ao perceber que os garotos se entreolharam confusos, emendou: — Não souberam?

— Não souberam o quê? — perguntou Sátir, cruzando os braços.

— Sobre a mulher que tem oferecido ouro em troca de serviços. — Ele fez uma pausa carregada de significado.

— Que tipo de serviço? — quis saber Tibor.

A única vela que iluminava o pequeno bar bruxuleou, ameaçando apagar.

— Já ouviram boatos sobre um exército de criaturas? — Queirós sussurrou.

Tibor assentiu, devagar.

— Bem, esse exército não recruta apenas criaturas — falou ele, se levantando e passando a mão na cabeça, como se aquilo o preocupasse. — Muita gente por aqui faria qualquer coisa por um punhado de ouro...

— Qual a aparência dessa mulher? — perguntou Sátir.

— Morena. Com traços de cigana.

— A Moura! — concluiu Tibor.

O menino ficou imaginando que ouro era aquele que a tal cigana oferecia. Cada vez mais, sentia que as cenas do seu sonho eram reais. Ela devia usar o ouro amaldiçoado da cova de escravos para pagar os tais serviços!

— Como eu disse, não aceitei — garantiu o homem, interrompendo o raciocínio de Tibor. — Já aprendi, da pior maneira, que esse tipo de coisa não traz nada de bom. Além do mais, sempre achei que a esperança tinha abandonado esse vilarejo, mas agora vejo que não. Vocês estão aqui, não estão? — disse Seu Queirós, apontando para os irmãos Lobato com um meio sorriso.

O dono do bar saiu de detrás do balcão, foi até a janela e espiou a rua por uma fresta. Depois pegou a vela e tirou as cadeiras de cima de uma mesa, chamando os três para se sentarem ali com ele.

— Sobre o lobo, desde criança escuto rumores a respeito dele. Poucos o viram de verdade, mas os que viram não voltaram vivos para contar a história.

Ele fez uma pausa, como se estivesse perdido em pensamentos. Depois recomeçou:

— Contavam sobre o filho de um ricaço da região que teve o azar de carregar o legado do bicho. Mas não há muito que dizer além da boataria que corre por aí. — Ele apoiou os cotovelos na mesa. — Quero saber a que se deve o interesse de vocês por esse lobo — insistiu.

Tibor desta vez decidiu abrir o jogo. Mas foi sucinto:

— O antigo Lobisomem morreu. O legado do lobo passou para um amigo nosso.

— Eu sabia! — exclamou Queirós, dando um soco na mesa. — Esse lobo é completamente diferente.

— O senhor viu Rurique? — soltou Tibor.

— Quem?

— Rurique, o nosso amigo lobisomem — esclareceu Sátir.

— Esse não é o filho dos Freitas? — Os três confirmaram. — Eles estiveram aqui fazendo perguntas. Deviam ter perguntado sobre o Lobisomem. Talvez tivessem mais sorte.

Tibor e os outros ficaram mais animados. Queirós parecia mesmo ter algum conhecimento a respeito do lobo.

— Então, o senhor tem ideia de onde podemos encontrá-lo? — quis saber Pedro.

— Não, exatamente. Mas eu já o persegui duas vezes.

— Perseguiu o Lobisomem?

— Isso mesmo, garota — confirmou ele. — Administro este bar, faço manteiga, mas nas horas livres eu caço a fera — disse ele, com um sorriso malicioso nos lábios.

— Não machucou Rurique, não é? — Tibor elevou o tom de voz.

— Calma, rapaz! — Queirós levantou as mãos, apaziguando Tibor. — Não, não machuquei. Não consegui, na verdade.

Ao ouvir a última frase do homem, Tibor cerrou os punhos. A irmã colocou a mão direita em sua perna, como que pedindo que ele se acalmasse.

— Eu sabia que ele não era igual ao outro — continuou o dono do bar. — Parecia mais jovem e abobado. E era bem mais magro também. Ou esse lobisomem não sabe caçar ou se recusa a atacar qualquer pessoa ou animal. Só existem um ou dois relatos sobre ataques violentos. Mas não acho que tenham sido de lobisomem.

— E onde podemos encontrá-lo?

— Já disse que não sei exatamente, garoto. Posso levá-los amanhã ao lugar onde o perdi de vista da última vez.

— Bom, isso não é muita coisa vindo de alguém que diz saber tudo sobre o lobo — desferiu a menina Lobato, meio irritada.

— Ei, menina, comparado com os outros moradores da vila, que só sentem medo, sou um cara cheio de informações! — argumentou Queirós.

Um barulho do lado de fora chamou a atenção de todos. A vela de repente se apagou, mergulhando tudo num profundo breu. Escutaram Tapioca choramingar em algum canto.

Em meio ao assobio do vento, puderam identificar, na rua, vozes sussurrando em uníssono. Não vozes comuns. Vozes que os enregelaram da cabeça aos pés. Foi assim por mais vários minutos. Como se um longo cortejo passasse pela rua em frente ao bar. Mas, quando espiaram pelas frestas, nada viram. Não havia pessoa alguma ali.

Depois que tudo ficou em silêncio, Queirós tornou a acender a vela.

— Isso tem ficado cada vez mais frequente. Não me perguntem o que é. Sinceramente, não sei. — Ele se levantou e foi para trás do balcão novamente. Colocou a vela numa prateleira alta, entre duas garrafas.

— Eram vozes tristes — comentou Pedro.

— Escolham uma mesa ou uma cadeira e fiquem à vontade para dormir — cortou Queirós, mudando de assunto, como se não fosse bom falar muito a respeito das vozes misteriosas. — Amanhã levo vocês até onde perdi o rastro do seu amigo. Afinal, acho que devo isso a vocês...

Aquela última frase colocou uma pulga atrás da orelha dos irmãos. Mas o cansaço venceu a vontade dos dois de esclarecer melhor aquilo. Queirós se deitou no chão mesmo, atrás do balcão. Os três garotos se deitaram perto de uma parede e se aconchegaram uns aos outros. Sátir se encostou no peito de Pedro e Tibor abraçou Tapioca. Todos ficaram um tempo de olhos abertos, fitando o nada. Na cabeça, repassavam as ocorrências do dia. E sentiram no próprio corpo a discrepância entre a noite anterior, quando estavam bem confortáveis, dormindo numa cama, e agora, no chão duro do bar de um desconhecido.

Tibor nem teve tempo de pensar em muita coisa. Foi só fechar os olhos e, um nanossegundo depois, ele se viu num deserto. Um vasto deserto. Um terreno duro e arenoso, que se perdia ao longe. Como fora parar ali? Não tinha acabado de abraçar Tapioca dentro do bar do Queirós? Como agora podia estar de pé num espaço aberto, com um chão cheio de rachaduras sob os pés?

— Sim, você está no chão do bar, abraçado ao cachorro, e ao mesmo tempo está aqui, neste imenso deserto! — anunciou uma sombra, que se aproximava pela esquerda. — Será que ainda não entendeu como isso tudo funciona?

Tibor soube de imediato quem era.

— Ah! Então, estou sonhando?

— É isso aí! — A sombra chegou mais perto. Tibor pôde ver a silhueta de um homem. Mas, mesmo sob a luz das estrelas, o negrume sombrio, que era o homem, mais parecia um vazio eterno. O menino viu os pés de João Pestana se arrastando pela terra petrificada, na direção dele. — Nunca devíamos estar conversando. Meu papel é só colocar o punhado certo de areia nas suas pálpebras e pronto. Ela faz o resto. Mas, em nosso primeiro encontro, tive que quebrar essa regra, porque você e aquela sua insônia não estavam me deixando atender ao pedido do meu amigo.

A curiosidade de Tibor foi novamente atiçada. Queria muito saber quem havia pedido a João Pestana para lhe causar certos sonhos, mas a entidade onírica já tinha avisado que não era hora de dizer.

— Agora — continuou o Senhor dos Sonhos —, estou quebrando essa regra de novo, porque alguma coisa acordou e está interferindo no mundo dos sonhos.

Alguma coisa acordou?, perguntou-se Tibor, estranhando.

— Tudo aqui tem ficado árido como este deserto que você vê — e a sombra estendeu os braços para ilustrar o que dizia. Braços excessivamente longos. Que causaram certo assombro no menino. Mas, ao menos, ele não lembrava mais uma aranha quando ficava de pé. — Preciso que vá para um território neutro! — continuou a sombra. — Onde essa coisa não possa mais me impedir de levar meus grãos de sonho até você.

— Para que tipo de território neutro você precisa que eu vá?

— Não precisa se dar ao trabalho de falar, pequeno ser humano! Consigo ouvir seus pensamentos. Os deste instante e os outros que guardou para repensar depois.

Aquilo deu um nó na cabeça de Tibor. Imaginou alguém invadindo sua cabeça e vasculhando os seus pensamentos. Mas João continuou, respondendo sua pergunta, sem lhe dar muito tempo para se indignar:

— O lugar aonde preciso que vá, fica nas proximidades da Vila Guará. Essa coisa que invadiu meus domínios tem envenenado os grãos e as pessoas têm sofrido o que vocês chamam de pesadelo.

Tibor teve um sobressalto.

— As pessoas em Membira e em Guará têm tido pesadelos!

— Não só em Membira e em Guará, meu jovem! — falou a sombra, com uma boca que mais era um buraco negro. — Seja lá o que esteja causando isso, tem más intenções. Por isso, preciso de um território neutro. Ainda tenho alguns sonhos para trazer até você.

— Como vou saber reconhecer esse território neutro?

— É a casa das Marias — revelou João Pestana, como se fosse um lugar comum, que Tibor pudesse conhecer. — É difícil dizer onde fica. Mas, quando chegar lá, você vai saber. Na hora certa, um guia vai levá-lo até lá.

— Que guia? — Mas a sombra já estava começando a se afastar. — Espere! Quem são essas Marias? O que eu faço quando chegar lá?

— Vou avisar que você vai. Elas vão esperá-lo. Ali vou conseguir mostrar o que quero. — O Senhor dos Sonhos continuava se afastando. — E confie no guia, seja ele quem ou o que for!

O menino se sentiu ainda mais perdido.

— Ah! Mais uma coisa — disse ele, se detendo onde estava. — Elas têm uma pista, uma informação que pode ajudar você em sua busca. Tenho certeza de que encontrei algo assim entre os grãos que escolhi para uma delas. Diga quem você é e que sabe do Crispim.

— Crispim? O que é isso? — perguntou Tibor, vendo a silhueta agora se perder ao longe, no deserto árido. Pensou que um papel e uma caneta ajudariam. Eram muitas informações. — Não estou entendendo nada!

— Vá até as Marias! — João Pestana gritou de longe. — Preciso do espaço neutro delas!

A silhueta, enfim, sumiu. Tibor não o via mais em lugar algum, mas de repente sua voz pareceu ecoar por toda a extensão do deserto, como se viesse de todos os lados ao mesmo tempo:

— Agora, você tem um local para visitar e eu tenho pesadelos para evitar. Estão tirando os sonhos de todo mundo e isso eu não tolero. O que é a esperança sem os sonhos?

Tibor chegou a abrir os olhos e ver o teto do bar do Seu Queirós e, no segundo seguinte, estava de volta ao deserto.

— Quase me esqueci! — voltou a dizer a voz. — Tenho aqui um punhadinho de sonho para lhe mostrar. É mais uma peça do quebra-cabeça. Espero que ajude em algum coisa — finalizou.

Uma sombra envolveu Tibor por todos os lados. O deserto já não existia mais.

Ele estava sentado na cabine de uma carruagem. Uma carruagem de quatro rodas, do tipo berlinda. E puxada por cavalos velozes.

Do lado de fora, era noite e relampeava.

O menino se espantou ao ver uma mulher sentada à sua frente, trajando um vestido de aspecto antigo. Ele a reconheceu. Era a mulher que havia aparecido num sonho anterior, a esposa do homem carrancudo, que ameaçava um casal de escravos.

A escrava, grávida, tinha ressuscitado um boi para preservar sua própria vida e a do filho. E, pelo que Tibor podia se lembrar, aquela senhora sentada ali havia pedido que a escrava lhe ensinasse a fazer o mesmo tipo de magia.

Tibor reparou que a mulher à sua frente tremia. Via-se no seu semblante uma mescla de raiva e apreensão. Agora que olhava mais de perto, Tibor podia perceber mais detalhes na aparência dela. Era uma mulher de meia-idade e com uma carranca maldosa de dar medo.

Trazia nas mãos um lenço encardido. Tibor viu o desespero dela quando teve um acesso de tosse e cobriu a boca com o lenço. Quando fez isso, um líquido quente e rubro tingiu o tecido.

— Estou morrendo... Estou morrendo... — sussurrou ela. Tossiu mais uma vez e um filete de sangue desceu pelo seu queixo. — É melhor que isso dê certo...

Ela limpou a boca com a manga do vestido e esmurrou a parte interna da cabine, gritando para alguém do lado de fora da carruagem:

— Vamos logo com isso, cocheiro! Não tenho muito tempo.

Tibor ainda ouviu o barulho de um chicote estalando, sem piedade, no lombo dos cavalos, que relincharam e aceleraram o galope.

Quando piscou os olhos, ao abri-los de novo a luz do dia os invadiu.

13

ROSNADO E DENTES

Ao perceber que tinha sido o primeiro a acordar, Tibor deu-se o luxo de ficar deitado por mais um tempo. Havia sonhado com aquela mulher outra vez. Quem seria ela? João Pestana lhe mostrara aquele sonho para que ele entendesse exatamente o quê? Tibor a escutara dizer que estava morrendo. Por isso tinha tanta pressa? Aonde será que ela queria chegar?

O menino suspirou, infeliz, por não ter nenhuma dessas respostas. Ficou pensando em tudo o que João Pestana lhe dissera no sonho maluco do deserto. Que precisava achar uma casa. Uma casa que ele não sabia como era, num lugar próximo à Vila Guará. E essa era a maior vila de todas! E ele ainda teria que confiar num guia desconhecido.

O menino imaginou se aquele não seria o tipo de sonho sem pé nem cabeça que todo mundo tem de vez em quando. Não entendia como tudo aquilo poderia ajudá-lo. E como confiaria num guia enviado por João Pestana, sendo que nem confiava no próprio Senhor dos Sonhos?

Teria que encontrar a tal da casa das Marias... E quem ou o que era Crispim? Ele tinha mil perguntas!

O café da manhã no bar até que foi bom. Queirós tinha tudo embaixo daquele alçapão. Comeram mamão com mel e cereais, depois saíram para a rua.

Mais uma vez, os olhares desconfiados de todos pousavam sobre os três garotos, em cada ruazinha que passavam. Guiados pelo dono do bar, distanciaram-se da parte mais central da vila e pegaram uma trilha, embrenhando-se na floresta que rodeava Guará.

— Em tempos antigos, esse foi um local de extração de ouro — contou Queirós, andando na frente. — Existem aqui muitas minas abandonadas. Buracos escavados no solo que mergulham dentro da Terra. Uma cicatriz deixada pela ganância do homem.

Percorreram a trilha por mais alguns metros, enquanto ele contava a história da região.

— Não se sabe mais onde ficam as entradas dessas cavernas; eu, pelo menos, não sei, mas elas estão espalhadas por todos os cantos de Guará.

— Por que está nos contando isso? — perguntou Pedro.

— Acredita-se que o antigo lobo tenha descoberto a entrada de uma mina e uma rede de cavernas. Quando ele uivava, dava pra escutar no vilarejo inteiro — contou Queirós. — Provavelmente, uivava dentro dos túneis de pedra e o som ecoava por todo o subterrâneo, levando o urro feroz por todo o vilarejo.

Num dado momento, a trilha estreita desapareceu no mato. Passaram a abrir caminho com os pés, por entre os tufos de capim alto.

Queirós parou de andar e todos olharam para ele, na expectativa.

— Pronto, senhores — anunciou. — Foi aqui que perdi o lobo de vista.

— Mas aqui não é lugar nenhum. Estamos no meio do mato! — reclamou Tibor.

— Pois é. Foi o que eu disse. Não sei para onde ele foi, mas as duas vezes que o persegui, eu o perdi de vista exatamente neste ponto.

— E em que isso pode nos ajudar? — perguntou Sátir, mal-humorada.

— Ora, já segui o primeiro lobo também. E ele sempre vinha para cá — explicou o homem. — Esses bichos têm um faro apurado. Um deve ter sentido o cheiro do outro e descoberto um local seguro para se esconder de pessoas como eu.

— E o senhor vai nos deixar aqui, no meio do nada? — indagou Pedro, indignado.

— Não é o que queriam? Uma pista do amigo de vocês? Pois é essa pista que eu tenho — respondeu Queirós, dando de ombros. Mas ao ver o desalento dos garotos, sugeriu: — Dizem que, por estas bandas, fica a entrada de uma das minas. Vocês poderiam procurá-la. Quem sabe acham o esconderijo do filho dos Freitas?

Os três viram que o jeito era ficar por ali e procurar algum indício do lobo. Queirós se despediu deles e lhes desejou boa sorte, dizendo que já era hora de abrir o bar.

Tibor, Sátir, Pedro e Tapioca se dividiram em dois grupos para procurar por ali algo que parecesse um grande buraco no chão. A antiga entrada de uma mina.

Vasculharam tudo. Se havia alguma entrada ali, devia estar muito bem escondida, porque não encontraram nada.

Já passava do meio-dia quando voltaram a se reunir no final da trilha.

— E aí, acharam alguma coisa? — perguntou Tibor.

Pedro fez que não com a cabeça. Até Tapioca parecia desanimado.

— Não acham que esse Queirós pode ter nos tapeado? — questionou Pedro.

Tibor já havia pensado nessa hipótese. Já tinha passado por algo parecido ao encontrar Humbertolomeu pela primeira vez. Ele tinha feito Tibor e Rurique caírem numa armadilha. Mas Humbertolomeu, ao menos, tinha um propósito que o favorecia. Não conseguia enxergar o motivo de Queirós tê-los enganado.

Pedro Malasartes tinha colocado em sua mochila a barraca que sempre levava ao acampar. Tibor já estava familiarizado com o tecido amarelo e azul da barraca, tipo iglu. Ele e o amigo haviam acampado alguns dias antes ao lado do muro de Membira.

Quando a tarde já caía, acenderam uma fogueira para se aquecer.

— Pelo jeito vamos dormir por aqui mesmo, né? — deduziu Sátir.

— Não sei se Queirós vai querer nos dar abrigo por mais uma noite — respondeu Tibor. — Aliás, se ele tiver mentido sobre a existência dessas "entradas secretas para as minas", é melhor não confiarmos muito nele. É sinal de que tem algum motivo pra nos enganar e pode ser perigoso.

— O menino argumentava, procurando convencer a si mesmo de que tomava a decisão mais correta.

Dormiram aquela noite na barraca. Tapioca passou a noite entre os pés dos três. Tibor decidiu se deitar entre a irmã e o amigo. Não queria vê-los dormindo abraçadinhos ao seu lado.

A madrugada não foi muito agradável. O frio que soprava por entre as árvores entrava pelos vãos da barraca e era ainda mais gelado do que nas ruas de Guará. Os ruídos da floresta, vez ou outra, também faziam com que acordassem sobressaltados. Alguns pareciam uma risada matreira, embora talvez fosse apenas o canto de algum pássaro. Tibor achou que já havia escutado aquele som antes. Só não se lembrava onde. Ao menos duas vezes, saíram da barraca e vasculharam em torno, à luz das lanternas. A impressão era a de que alguém os vigiava de perto.

O dia seguinte não foi muito diferente. Exploraram trechos da floresta que não tinham visitado no dia anterior. Mais uma vez, não encontraram entrada para mina alguma. O que reforçava muito a teoria de que o dono do bar os havia enganado. Mas com qual propósito?

Acharam uma goiabeira carregada e foi com ela que garantiram as refeições do dia e do dia seguinte também. Goiaba no café da manhã, goiaba no almoço e goiaba no jantar. No final do terceiro dia, não aguentavam mais comer goiabas.

Para alegria de Sátir, encontraram também um córrego onde se lavaram, e, ao cair da tarde, uma clareira no alto de uma colina, onde puderam montar acampamento e contemplar as luzes da vila, ao longe.

Por mais estranho que fosse, Tibor se sentia melhor ali, dentro de uma barraca no meio do mato, mesmo em meio aos ruídos misteriosos da floresta, do que na Vila Guará. Os olhares sem esperança dos moradores o deixavam apreensivo.

Porém, a certa altura, a esperança de encontrar qualquer rastro do lobo também parecia ter deixado os três. Os garotos fitavam, pensativos, a vista da vila ao longe, quando Pedro explodiu:

— Pra mim já chega! Acho que está bem evidente agora que esse Queirós enganou a gente. Estou cansado de dormir aqui, no meio do nada. Já perdi até a noção do tempo! Não me lembro nem que dia é hoje.

— Acho que você tem razão — concordou Sátir, ajudando Tibor a atiçar as brasas da fogueira. — Devíamos voltar para a vila e começar a procurar do zero. E, se cruzarmos com Queirós, ele vai ouvir uns desaforos.

Enquanto decidiam se deveriam passar mais um dia na floresta ou voltar para o centro de Guará imediatamente, ouviram ao longe algo parecido com o vozerio sussurrante de noites atrás. O som vinha das ruelas de Guará junto com o vento frio, que se intensificava.

Ficaram em silêncio por alguns instantes, imobilizados, só ouvindo as vozes sobrenaturais.

— O que é aquilo ali? — disse Pedro, interrompendo o silêncio. Sátir e Tibor viram que o amigo olhava na direção do centro da vila.

Nesse instante, os irmãos também viram algo muito estranho. A noite já ia alta, mas, mesmo assim, um grande grupo de pessoas caminhava lentamente pela rua.

Concluíram que o jeito seria deixarem seus pertences ali mesmo e correrem até a vila para averiguar mais de perto. Foram o mais depressa possível, com Tapioca disparando na frente, como se soubesse que não podiam perder tempo. Precisavam ver o que tantas pessoas estavam fazendo na rua aquela hora da noite.

Depois de caminhar de volta pela trilha, chegaram às ruas do centro e seguiram o coro fantasmagórico, composto de vozes ritmadas.

Viraram numa rua de onde parecia vir o som e se depararam com o grupo todo diante deles. Eram dezenas de pessoas, subindo a ruela a passos lentos e murmurando algo ininteligível. Nas casas da rua, nenhum sinal de vida. Só se viam portas e janelas fechadas.

Havia algo de *muito* estranho naquele grupo.

Foi então que repararam que aquelas não eram pessoas normais. Pareciam ser feitas da mesma matéria translúcida de Dona Arlinda, na sala do sítio. Um tom azulado tingia suas feições. Quando chegaram mais perto, o que viram foi de arrepiar os pelos da nuca! Expressões cadavéricas em cada um dos caminhantes.

Não eram pessoas coisa nenhuma. Eram fantasmas!

Tibor, Sátir e Pedro se deram conta disso no mesmo instante. Por isso Tapioca tinha pedido colo algumas ruas atrás e tremia feito vara verde nos braços de Pedro.

Aquela era uma procissão de fantasmas.

Sem querer chamar atenção, os meninos deram um passo para trás, depois outro e mais outro, até saírem do meio da rua e dobrarem uma esquina. O cortejo continuou subindo a rua, aparentemente sem que ninguém notasse a presença dos garotos. Era como se nem estivessem ali.

Um último sopro de vento balançou as copas das árvores e tudo caiu no silêncio. Tibor foi até a esquina e esticou o pescoço para ver se a procissão ainda estava lá. Mas a aglomeração de pessoas tinha simplesmente evaporado no ar.

Precisaram de um tempo para recuperar as cores do rosto e controlar as pernas bambas. Depois os três, seguidos por Tapioca, puseram-se a andar sem destino pela vila.

— O que faremos agora? — indagou Sátir. — Vamos buscar nossas coisas e pedir abrigo ao Seu Queirós ou partirmos para um plano B?

— Mas temos um plano B? — questionou Pedro.

Tibor não sabia o que responder.

Um grito agudo cortou a noite a algumas ruas dali. Os três estacaram. Um burburinho começou pelos mesmos lados de onde viera o grito. Logo depois, tudo que se ouvia era o vento.

— Será a procissão outra vez? — sussurrou Sátir.

— Shhh. Isso parece outra coisa — respondeu Tibor, baixinho.

Ouviram um rosnado. Havia algum tipo de fera por perto. Olharam para os lados, com os músculos retesados de medo. Sentiam alguém observá-los. Era a mesma sensação de quando estavam na barraca, na orla de Guará. Então ouviram uma respiração ruidosa, mas não viram nada em canto algum. A rua estava deserta. As casas, fechadas e trancadas.

— Estão vendo alguma coisa? — murmurou Tibor.

— Nada — disseram os outros dois.

Tapioca soltou um latido e os três quase desmaiaram de susto. Tibor detestava quando o cão fazia aquilo. O latido ecoou pelas ruas, parecendo ainda mais alto que o normal. Os três encararam o cachorro, que agora latia com insistência, ao mesmo tempo que olhava para cima. Os três desviaram os olhos para a mesma direção.

No alto, envolta nas sombras da noite, uma silhueta os observava, grudada na parede do segundo andar de uma casa. Parecia uma lagartixa colada na parede, a não ser pela cor e o tamanho descomunal. Tinha um formato humanoide, mas orelhas pontudas. Um pelo avermelhado cobria todo o corpo. Suas garras estavam enterradas na parede da casa, sustentando todo o seu peso, mas o que chamava mais a atenção eram os dentes enormes.

À mostra, arreganhados.

Não havia dúvida. Estavam diante de um Lobisomem.

O bicho saltou de onde estava, rápido como um raio, sem dar nem míseros segundos para os garotos terem chance de correr.

Eles ficaram ali, paralisados no meio da rua deserta, com os olhos fixos no lobo meio humano diante deles.

Seu olhar feroz parecia abarcar todos de uma vez. Tapioca nem latia mais. Com o corpinho trêmulo, gania baixinho.

O lobo rosnou outra vez. Tibor sentiu seu corpo estremecer, fazendo vibrar as costelas por dentro. Estava sem reação.

Olhou para o lobo e viu que alguns trapos cobriam o corpo do bicho. Pareciam restos de roupas. Tentou imaginar o amigo Rurique ali, durante aquele breve intervalo de tempo, em que a fera escolhia quem comer primeiro.

— Ru-rique? — gaguejou ele.

Rosnando forte, o lobo ameaçava saltar sobre o menino, quando um alarme parecido com o toque de uma trombeta soou em algum lugar. Seria um aviso de que Guará estava recebendo a visita de um lobo? A criatura pareceu se irritar com o barulho alto e estridente.

Um choro de criança veio de dentro de uma das casas da rua e se misturou com o som intermitente do alarme. O Lobisomem correu na direção do choro, aparentemente perdendo o interesse por eles.

— Ufa! — soltou Pedro, aliviado. — Tenho certeza que ele ia me escolher. Olha o meu tamanho!

— Olhá lá! — gritou Tibor, ignorando o comentário "gordofóbico" do amigo e apontando para o fim da rua.

Diante da porta aberta do bar, Queirós fazia sinal com os braços para que eles corressem para lá. Não pensaram duas vezes. Correram o mais depressa que puderam. Por algum motivo, o dono do bar então passou a agitar freneticamente os braços, mais desesperado ainda. Tibor olhou para trás enquanto corria e percebeu que o lobo pelo visto não tinha conseguido apanhar o seu tenro jantar e agora corria atrás deles a quatro patas. Pelo jeito, eram o próximo item do cardápio.

O lobo era veloz. Com poucos passos já tinha coberto quase metade da distância. Os meninos alcançaram o bar com o coração quase saindo pela boca. Tiveram que dobrar o corpo ao entrar pela porta do estabelecimento, porque Seu Queirós já a baixava, para impedir a entrada da fera esfomeada.

Se fosse um segundo mais rápido, o dono do bar teria conseguido.

Mas não conseguiu!

E esse segundo lhe custou caro.

O Lobisomem deu um salto inesperado e fincou as longas garras na mão de Queirós, obrigando-o largar a porta.

— Corram para o alçapão! — berrou ele, protegendo a mão ensanguentada, ao mesmo tempo que tentava, com a outra, impedir que o lobo abrisse a porta.

Pedro e seus passos de ninja chegaram à portinhola primeiro. O menino deu um mergulho para dentro do buraco e esborrachou-se contra o chão lá embaixo. Sátir fez algo parecido. Tibor atirou Tapioca no buraco, em cima de Pedro, e em seguida pulou. Dois segundos depois foi a vez de Queirós, que bateu a portinhola atrás de si.

Ofegantes, os meninos se viram num cubículo mergulhado nas sombras. Era uma espécie de despensa, onde o homem estocava mantimentos para o bar.

Passos sorrateiros soaram sobre o assoalho. O Lobisomem estava dentro do bar. Ouviram, acima deles, suas fungadas. A criatura sabia onde estavam. Com os olhos se acostumando à penumbra, viram a própria expressão aterrorizada refletida no rosto um do outro.

O lobo começou a arranhar a portinhola. Suas garras eram como lâminas afiadas desfiando a madeira. Ela não resistiria por muito tempo. Eles podiam até ouvir as lascas de madeira se soltando, enquanto a porta era estraçalhada.

Não tinham nem como se defender. Ali só havia sacos de mantimento. Feijão, açúcar, arroz... Não tinham muito que fazer, além de se esconder atrás deles. As garras do bicho logo perfurariam o alçapão e eles não teriam para onde fugir. O lobo, por fim, teria o seu jantar.

Por um instante, Tibor se lembrou de Sátir cogitando a possibilidade de existirem outros lobisomens. Será que aquele ali em cima não era Rurique? Tibor não conseguia enxergar nada do amigo naquela besta.

A portinhola, por fim, não resistiu. Com um estouro, ela partiu aos pedaços sobre suas cabeças. O focinho pontudo apareceu no buraco, acompanhado de presas muito afiadas e dois olhos furiosos. Seria um massacre.

— Ei, Rurique! — tentou Tibor novamente, saindo de trás dos sacos de arroz e ficando de pé. Não sabia ainda se a ideia de se levantar e chamar a atenção para si era uma estupidez ou não. Mas era a única que tinha.

O lobo encarou o menino. Tibor queria muito que aquele olhar fosse de Rurique reconhecendo-o, mas algo no jeito do lobo o fazia duvidar muito disso.

No momento seguinte, antes que alguém pudesse fazer alguma coisa, o lobo garfou o braço de Tibor e o pinçou do buraco para o interior do bar. O menino caiu no chão com um baque, derrubando algumas cadeiras. Mal tinha começado a medir o estrago no bar ou no seu próprio corpo, quando o bicho o pegou pelas pernas e começou a arrastá-lo para fora do bar. No trajeto, segurou melhor o tronco magrelo do menino com uma das mãos. Foi ganhando velocidade e tirando o menino do chão, mesmo usando apenas três patas para correr.

Tibor percebeu que o lobo o carregava para longe dali. Conseguira sua presa. Agora, certamente iria levá-lo para seu covil ou algum outro esconderijo onde pudesse fazer sua refeição em paz. Será que a irmã tinha razão? Aquele lobo poderia não ser Rurique? Seria, na verdade, outro Lobisomem?

Tibor viu, de relance, o bar se distanciando. Pensou ter visto a cabeça da irmã apontando na porta, mas ela nunca os alcançaria a tempo. Se alcançasse, não poderia fazer nada contra um lobo.

Então era assim que tudo terminaria. Ele tinha saído de casa para empreender uma jornada sem volta.

Pelas ruas vazias, o menino era sacudido com violência, como um saco de batatas. O lobo já tinha saído do centro e o capim que batia no rosto de Tibor indicava que já estavam entrando no mato. Ele viu a barraca amarela e azul de Pedro aparecer, por um instante, em seu campo de visão. Estavam no local do acampamento. Queirós tinha razão. Ali era mesmo um caminho que o lobo costumava fazer.

A criatura pegou uma rota mais íngreme e, a certa altura, pareceu saltar para dentro de um buraco na terra. Seria a entrada secreta da mina?

Enquanto caía, Tibor ainda conseguiu ter um vislumbre rápido do céu, iluminado por uma lua crescente. Que lobisomem era aquele que nem precisava esperar a lua cheia para se transformar?

14

A Declaração de Rurique

Estavam percorrendo uma caverna estreita. Uma espécie de corredor. Pelo menos era o que dava para Tibor deduzir, no meio daquela escuridão danada. O lobo o tinha levado para as profundezas da terra.

Depois do que lhe pareceu uma eternidade, atravessando vários túneis de pedra, o lobo o largou num canto com brutalidade. Suas costas, que já doíam, agora o castigavam com pontadas agudas. Mal teve tempo de lamentar a dor, na escuridão, e um focinho gelado encostou na sua pele, farejando o seu corpo todo.

É agora, pensou o menino, prevendo a carnificina. Começou a se preparar para a mordida. Para a dor lancinante e profunda. O lobo decerto decidia agora qual a melhor parte do seu corpo para dar a primeira dentada.

Mas nada aconteceu. O menino só sentiu os pelos da fera roçarem no seu corpo, depois não sentiu mais nada. Como não podia contar com a visão, aguçou seus outros sentidos para captar as intenções do lobo. Só pressentiu o lobo se afastando dele, na caverna escura, e se ajeitando em outro lugar.

A respiração da criatura era pesada e ruidosa, no silêncio da caverna. O desespero só não tomou conta de Tibor, porque ele procurava a todo custo manter o autocontrole.

"Calma, Tibor, você vai encontrar um jeito de sair daqui", ele pensou, tentando se tranquilizar. "Mas primeiro, precisa se acalmar."

Aos poucos, foi mesmo se acalmando. Procurou respirar devagar e sem fazer barulho. Pensou em se levantar e tentar sair dali, mas, sem enxergar um palmo à frente do nariz, tinha certeza de que tropeçaria ou acabaria pisando no rabo na fera. Não poderia correr esse risco.

Pelo jeito como o Lobisomem respirava, ele tinha caído no sono, o que Tibor considerou um milagre. Não faria nada que pudesse despertá-lo.

Ficou ali, de butuca, alerta a qualquer movimento ou resfolegar diferente da besta. Era mesmo uma sorte ainda estar vivo. Seria o destino lhe dando uma chance? Ou apenas o lobo brincando com a comida antes de se fartar? Como de costume, ele preferiu pensar no lado bom das coisas. Ainda estava vivo. Decidiu se apegar a isso.

Pensou na irmã. Suspeitou que Sátir, naquele momento, devia estar virando Guará do avesso para encontrá-lo. Mas ela não o encontraria.

Não naquele buraco. Tinham procurado por vários dias a entrada de uma mina nos arredores do acampamento e não encontraram nada. Já haviam até descartado a hipótese de que existisse uma.

Mas ali estava ele. Se quisesse sair daquela enrascada, teria que se virar por conta própria. Era isso ou se entregar de vez. Mas muita coisa, lá em cima, na superfície, dependia dele. Não podia simplesmente acabar daquela maneira.

Sentiu o cheiro forte de pelos molhados e ficou meio enjoado. O aroma acre parecia impregnado nas paredes. O surto de adrenalina diminuiu, e sua perna, seu braço e seu peito começaram a latejar pra valer. Mesmo assim, ele não moveu um músculo. Não se atreveria. A única certeza que tinha é que o monstro não deveria ser acordado. Se aguentasse assim até de manhã, talvez sobrevivesse. À luz do dia o lobisomem voltaria a ser humano outra vez e seria muito mais fácil lidar com ele.

A eternidade que levara para o lobo carregá-lo do centro da vila até aquele buraco no meio da floresta não era nada comparada à eternidade que seria aquela noite...

As horas pareciam não passar. Era como se o tempo tivesse parado. Por um instante, cogitou se estariam longe demais da superfície para que a luz do dia alcançasse aquelas paredes. Nesse caso, nunca amanheceria naquele lugar. Seria um eterno breu. Mesmo que fosse dia lá fora, Tibor não saberia. Esse pensamento lhe causou um aperto no peito. Uma falta de ar. Um desespero angustiante.

Ficou ali ouvindo a respiração ruidosa e forte da fera. Tentou puxar e soltar o ar no mesmo compasso, para que não sobrasse som que pudesse acordar seu captor. Mantinha os olhos bem abertos, na esperança de captar alguma coisa, mas a escuridão era tanta que dava no mesmo, abri-los ou fechá-los. Foi assim pelo tempo que ficou ali. Suas pernas e braços ficaram dormentes e gelados pela falta de movimento e ele, mesmo assim, não se mexeu.

Ou quis acreditar que não.

Acordou num sobressalto, espantado. Tinha cochilado em sua vigília. "Quem em sã consciência dormiria numa situação daquelas?", pensou, condenando-se. Mas o cansaço tomara conta dele, por causa do longo tempo vigiando o lobo. Não sabia quantas horas tinha ficado naquela escuridão, escutando o Lobisomem ressonar.

Agora, no entanto, percebia algo diferente. Uma luz fraca invadia a caverna. O suficiente para ele perceber onde estava. Um pequeno nicho escavado na pedra.

Tão pequeno que era até claustrofóbico.

Deu-se conta de que estava de costas para a parede. E, à sua frente, havia uma única saída. Reparou que, um pouco além da abertura, havia um corredor. Era da extremidade do corredor que vinha a luz tênue que banhava o ambiente. Era a luz do sol, o que significava que não estava tão longe assim da superfície.

Pela abertura, viu o par de pernas de alguém deitado imóvel no chão. Pernas humanas. Era tudo o que conseguia discernir, da posição em que estava. Justamente dali viera o som da respiração do lobo, a noite toda. Então o Lobisomem voltara a ser humano!

Tibor se mexeu devagar, pela primeira vez, depois de horas. Precisava saber se era Rurique deitado ali. Mas a dor foi excruciante. A violência com a qual o lobo o puxara, de dentro do alçapão de Queirós, por sorte não lhe arrancara o braço, mas lhe deixaria cicatrizes profundas. Percebeu algo viscoso embaixo dele e constatou que era sangue. Será que a hemorragia o fizera perder a consciência?

Ao tentar se mexer novamente, sentiu os ossos estalarem.

O menino estacou, com medo de fazer mais barulho.

— Quem está aí? — falou uma voz sonolenta que ecoou nas paredes de pedra. — É melhor ir embora rápido, porque aqui tem um lobo perigoso! — avisou.

Tibor arregalou os olhos e não se conteve.

— Rurique?!

Ouviu um resmungo. Tibor se arrependeu de ter chamado. Talvez não fosse Rurique na caverna com ele.

— Você é alguma alucinação? — perguntou a voz, meio atordoada.

— Não — respondeu Tibor e depois fez uma careta, arrependendo-se de ter dito algo novamente.

— Bom, minha última alucinação jurava que também não era e, adivinha só... Vai embora, tá legal? Aqui tem um lobo perigoso e tal... Já avisei — anunciou a voz, como se já estivesse farta daquela conversa.

Agora Tibor teve certeza de quem era. A voz podia estar meio diferente, distorcida. Mas não seria mais enganado pelo medo. Era seu melhor amigo que estava ali!

— Rurique! — chamou, ficando de pé com dificuldade e quase se arrastando até a abertura. — Sou eu, Tibor!

Rurique estava deitado de bruços e apenas virou a cara para o amigo. Suas roupas estavam rasgadas e pareciam ser as mesmas que usava um ano antes, quando fora raptado.

— Uau! As alucinações estão se superando a cada dia! Eu poderia jurar que você é mesmo o Tibor! Só parece um pouquinho mais velho — falou Rurique, medindo o amigo, ainda sonolento, com um olho aberto e o outro fechado.

— Rurique, eu não acredito! Finalmente te encontrei! — comemorou Tibor, com um sorriso de felicidade, apesar do corpo dolorido.

Rurique se sentou depressa e se arrastou para um canto da caverna. Parecia ter acordado de vez. Suas feições tinham mudado completamente. Agora parecia assustado.

— Você está aqui?! Está aqui mesmo? — indagou, com espanto na voz.

— Estou. Sou eu, Rurique. Não precisa ficar com medo. Eu vim te buscar e te levar pra casa. — O menino tentou não dar atenção à dor ardente no braço, para não assustar ainda mais o amigo. Mas era difícil.

Rurique foi até ele devagar e tocou seu rosto. Viu que Tibor era real e se aproximou para lhe dar um abraço comovido. O amigo o abraçou como pôde. Ficaram um tempo assim, confortando um ao outro. Após se afastarem, Rurique baixou a cabeça, fechou os olhos e começou a chorar.

— O que foi? O que aconteceu? — Tibor perguntou, preocupado.

— Tibor, como você me encontrou? — falou, entre soluços. — Achei que eu estivesse... Eu não posso ir. Ela não deixa. Vai te machucar.

— Rurique — interrompeu-o Tibor, deduzindo que Rurique se referia à Cuca. — Calma, amigão. Ninguém vai machucar nem a mim nem a você. — Ele olhou na direção do corredor para ter certeza de que não havia ninguém ali para ouvi-los.

Até o momento, Rurique estava sozinho na caverna. Será que tinha escapado das garras da sua tia-avó? Se tinha conseguido fugir, por que não voltara para casa? Já fazia um ano que não via o amigo e agora o encontrava assim, vestindo trapos e morando numa mina abandonada.

— Achei que eu já não tivesse chance, mas você está aqui — continuou Rurique, mais calmo.

— Estávamos te procurando, Rurique. Por todo o canto, o ano todo.

— Mas ela... ela... — ele gaguejou, olhando para Tibor, como se ainda não acreditasse em seus olhos. — Eu tenho pesadelos, Tibor. Por causa das coisas horríveis que fiz. Não consigo me lembrar de muita coisa, só vejo flashes, mas acho que eu feri... feri muitas pessoas. — Rurique olhava para as próprias mãos, horrorizado. — Não posso voltar.

— Pode sim, Rurique — afirmou Tibor. — Pode e *vai* voltar! Fiquei sabendo que esse Lobisomem que anda por aí não ataca ninguém. Ele não sabe caçar! — Tibor se lembrou da precisão e velocidade com que o lobo o caçara na noite anterior e pediu desculpa a Rurique mentalmente pela mentira. — Você não fez nada que precise se envergonhar, meu amigo. A minha avó vai dar um jeito nesses seus pesadelos.

— Ela não vai conseguir, cara! — avisou Rurique, categórico, o olhar meio demente. Tibor percebeu que o amigo estava estranho, como se estivesse sob o efeito de algo. Parecia zonzo, prestes a cair. — Dona Gailde não consegue deter pesadelos. A irmã dela é que sabe fazer isso.

— Como assim?

— Quando Málabu se jogou com ela do penhasco... — recordou Rurique, parecendo meio entorpecido — aquele não foi o fim.

— Está falando da Pisadeira? — O menino balançou a cabeça, confirmando. — Ela está viva, mas de um jeito diferente.

Tibor sabia a que ele se referia. Tinha visto a Pisadeira voltar à vida em seu sonho. Viu a própria Cuca trazê-la de volta. A cobra transparente a vomitara. Essa era mais uma prova de que seus últimos sonhos eram reais. Estava tendo acesso a coisas que aconteciam na vida real, longe dele no tempo e no espaço.

— Ela tem causado meus pesadelos — continuou Rurique. — Ela me controla!

— É por isso que não tem ninguém vigiando aqui? — observou Tibor. — Não vejo ninguém tomando conta de você nesta caverna, pra você não fugir.

Mais uma vez, Rurique fez que sim com a cabeça.

Tibor ficou imaginando se não era a própria tia-avó que também causava os pesadelos nos moradores dos vilarejos. Todos do povoado pareciam fracos e desanimados. Assim como Rurique.

Seria a Pisadeira quem atrapalhava o trabalho de João Pestana? Era por causa dela que ele precisaria achar a casa das tais Marias?

— Foi por isso que você não foi embora pra casa? Não voltou pra nós? — quis saber Tibor, com a mão apertando o braço ferido, na esperança de aliviar um pouco a dor.

— Eu não pude. Estou meio grogue... — E Rurique apontou para a própria têmpora. Era como se lutasse para permanecer consciente. — Ela me fez pensar que você... — Ele parecia ter dificuldade para contar alguma coisa que o incomodava. — A Pisadeira vasculha sua cabeça e encontra o pior dos seus medos. E causa os pesadelos. Pra que você não tenha esperança.

— O pior dos seus medos? E o que foi que você viu? — perguntou Tibor.

— Eu vi você! — desferiu Rurique, quase tão rápido quanto seus ataques como lobo.

Tibor fitou o amigo, intrigado, e arqueou as sobrancelhas.

— Mas... você tem medo de mim?

— Claro que não! — rebateu Rurique, falando depressa. Parecia transtornado. — Ela me ameaçava. Dizia que eu perderia você. E eu não podia perder você, amigo. Simplesmente não podia.

Os dois ficaram em silêncio por um tempo. Rurique imerso no tumulto dos seus pensamentos. Tibor tentando imaginar que pesadelos a Pisadeira poderia ter engendrado para deixar o amigo com tanto medo de perdê-lo.

— Precisamos sair daqui, tá legal? — disse Tibor por fim, já passando o braço pelos ombros do amigo para conduzi-lo à saída. O movimento pareceu a coisa mais difícil do planeta. Seu braço machucado dava fisgadas ardidas e a vontade que ele tinha era de gemer alto. Mas aguentou firme para não alarmar Rurique.

— Não, não, espera — pediu Rurique. — Eu não posso. E se eu machucar alguém? — Agitado, Rurique tentava se desvencilhar do amigo. — E se eu machucar você? — Ele conseguiu se soltar e reparou pela primeira vez no braço machucado de Tibor. — Eu já machuquei, não é? Fui eu que fiz isso com você?

— Esquece isso, Rurique. Eu vou ficar bem. A gente vai ficar bem. Vamos sair daqui!

— Não quero ir. Não posso!

— Rurique! — implorou Tibor. Ele sabia que o amigo tinha passado por maus bocados. Tinha sido um ano inteiro longe da família e dos amigos, prisioneiro da Cuca. — Há tanta coisa nova pra você ver lá fora... — O menino tentou uma nova abordagem, enquanto tentava levar Rurique na direção da saída. — Tudo mudou. A Sátir... a Sátir está namorando, acredita nisso? E o sítio...

— Eu não posso, Tibor — cortou Rurique, sem sair do lugar. — Eu sou um monstro!

— Não. Você não é!

— Sou, sim!

— VOCÊ NÃO É! — gritou Tibor.

Rurique se calou. Por um segundo, seu olhar mudou e Tibor viu ali um ímpeto de atacá-lo. No segundo seguinte, o menino pareceu ter uma vertigem e foi obrigado a apoiar as mãos na parede para não cair. Tibor reparou que na pedra onde o amigo se apoiara havia marcas profundas de garras.

— E mesmo se você for um monstro... eu não me importo — completou Tibor.

Rurique olhou no fundo dos olhos de Tibor, tentando descobrir se aquilo era mesmo verdade.

— Mesmo assim, eu não posso sair daqui ainda — falou ele, se sentando no chão. — Ainda estou fraco.

— Tudo bem. Então descanse um pouco primeiro.

Tibor começou a se preocupar. Seu braço doía muito. E não podia ficar com o machucado sujo daquele jeito por muito tempo. Rasgou um pedaço da manga da blusa e enrolou, com dificuldade, no ferimento.

— E o seu braço? Está doendo muito?

— Esquece isso, cara. Daqui a pouco cuido dele.

— E como vai Sátir e Dona Gailde? — quis saber Rurique, a voz já não tão agitada. — E meus pais? Você têm visto meus pais? Eles devem estar loucos de preocupação.

— Sim. Mas todos estão bem. Estão esperando você voltar, amigão.

Rurique percebeu que Tibor agora olhava para o corredor com medo de que alguém aparecesse.

— Não se preocupe. Ninguém vai aparecer.

— Como pode ter tanta certeza? — quis saber Tibor.

— A Moura já veio ontem — anunciou ele, como se as visitas da cigana fossem corriqueiras.

— Você conhece a Moura? — estranhou Tibor.

— Ela sempre demora uns dois dias pra voltar — disse Rurique, sem responder à pergunta. — Por que acha que me transformei? Reparou que ainda não é lua cheia?

— Reparei, sim. Como se transformou se ainda não é lua cheia?

— É aquela porcaria de veneno — explicou ele. — O mesmo que fez aquilo com o Málabu ano passado. Ele se transformou fora da lua cheia. E esse veneno ainda está em mim. Posso sentir. — Ele olhou para os próprios braços. — Fica difícil se concentrar em alguma coisa. Parece tudo alucinação.

— Mas por que elas te dão veneno? O que querem com isso?

— Querem que eu perca o controle! — E Rurique pareceu mais feroz, momentaneamente. — Que eu ataque! — Ele franziu o cenho como se estivesse irritado. Colocou a mão na testa e tentou se acalmar. No instante seguinte, pareceu extremamente cansado. — Desculpe, Tibor.

Tibor reparou que Rurique parecia abatido e doente.

— Eu me lembro quando atravessamos a ponte Du Avesssu pela primeira vez, para entrar no Oitavo Vilarejo — o menino recordou. — Eu estava com medo, mas, quando lembrei que estava com você, o medo desapareceu. — Rurique fez um gesto com a mão e um barulho com a boca para ilustrar o "desapareceu".

Tibor ficou quieto, buscando na memória aquele dia na Du Avessu. Por um instante, esqueceu as dores latejantes pelo corpo todo.

— Pode ficar aqui ao meu lado, Tibor? — pediu o amigo, quase numa súplica. — O dia seguinte de uma transformação forçada é sempre o pior. E os pesadelos também. É bem difícil dormir vendo coisas horrendas na cabeça. Com você aqui, o medo vai embora.

— Mas é claro, Rurique!

E Tibor, não sabendo como negar o pedido, se sentou ao lado de Rurique.

Ficaram ali lado a lado, sem dizer nada, por um bom tempo. A vontade de Tibor era sair daquela mina o mais rápido possível. Ali ele sentia cheiro de carniça. No entanto, Rurique ainda precisava descansar um pouco. Então ele tratou de ter paciência e encontrar uma posição em que suas dores lhe dessem uma trégua.

— Tenho que te contar uma coisa — disse Rurique, rompendo o silêncio. — Nunca desconfiou de nada, Tibor? — perguntou ele, quase desmaiando de cansaço.

— Desconfiou do quê? — quis saber o amigo.

Rurique esboçou um sorriso que fazia muito tempo que Tibor não via.

— Bom, acho que eu também não desconfiaria — confessou, meio entorpecido. — Descobri só quando achei que não te veria mais.

— E o que foi que descobriu, Rurique?

— Lembra, no ano passado, quando você ficou com a Rosa?

Tibor assentiu.

— O que tem ela?

— De certa forma, eu fiquei com inveja dela. — Rurique fez uma pausa. — Eu gosto de você, meu amigo. Muito mais do que você imagina — declarou. Mesmo sob o efeito de algo que o deixava zonzo, Rurique manteve o tom sério.

E, então, algumas coisas passaram a fazer sentido na cabeça do jovem Lobato. Lembrou-se de Avelino dizendo-lhe que o filho gostava mesmo dele. Exatamente como ele tinha dito: "mais do que ele imaginava".

Rurique se ajeitou melhor ao seu lado e fechou os olhos. Não estava em seu juízo perfeito. Estava exausto e precisava urgentemente de um tempo para restabelecer suas forças e se recuperar do efeito do veneno. De certa forma, Tibor também.

— Como acha que o canto de Naara funcionou comigo? — falou o menino de olhos fechados, com a voz pastosa de sono.

Tibor se lembrou de quando ele e o amigo foram levados pela sereia Naara para o mundo das águas. Ela lhes dissera que seu canto enfeitiçante só afetava aqueles que já tinham se apaixonado. Ele mesmo, na época, estava apaixonado por Rosa Bronze e, por isso, tinha sido afetado pelo canto da sereia. Mas, com relação a Rurique, sempre foi uma incógnita.

Os encantos de Naara o entorpeceram também. Isso significava que já tinha se apaixonado, mas por quem? Na época, Tibor imaginou se não seria por sua irmã ou por alguém que estudava com eles. Mas não foi a fundo na questão. Tinham coisas mais urgentes; só agora conseguia entender com certa clareza. Era por ele.

Tibor não achou difícil processar aquela informação. Experimentou em seu peito uma sensação boa. Um sentimento leve. Só não sabia muito bem o que fazer com aquilo. Decidiu ficar calado. Daria um tempo para o amigo descansar.

Passados alguns minutos de sono pesado, as pálpebras de Rurique começaram a tremelicar e seu corpo todo sacudiu, como se agitado por um pesadelo.

— Durma tranquilo, Rurique — disse Tibor, baixinho. — Vou ficar aqui ao seu lado. — Segurou a mão do amigo com o braço bom. No mesmo instante, Rurique parou de tremer e seu semblante se suavizou. Os pesadelos pareciam tê-lo deixado em paz.

Por um momento, Tibor não se importou mais em sair dali. Queria apenas que Rurique ficasse bem. Só conseguia pensar que o amigo estava ali, ele o havia encontrado. Uma longa busca chegara ao fim. Ele o levaria para casa e a avó saberia o que fazer com o lado licantropo do amigo e com os ferimentos em seu braço. Mas, por ora, só era preciso deixar o amigo descansar. Em breve estariam no sítio. Uma notícia boa, finalmente.

15

O GUIA

— Ei, Rurique! Levanta, rápido! Tem alguém vindo aí.

O que havia chamado a atenção de Tibor eram vozes vindas de algum lugar dos corredores de pedra. O menino tinha certeza de ter escutado a voz dizer: "Ei, jovem lobo! Acho que agora chegou sua vez".

Para acordar Rurique, ele teve que dar uns tapas no rosto do amigo, que dormia a sono solto. Por fim, ele acordou e se espantou ao ver Tibor.

— Tibor? — disse, assim que abriu os olhos. — O que está fazendo aqui?

Ouviram-se passos.

— O quê? Não se lembra de nada? — Não esperou o outro responder. — Rurique. Não vai dar pra explicar agora. Temos que sair daqui.

Foram depressa até o corredor. De uma extremidade vinha a luz do dia, mas também o som dos passos. Da outra, a escuridão. Parecia que o túnel descia para dentro da terra.

— Conhece esta mina? Sabe nos tirar daqui?

— Não conheço, não. Sempre tive medo de ir além daqui. — Quando o menino viu o desespero no semblante de Tibor, tentou remediar: — A não ser quando estou transformado... Posso até ter andado por aí, mas não me lembro de quase nada quando sou lobo.

— Que ótimo!

— Lobo, com quem está conversando? — soou a voz, do fim do corredor. Era uma voz feminina e rouca, com um tom ameaçador. Tibor nunca ouvira aquela voz antes. — Ainda sob o efeito da última dose da Pisadeira? Pediram que eu viesse te buscar.

Os amigos não tiveram alternativa a não ser escolher o caminho escuro, terra adentro.

No chão havia um trilho enferrujado. Por aqueles carris, um dia ouro e mineradores foram transportados.

As pisadas apressadas dos garotos ecoaram pelo corredor e os dois escutaram os passos ao longe ficando mais rápidos.

— Lobo estúpido! — ralhou ela, em algum ponto da mina. — Onde se meteu? — A voz parecia soar do lugar onde tinham passado a noite.

A mina era um labirinto escuro. Tateando as paredes, Tibor percebeu que chegavam a uma encruzilhada. Não sabiam que lado escolher. Pensou com pesar na sua mochila, que ficara em algum canto próximo à barraca de Pedro. Dentro havia uma lanterna que poderia salvar suas vidas agora, naquele negrume.

— Eu te pego, seu monstro! — ameaçou a voz, de algum lugar da mina. — Sorte a sua ser tão valioso pra ela.

Um vento soprou, vindo da direita, e foi essa a direção que escolheram.

— Rurique, você disse que ninguém viria atrás de você — sussurrou Tibor, sentindo fisgadas no braço. — Que a Moura já tinha vindo ontem.

— Eu falei isso, é?

— É, falou.

Rurique ficou quieto. Tibor achou que o amigo estava tentando puxar pela memória. O veneno da Pisadeira aparentemente causara um bom estrago na cabeça do garoto.

— Como foi que me achou, Tibor? — perguntou Rurique de repente, com a voz entrecortada pelo cansaço da corrida.

— Não se lembra mesmo, não é?

— Nadinha.

— Na verdade, é uma longa história. Mas ela termina com você me caçando feito louco e me trazendo pra cá. — Tibor não viu, mas podia jurar que o amigo tinha arregalado os olhos, horrorizado.

Pararam um instante para apurar os ouvidos, o que foi uma bênção para o corpo dolorido de Tibor. Não escutaram mais nada. Continuaram a avançar na escuridão, agora um pouco mais devagar, mas sem parar. A mulher poderia muito bem estar na cola deles, em silêncio.

Depois de um ano sem se verem, mal tinham se encontrado e já voltavam a fazer uma das coisas que mais faziam juntos: fugir para se safar de algum perigo.

— Na verdade, eu só tinha alguns flashes de memória... — voltou a falar Rurique, baixinho. — Às vezes via você aparecendo do nada onde eu dormia. Mas eu jurava que era algum sonho maluco ou uma...

— ... alucinação — completou Tibor. — É. Já tivemos uma breve conversa sobre isso.

Rurique ficou em silêncio por um bom tempo. Tibor teve até que estender o braço bom para se certificar de que o amigo ainda estava ali.

— E durante essa conversa... — Rurique pareceu apreensivo. — Eu, por acaso, falei algo que não devia ter dito?

Tibor imaginou a que ele se referia.

— Não que eu me lembre... — o menino murmurou. — Acho que você disse tudo que *precisava* ser dito, na verdade.

Andaram, mais um tempo, na escuridão da mina, sentindo os trilhos sob os pés e cuidando para não tropeçar nem prendê-los entre os vãos dos dormentes.

— Acha que ela ainda está seguindo a gente? — perguntou Tibor, mas Rurique não disse nada. — Rurique? — chamou Tibor, alarmado com a falta de resposta.

— Talvez não — disse ele, ao seu lado. — É que dei de ombros aqui, mas claro que você não viu, né? Tá um breu aqui.

— Acha melhor voltarmos? — quis saber Tibor, sentindo-se perdido.

— Não sei. Talvez... né? — E Tibor percebeu, com a resposta confusa do garoto, que Rurique ainda não estava raciocinando direito.

— Ai! — gritou Tibor ao pisar em falso.

Sentindo o corpo gelado de repente, Tibor percebeu que tinha caído num atoleiro e estava com lama até a cintura. Foi tateando o chão com os pés e viu que, alguns passos à frente, o buraco ia ficando mais raso e o túnel continuava normalmente. Quando saiu do atoleiro, avisou o amigo que era seguro atravessar. Rurique entrou no buraco e também saiu do outro lado, tão encharcado quanto Tibor.

Pararam um tempo para torcer a roupa molhada e suja com a mistura de terra e água parada, sabia-se lá desde quando. Tremiam de frio com o vento gelado que continuava a soprar pelos corredores de pedra.

Um barulho de pés chapinhando na lama os alertou.

Algo ou alguém acabara de entrar no atoleiro atrás deles.

— Tibor? Isso foi você? — Rurique perguntou num fio de voz.

O amigo, em resposta, só o puxou pelo braço para saírem logo dali e continuar sua jornada. Pelo jeito a mulher ainda estava no encalço deles e não lhes daria trégua. Precisavam aumentar a distância entre eles, tarefa bem complicada num local onde não se conseguia ver um palmo à frente.

Já haviam percorrido mais de um quilômetro naquela rede de cavernas e não sabiam se tinham deixado de ver alguma saída. A cada passo se embrenhavam mais nas profundezas da mina abandonada. E, na verdade, não tinham nem ideia de como voltar. Seriam obrigados a seguir adiante.

O jovem Lobato já começava a experimentar a mesma sensação de claustrofobia. E só para piorar, o braço machucado latejava forte. Sentia-se modorrento. Mas precisava continuar. Precisava sobreviver. E levar Rurique para casa. Fizera uma promessa aos pais do amigo. Fizera uma promessa a si mesmo. E estava prestes a concretizá-la. Nada podia detê-lo agora.

— Peguei! — disse uma voz rascante.

— Ai! — Rurique gritou. — Ela pegou meu tornozelo!

Tibor começou a dar chutes a esmo. Queria acertar quem tinha atacado Rurique, mas não conseguia ver nada naquela escuridão! Num dos chutes, seu dedão topou com a parede de pedra e ele viu estrelas. Sentiu o amigo espernear ao seu lado. Tentou um novo pontapé com a mesma intensidade. Tibor ouviu um grunhido de dor e viu que tinha acertado o alvo. Rurique agora corria livre ao seu lado, os dois indo contra a corrente de ar que mostrava a saída. Atrás deles, só um choramingo de alguém curtindo a dor...

A corrida de Tibor agora estava mais equilibrada. Antes, ele mancava com uma perna. Agora, por conta do megachute na parede, mancava com as duas.

Tatearam as paredes até chegar a outra encruzilhada. Esta parecia um pouco maior. Estavam em algum tipo de galeria levemente iluminada. O chão também era uma confusão de trilhos, o que causou alguns tropeções.

Não sabiam quanto tempo fazia que estavam correndo às cegas. Também não sabiam se aquela estranha mulher ainda estava atrás deles. Sentiram o sopro do vento e Tibor tentou adivinhar de qual direção ele vinha.

— Vamos por aqui! — decidiu Tibor, puxando Rurique pelos trapos que vestia.

E, assim que entraram num novo túnel, seus olhos adquiriram função outra vez. Uma luz apareceu ao fundo. Correram mais rápido e, a cada pernada, as retinas reclamavam da luz mais intensa. Estreitaram os olhos e continuaram. Não viam a hora de sair daquela caverna e ir para um espaço mais amplo. Um lugar aberto. Queriam esticar os braços e não encontrar mais uma parede de pedra. Queriam liberdade.

Saíram por um buraco estreito no meio da floresta. Estavam no centro de uma clareira. Tibor e Rurique desabaram na grama no instante em que saíram. Tibor respirou fundo, aliviado. Estavam a salvo daquele labirinto subterrâneo. Olhou para o amigo e, enfim, pôde enxergá-lo melhor. Observou melhor e notou que Rurique estava, de fato, muito magro, pálido e com olheiras profundas. Somando sua aparência àquela roupa esfarrapada, parecia um mendigo de Diniápolis. Apesar de tudo isso, não pôde reprimir a felicidade ao pousar os olhos na figura do amigo. Foi até ele e estendeu a mão para ajudá-lo a se levantar.

— Vamos embora pra casa, amigão! — falou Tibor, alegremente, ignorando todas as dores.

A volta pra casa não foi bem como imaginaram.

Quando saíram do buraco, o sol já estava alto no céu. Não podiam ficar muito tempo ali. A dona da voz rascante ainda podia estar na cola deles. Embrenharam-se na mata e andaram até o sol se pôr no horizonte. A floresta já caía na penumbra, sombreada pela infinidade de árvores, quando Tibor perguntou:

— Tem ideia de que floresta é essa? Será que ainda estamos em Guará?

Rurique deu de ombros.

Eles não queriam assumir, mas estavam tão exaustos que mal conseguiam dar um passo. O estômago dos dois fazia ruídos dos mais variados, como se quisesse conversar com alguém numa linguagem toda própria. Durante o trajeto, ficavam de olho nas árvores próximas, tentando localizar alguma que fosse frutífera. Também estavam com muita sede. E apuraram os ouvidos para perceber qualquer barulho de água, que indicasse um córrego, um riacho ou uma cachoeira.

O sol, por fim, se foi. A noite já os abraçava com seus braços frios.

Os dois agora andavam em meio às árvores, concentrados no chão para não tropeçar nas raízes e tufos de grama.

— Estão com fome, meninos? — falou de repente uma voz infantil.

Tibor e Rurique levaram um susto e se voltaram depressa para o lugar de onde veio a voz.

Uma garotinha, de vestido branco, estava de pé diante deles. Seus cabelos eram tão negros quanto o interior da mina abandonada.

Os dois ficaram olhando para ela, embasbacados. Tibor chegou a se questionar se não estaria sofrendo do mesmo mal que afligia Rurique. Alucinações.

A menina sorriu, misteriosa, e então correu para dentro da mata.

Os meninos se entreolharam, cheios de suspeita.

— Por acaso você também viu uma menina correr para lá agorinha mesmo? — perguntou Rurique, querendo se certificar de que não estava vendo coisas. Soltou um suspiro de alívio quando Tibor confirmou com a cabeça e uma expressão de espanto. — Não sei você, Tibor. Mas *eu* estou com fome... — confessou Rurique, expressando preocupações que não eram as de Tibor no momento.

Acharam melhor começar a correr atrás dela, antes que ela sumisse na floresta.

— Ei, garota! Espere aí! — chamou Tibor. — Você mora aqui? Sabe sair desta floresta?

Viram a menina parar de correr. Como estava distante, os dois não conseguiam ver muito bem seu rosto. Pela voz e estatura, dava a impressão de ser uma criança de 8 ou 9 anos.

— Minha casa é logo ali. — E ela apontou para o arvoredo mais à frente. — Por que não vêm jantar comigo?

Tibor olhou para Rurique e viu que o amigo estava tão receoso quanto ele. Já tinham seguido crianças na floresta uma vez e depois descobriram que eram trasgos. Fantasmas de crianças. E tudo que esses trasgos queriam era fazê-los se perder na mata.

— Não tenham medo! — tranquilizou a menina, rodando seu vestido de maneira inocente. — Eu guio vocês!

Aquela última frase chamou a atenção de Tibor. "Eu guio vocês." Lembrou-se da conversa que teve com João Pestana. No sonho, o orquestrador de areia dos sonhos dizia que Tibor precisava encontrar uma casa. A casa das Marias. E que um guia os levaria até lá. Seria ela o tal guia?

— O que acha, Rurique? Vamos seguir essa garotinha? — perguntou, querendo uma opinião.

— Sinceramente, não sei. Sou o cara das decisões erradas e do azar constante... — desabafou Rurique, como se não quisesse ser responsável por colocar o amigo em mais uma fria. — O improvável sempre costuma acontecer comigo, então deixo essa decisão em suas mãos. — Depois olhou para Tibor com suas bochechas encovadas e o rosto amarelado e doente. — O que você escolher, assino embaixo.

Tibor também lembrou que, de acordo com o que João Pestana dissera, a casa das Marias era um espaço neutro. Ali ele poderia lhe mostrar os sonhos que faltavam. E, segundo o Senhor dos Sonhos, o futuro dependia daquilo. Tibor só não entendia muito bem por quê.

Além disso, João Pestana também lhe dissera que, naquela casa, Tibor encontraria algo que o ajudaria em sua busca. Era Rurique quem ele buscava na época. Será que, na casa das Marias, ele conseguiria alguma pista de como curar Rurique da maldição do Lobisomem? Ao pensar nessa possibilidade, decidiu seguir a menina.

Ela já caminhava rápido por entre os troncos grossos das árvores.

— É melhor apertarem o passo! — gritou a menina de longe. — Não é bom andar nesta floresta durante a quaresma.

Os meninos acharam que aquele era um bom conselho e correram para alcançá-la, passando a acompanhá-la de perto. Tibor tentou olhá-la no rosto. Precisava ter certeza de que não era mais uma assombração pregando-lhes uma peça. Aquilo era tudo de que não precisavam.

A menina pareceu perceber a preocupação do garoto e voltou-se para ele com seus olhos negros, que pareciam duas contas pretas de vidro.

Algo inquietou-se dentro de Tibor. Um aviso? Mas seus olhos não viram maldade naquela criança. Começou a formular perguntas na cabeça, mas seus pensamentos se interromperam no instante em que ela segurou sua mão. Como uma criança que estende a mão para um adulto antes de atravessar a rua. Era Tibor de um lado e Rurique do outro.

— Ali está minha casa, meninos! — avisou ela, apontando com o queixo um casebre que surgia à frente.

16

A COMADRE

Um cheiro de comida chegou às narinas de Tibor e foi muito bem recebido pela sua barriga aflita. Os aromas que seu olfato captava atiçavam sua fome voraz e faziam o estômago gritar na sua língua própria e ininteligível.

Mas o pressentimento que ele tivera deixou seus pés travados no chão. Não tinha boas lembranças de situações como aquela.

— Essa é a casa das Marias? — quis saber ele, meio desconfiado.

— Casa de quem? — falou Rurique.

— Sim — respondeu a menininha. Tibor ficou um pouco mais tranquilo. Pelo menos estava onde deveria estar. — Vamos entrar? — sugeriu ela. — Devem estar famintos.

Era um casebre de taipa. As paredes, uma mistura de argila e madeira de carvalho. Parecia ter sido construído fazia muito tempo. Havia uma pequena chaminé, de onde saía uma fumaça rala e preguiçosa. Tibor imaginou que o cheiro da comida vinha dali.

A porta estava aberta. A menina entrou primeiro. Os garotos, logo atrás, viram que a casa tinha poucos cômodos e quase nenhum móvel. Já entraram direto numa cozinha, com uma mesa e três cadeiras.

— Podem se sentar — convidou ela. — Vou servir mingau pra vocês.

Ela pegou dois pratos fundos de um armário velho e foi até um fogão a lenha, no canto do aposento, onde borbulhava um caldeirão fumegante. Encheu os pratos de mingau com uma concha de madeira, depois deu um prato para cada um, junto com uma colher.

— Comam, vão se sentir melhor — falou a menina, com a voz meiga.

Tibor deu a primeira colherada. O mingau estava realmente quente. Alguém tinha acabado de prepará-lo.

— Onde estão as Marias? — perguntou ele, metendo na boca a segunda colherada.

— Já, já estarão aqui — tranquilizou-o a menina. — Apenas coma. — Ela disse isso sorrindo, com seus olhos negros de conta reluzindo à luz do lampião.

Tibor reparou que o amigo estava entretido no seu mingau. Resolveu fazer o mesmo. Era reconfortante ter algo no estômago.

Aos poucos sentiu a energia voltando ao seu corpo. Quase nem sentia mais o ardor na perna.

Deu mais uma colherada, enquanto Rurique já pedia para repetir o prato. A menina serviu-lhe mais e aproveitou para encher o prato de Tibor. Era uma sensação boa. As dores nas costas também haviam sumido.

— Qual o seu nome? — perguntou Tibor.

— Pode me chamar de Fulozinha.

— Fulozinha — repetiu ele.

— Sim. — A menina sentou-se à mesa. — Uma pequena "fulô". — E ela mostrou com os dedos algo de tamanho pequeno.

— Você quer dizer flor? — adivinhou Tibor. — Florzinha?

— Isso — confirmou ela. — Fulozinha!

O menino resolveu não insistir.

— Essas Marias... — Tibor voltou ao assunto. — Elas são as donas deste lugar?

— São, sim — respondeu a menina. — Mais uns minutinhos e elas vão chegar.

— E quem são elas? — perguntou Tibor.

— Por que está tão obcecado por essas tais Marias, Tibor? — interpelou Rurique, levando mais uma colherada à boca.

— Seu amigo tem razão. Coma logo seu mingau antes que esfrie. Você logo vai saber mais sobre as Marias — insistiu Fulozinha.

O menino queria mesmo saber mais sobre as Marias, mas fez o que a menina disse e comeu um pouco mais daquela papa. Nem o seu braço incomodava mais.

Aquele mingau parecia milagroso. Não sentia mais dores em lugar algum. Voltou-se para Rurique e o amigo abriu para ele um sorriso abobado. No instante seguinte, ficou sério e olhou para Tibor com um olhar que parecia pedir socorro.

Tibor estranhou aquele olhar. Era como se Rurique tivesse engasgado com uma espinha de peixe.

— Coma! — mandou a menina, agora mais autoritária. E a mão de Rurique, involuntariamente, levou à boca mais uma colherada de mingau. Tibor percebeu que sua própria mão acabara de fazer o mesmo, como se tivesse vontade própria.

Algo estava muito errado naquela cozinha. Tentou parar de comer, mas uma fome incontrolável agora o impedia. Olhou, mais uma vez, para o amigo e percebeu que Rurique estava pálido. Abriu a boca para chamá-lo, mas, no momento em que seus lábios se descolaram, outra colherada lhe enfiou mingau goela abaixo.

Rurique virou os olhos nas órbitas e caiu com o rosto na beirada do prato de mingau, espirrando líquido quente para todo lado. O prato do menino aterrissou no chão, espatifando-se. Rurique não se levantou mais. Continuou com a bochecha colada na superfície da mesa.

Tibor se desesperou, não conseguia se levantar nem gritar. E a colher continuava vindo na direção da sua boca.

— Coma, menino, precisa se alimentar — continuou ela, com uma voz diferente da doce Fulozinha.

Tibor ficou aterrorizado quando a fitou. Tudo era igual, seu cabelo, seu vestido, mas o rosto não era mais o de menina. Era o rosto de uma velha. Uma velha de semblante furioso.

Tibor começou a sentir uma sonolência. A voz de Fulozinha soava a quilômetros de distância. Tentou reagir, mas era como se uma mão fria passasse em sua nuca. Estava prestes a apagar. Tinha certeza disso. Podia sentir. Os barulhos do ambiente já eram indiscerníveis. Opacos. Longínquos. Estava prestes a desmaiar.

Deu-se conta disso quando viu o prato de mingau sobre a mesa se aproximando muito rápido. Estava caindo de cara no prato. Do mesmo jeito que Rurique.

Abriu os olhos verde-folha. Tudo girava. Sua cabeça latejava. Como se tivesse um tambor ali dentro. Um teto de taipa apareceu diante dele. Se havia um teto sobre ele, isso significava que ainda estava dentro do casebre. Pelas muitas brechas do telhado, viu o céu estrelado.

Alguém andava ali perto. Tibor tentou virar a cabeça, mas não conseguiu. Seu coração disparou ao perceber que não era apenas o pescoço que ele não podia mover. Não tinha mais o controle de nada em seu corpo. Estava paralisado.

Pelo canto de olho, conseguiu perceber alguém, de pequena estatura, andando para lá e para cá. Tibor tentou falar, mas não houve boca que se abrisse ou língua que se movesse. Só conseguia observar aquela menina estranha e suspeita, que zanzava pela cozinha. Num dado momento, ela sumiu do seu campo de visão.

Então, de repente, Tibor percebeu algo mexendo em seus pés. Depois em seus joelhos. Era como se alguém o escalasse. Passou por sua cintura, subiu pelo seu peito e logo apareceu diante do seu rosto. A cara de uma velha mal-encarada, com as sobrancelhas esgrouvinhadas, estava diante dele. Na mão, ela tinha uma ferramenta de metal pontuda que parecia uma agulha.

— Acordou, menino? — disse ela. E a voz era novamente a de uma menininha. — Que ótimo! Adoro devorar minhas presas vivas e conscientes. Ficam mais suculentas.

Tibor não tinha como se proteger. Só conseguia mover os olhos e suar. Estava completamente indefeso nas mãos daquela criatura ardilosa.

— Espero que tenha gostado do meu mingau. Foi sua última refeição. — Tibor reconheceu a voz. Era a mesma voz rouca que seguia o amigo e ele pelos corredores da mina desativada. — Não sabia que o lobo recebia visitas — continuou ela, como se lesse os pensamentos dele. — Quando fui buscá-lo, tive essa ótima surpresa. Pediram que eu levasse o lobo até ela, intacto. Mas ninguém me falou nada sobre visitas.

Tibor conseguiu resmungar alguma coisa, mas nada que pudesse protegê-lo daquela bruxa ensandecida.

— Shhh, garoto! — fez ela com o indicador sobre os lábios grossos e enrugados. — Não adianta tentar fugir. Aquele mingau é poderoso e paralisa qualquer um. Você é meu alimento, agora. — Ela pareceu se empolgar com sua presa e disse num susurro ameaçador: — Vou sugá-lo até não sobrar uma só gota. Depois, vou descobrir o melhor jeito de preparar a sua carne. Por fim, uma deliciosa sopa de ossos... — E lambeu os beiços com uma expressão de gula.

A menina com rosto de velha baixou devagar a mão que segurava o ferrinho pontudo e, no instante seguinte, Tibor sentiu uma fisgada no pescoço. Ela aproximou a cabeça do lugar da fisgada e o menino sentiu como se uma parte dele estivesse deixando seu corpo.

Quando Fulozinha voltou a levantar a cabeça, seu queixo, sua boca e seus dentes estavam sujos de um líquido escarlate bem vivo.

Ela estava bebendo o seu sangue! Como um vampiro. Baixou a cabeça de novo e Tibor sentiu, mais uma vez, algo vazando do seu pescoço. Não conseguia gritar. Não conseguia reagir. Seria drenado como as cabras dos Benson.

A sonolência voltou a tomar conta dele. O teto acima aparecia e sumia das suas vistas. A menina continuava montada em seu peito, a boca colada no seu pescoço.

No instante que parecia perder a consciência, algo chamou a atenção de Tibor.

Alguém parecia entrar na cozinha. Seria uma das Marias? "Que tolice!", pensou. Provavelmente não havia Maria nenhuma naquela casa. Era tudo mentira daquela menina demoníaca. Ou pior. Mentira do próprio João Pestana. Ele disse que avisaria as Marias de sua chegada. Que elas o estariam esperando. Mas seria tudo uma armadilha? Para que ele fosse alimento daquele ser horrendo?

— O que está fazendo, Comadre?! — soou uma nova voz. — Esses meninos têm que ser levados para a Cuca.

A criatura que pesava sobre o peito de Tibor saltou para o chão da cozinha.

— A Cuca me pediu ajuda para realizar seus feitos. Em troca, me prometeu a carne e os ossos dos seus inimigos — soou a voz rascante da menina, a que a outra chamara de Comadre. — Se quiser, pode levar o outro. O lobo está ali em cima da mesa. Deixe este aqui. Este é meu. — E a mão dela pousou sobre o braço machucado de Tibor. Que doeu!

Foi quando Tibor percebeu que talvez o efeito do mingau estivesse começando a passar. Já sentia o ferimento no braço. Mas, apesar de fazer um tremendo esforço, ainda não conseguia se mover.

— Esse garoto é sobrinho-neto da Cuca. Não que ela morra de amores por ele, mas não acho que queira vê-lo acabar como jantar da Comadre. Talvez sirva para algum propósito — retrucou a voz misteriosa. — Pegue qualquer outro inimigo dela. Vou levar esses dois com o comboio. Suas novas ordens são para que deixe o seu posto e se dirija para Membira. O dia do ataque se aproxima, por isso uma grande parte do exército dela tem que estar estacionado ali.

Tibor ouviu tudo com atenção e guardou as palavras da voz desconhecida na memória, como informações importantes. Caso sobrevivesse, poderia avisar alguém ou fazer algo a respeito.

Pensou ter escutado alguém dando ordens a outras pessoas, do lado de fora da casa, para que o retirassem do casebre.

A velha com corpo de menina ainda reclamava um pouco, frustrada por não poder terminar seu jantar, quando Tibor ouviu passos de vários pés entrando no casebre. Sentiu-se sendo puxado pelas pernas, virado de barriga para baixo e acomodado nos ombros largos de alguém. O estranho que o carregava tirou-o da casa e o jogou numa espécie de caçamba de madeira.

Viu Rurique ao seu lado nas mesmas condições. Seus olhos dardejavam desesperados em todas as direções.

17

SETENTA E SETE

Tibor passou pouco mais de uma hora naquele sacolejar, dentro da caçamba, que mais parecia uma grande carriola de madeira.

Aos poucos, foi sentindo as dores dos machucados importunarem outra vez. O incômodo foi ficando mais intenso e ele sentiu vontade de gritar. Até as queimaduras de urtiga tinham voltado a arder.

Por mais incrível que pareça, aquele era um bom sinal. Os efeitos do mingau da Comadre já estavam passando.

"Escapamos por pouco", pensou Tibor. Ele e o amigo ainda tinham chance de voltar para casa.

Rurique começava a se mexer também. Tibor conseguiu, com muito custo, virar o pescoço e ver quem ou o que os carregava. Viu que braços grossos e fortes puxavam a carriola por duas hastes compridas de madeira. Reparou na nuca da coisa que os carregava. Não era humana. Era uma criatura que lembrava muito um Gorjala, mas de menores proporções.

O barulho de passos e um vozerio levaram Tibor a deduzir que eram escoltados por mais seguidores da sua tia-avó.

Conseguiu mexer os dedos, mas seu braço ainda estava entorpecido.

— Rurique, pode me ouvir? — perguntou baixinho, agradecendo por conseguir falar outra vez.

O amigo assentiu.

— Já consegue se mexer?

Rurique fez que não com a cabeça.

Um som macabro soou pela floresta. Tibor já escutara aquilo. Parecia uma risada. Viu-se de novo num sonho que tivera. Aquilo era o canto de uma ave! O urutau, o pássaro-fantasma, que canta para anunciar a morte.

— Parem! — gritou uma voz, vinda de algum lugar da noite. — Estamos prestes a entrar no covil da Cuca. Cubram os olhos dos prisioneiros!

Mãos rápidas e fortes obrigaram Tibor e o amigo a se sentar na carriola e cobriram seus olhos com trapos sujos tirados de algo que ele nem queria saber o que era... Só o cheiro já lhe dava náuseas.

A carriola voltou a andar e o comboio seguiu em frente. Pelas frestas da costura, Tibor viu pouca coisa. Mas foi o suficiente para deduzir que o covil era numa caverna. "Ah, não, debaixo da terra outra vez, não...", queixou-se, com pesar, para si mesmo.

Mais alguns minutos de caminhada e o comboio parou. As mãos voltaram a perturbá-los, tirando-os da carriola, removendo as vendas e colocando-os de pé.

Tibor teve que se segurar para não cair. Suas pernas, ainda dormentes, bambeavam. Concentrou-se para controlar os joelhos, que queriam se dobrar por conta própria. O amigo Rurique desabou no chão. Tinha tomado muito mais mingau que Tibor e o efeito ainda não havia passado.

Sem a venda, Tibor constatou que estavam mesmo numa caverna. Algumas tochas iluminavam um pouco o ambiente, mas, ainda assim, a escuridão predominava. A silhueta de estalactites e estalagmites fazia da galeria uma assustadora boca deformada e cheia de dentes. Eram tão pontudas e afiadas que mais pareciam adagas.

— Senhora! — chamou a mesma voz que fora buscá-los na casa da Comadre. — Aqui estão os prisioneiros.

— Há mais alguém além do lobo? — perguntou uma voz, num sussurro frio que ecoou pela boca de pedra. Ao ouvi-la, Tibor se desconcentrou e caiu de joelhos no chão.

O sussurro era mais do que frio. Era enregelante! Injetava medo puro em seu coração.

— Sim, senhora — respondeu o serviçal responsável por tirar Tibor e Rurique da enrascada com a Comadre e que dera ordens para trazê-los à caverna. Quando estreitou os olhos, Tibor notou que o interlocutor era bem parecido, em tamanho e fisionomia, com Vlado Queirós, o dono do bar. — É um dos Lobato — comunicou ele, apontando para o menino. — O seu sobrinho-neto.

De relance, Tibor viu a escuridão ondular. Do negror, emergiu alguém de vestes escuras e um capuz que lhe cobria o rosto.

Não teve dúvida. Era a Cuca. Ele a vira em seu sonho, presidindo um ritual para trazer a irmã de volta. E já a vira pessoalmente quando raptara Rurique diante dele, em Pedra Polida.

— Deixe trancado com o outro, por enquanto — ordenou a Cuca.

A dor de cabeça de Tibor aumentou. Rurique parecia em piores condições. A presença da Cuca também o afetava.

Foram arrastados para uma extremidade da caverna e entraram numa outra galeria. O teto, uma abóboda de pedra com as mesmas estalactites afiadas. No alto, viu uma reentrância na parede, protegida por algum tipo de grade. Foi para lá que os levaram.

Os captores subiram escadas íngremes esculpidas na pedra, até alcançarem a cela. Tibor e Rurique foram arremessados para dentro da concavidade e trancados ali. Por entre as barras da grade, também moldadas na pedra, podiam ver tudo o que se passava nas duas galerias da caverna. Inclusive a Cuca, próxima a um grupo de seguidores, desferindo ordens.

Tibor observou-a por breves instantes, pois, quando olhava diretamente para ela, seus olhos ardiam. No pouco que viu, percebeu a grande diferença entre ela e a Pisadeira. A irmã era macabra, mas era uma mera criatura buscando o caos. Ao passo que a Cuca, de todo o seu ser irradiava um poder malévolo, capaz de afetar tudo à sua volta. Era uma grande arquiteta de coisas ruins.

Estava bem claro que planos eram colocados em prática naquele momento, em todos os vilarejos, e a Cuca era a mandante de tudo. Tibor tinha escutado o sósia de Queirós mandar a Comadre se unir a um grupo de seguidores próximo a Membira. O que queria a Cuca? Seria de algo relacionado a isso que os sonhos de João Pestana tentavam avisá-lo? Se fosse, estavam bem difíceis de entender... E a tal Pisadeira, pelo jeito, evitava que o Senhor dos Sonhos se aproximasse e continuasse lhe mostrando os grãos certos para que compreendesse alguma coisa.

A Cuca vociferou algo que ressoou por toda a caverna e os seguidores se dispersaram rápido, cada qual incumbido de novos afazeres e missões. O ruído estridente que saía da garganta da velha de preto era entorpecente e excruciante. Tibor levou as mãos à cabeça, que parecia querer implodir.

— Não é ocê qui qué enfrentá a Cuca, menino besta? — perguntou alguém do canto mais escuro da cela. — Se é ocê, danou-se! Danou-se, sim. Êh-êh!

Foi só nesse instante que Tibor se deu conta: além dele e do amigo, havia mais um prisioneiro no cárcere. E esse prisioneiro era Sacireno Pereira. O próprio Saci!

Tibor achou que não poderia existir azar maior. Tanto ele quanto Rurique se levantaram depressa e correram para o canto mais distante de Sacireno. Ambos com os punhos cerrados e erguidos. Aquela última dose de adrenalina causada pelo choque de encontrar o Saci deu cabo de todo o efeito que ainda restava do mingau da Comadre.

— O que faz aqui? — perguntou Tibor, tentando parecer ameaçador. Mas sentia tanto cansaço e dores pelo corpo que naquele momento não seria capaz de cumprir nenhuma ameaça.

— Êh-êh! — exclamou o Saci. — Sô prisionêro igual ocê. — O Saci pareceu resmungar alguma coisa para si mesmo. Depois continuou:

— Ocê tem que aprendê a se protegê dela. Num pode ficá assim todo fracote. Pode não.

Tibor olhou para o canto escuro com raiva. Quem era aquele velhote para chamá-lo de fracote? Mas não deixou de lhe dar razão. Pouco tempo antes, ele estava esparramado no chão só por ter escutado a voz da tia-avó. Como seria, de fato, enfrentá-la?

— E, por acaso, sabe como fazer isso? — retrucou Tibor. — Se proteger dela?

Rurique ainda exibia o mesmo ar de bravura, com os pulsos cerrados e prontos para o ataque, mas se mantinha em silêncio e um passo atrás de Tibor.

— Posso ajudá... de certa maneira, né? — falou o Saci.

— E por que você se importaria em nos ajudar? — perguntou Tibor, com ironia.

— Ora! Si tem um vilão na história, tem qui tê um herói! — afirmou, taxativo, o ser fantástico.

Isso colocou Tibor para refletir. Talvez a responsabilidade que sentia com relação à tia-avó tivesse algo a ver com o que Sacireno dizia. Mas algo dentro dele odiava essa responsabilidade.

— Então agora quer nos ajudar? — O pouquinho de calma que Tibor ainda tinha pareceu se esvair. — Você quebrou o Muiraquitã da minha vó. Tentou prendê-la no Oitavo Vilarejo. E não pense que esquecemos a traição que cometeu contra o nosso bisavô. Foi por sua causa que o Curupira morreu! — E Tibor se aproximou do canto escuro, buscando o rosto de Sacireno pra poder encará-lo nos olhos. — É por sua causa que isso tudo está acontecendo! — acusou.

Um rosto maior que o do menino emergiu da escuridão da cela. Bem diante de Tibor, Sacireno o encarou de volta com seus olhos vermelhos e sua pele escura. Os cabelos ralos já esbranquiçados.

— Num fala do qui num sabe, menino! — avisou o Saci. — As coisa pode num sê como ocê tá cismando.

— Do que você está falando? — devolveu Tibor. — Que coisas são essas? Meu bisavô não está aqui agora, ou está? — perguntou, com a voz cheia de ironia.

— Depois a gente assunta disso. Primeiro, deixa eu tratá ocês. — A boca do Saci passou a mastigar alguma coisa. Expeliu algo dos lábios, o que os espantou, visto que não tinha nada na boca segundos antes. Tibor reparou nos dedos calosos do Sr. Pereira tirando algo verde dos beiços. Era uma folha. — Num se espanta, não — disse o Saci. — Eu ainda sô o xamã da floresta. Sô, sim.

Ele puxou Tibor pelo braço ruim e passou a folha mastigada em sua testa. Antes que o jovem pudesse reclamar e se debater, a enxaqueca que sentia desapareceu.

— Solta ele! — mandou Rurique, partindo para cima do Saci.

O xamã segurou o menino com facilidade pelo ombro e também grudou a folha em sua testa, sem lhe dar chance de se desvencilhar.

— Co-como fez isso? — soltou Rurique, embasbacado, aparentemente sentindo também os efeitos imediatos da mandinga do Saci.

— Sô mágico, menino-lobo — disse ele.

Tibor e Rurique voltaram para seu canto na cela e ficaram observando o velho esguio com uma perna só, que dividia o cárcere com eles. Então a movimentação lá embaixo, na caverna, chamou a atenção dos dois.

Os seguidores da Cuca iam e vinham, sempre levando e trazendo alguma coisa, no interior da grande galeria. Era como se estivessem atarefados com os preparativos de algo.

— O que fez pra vir parar aqui? — quis saber Tibor, voltando-se para o Saci.

— Nada — respondeu Sacireno, áspero.

— O que ela quer com você, então?

— Vai fazê um ritual — explicou o Saci.

— Você não é o todo-poderoso da floresta? — desferiu Rurique. — Por que não sai voando daqui naquele redemoinho? Ou dando seus golpes de capoeira nesse pessoal todo que trancafiou a gente aqui? Se quer mesmo ajudar, podia pensar nisso.

— Não saio porque num quero! — respondeu o Saci, novamente, com a mesma aspereza. — E também num posso — murmurou, apontando para a cabeça sem o gorro vermelho. — Ela roubou de mim. Tem algo mais forte nas mãos dela. Tem, sim — explicou o Saci. — Só num é mais forte do que eu. Êh-êh!

— Mas você acabou de dizer que ela roubou seu gorro! Não foi por isso que ficou sem seus poderes? — interpelou o jovem Lobato.

— Foi por isso, sim. Mas ela roubou porque eu deixei. Deixei, sim.

Sacireno falava convicto do que dizia, mas os meninos só conseguiam enxergá-lo como alguém pretensioso, que se sentia com o rei na barriga.

— Tá legal. E o que mais sabe sobre esse tal ritual que ela pretende fazer? — questionou Tibor.

— Num sei muita coisa, não. Só tô reparando nas evidências.

— Que tipo de evidências? — perguntou Tibor.

O velho xamã, numa fungada, inflou os pulmões, segurou o ar e soltou-o numa longa lufada.

— Três mundos formam tudo isso que a gente vive — começou a explicar. — O mundo da Terra. O mundo da Água e o mundo do Além.

Naara já tinha explicado aquilo, dizendo que o mundo terreno era onde Tibor vivia. O mundo da água era onde ela vivia. E o Além era para onde iam todas as coisas que morriam, tanto da água quanto da terra.

— Essa é a prova de uma lei da natureza — anunciou Sacireno.

— Qual?

— A morte num é o fim! A gente se transforma e vive de novo, de outro jeito — concluiu o Saci.

Tibor e Rurique ficaram por um tempo em silêncio, refletindo.

Na quaresma anterior, o Boitatá tinha feito algo assim com o Gorjala. Em vez de liquidá-lo, ele o transformara numa árvore. Reciclou sua energia.

— Ela tá bem interessada no mundo do Além! — finalizou o xamã.

— Por que acha isso? — inquiriu o menino, lembrando-se de um mensageiro, que se transformava em beija-flor e uma vez lhe dissera que a Cuca estava interessada no outro lado. No outro mundo.

— A coisa poderosa que a Cuca tem na mão é um Muiraquitã preto — anunciou o Sacireno.

— Um Muiraquitã... preto? — repetiu Tibor.

— Êh-êh! Só escuta, menino — mandou o Saci. Era como se ele percebesse que não tinha muito tempo e queria usar aquele pouco que restava para revelar algumas coisas. Então, Tibor e o amigo obedeceram e deixaram-no falar. — Pra fazê aquele amuleto ficá daquele jeito, é preciso invocá coisa do outro mundo. Coisa do Além. — O que Sacireno explicava era soturno. Cada palavra causava pequenos arrepios na coluna dos meninos. — Eu soube que ela foi atrás de um boi que não podia mais morrê! Isso faiz muito tempo. — Tibor suspeitou já ter se deparado com aquele boi antes. Seria o boi que vira em seu sonho? Um boi chamado Bumba? O mesmo que a mulher grávida, Catirina, trouxera à vida? — Ela conseguiu matá o boi — completou o Saci.

— Matou o boi? Você não disse que ele não podia morrer? — perguntou Rurique, achando aquela história muito confusa.

— Matando pela segunda vez o boi que num devia sê morto, sua "nova alma" se manifestô! Um erro da natureza. — O Saci olhou para eles pelo canto do olho. — Num entende mal, seus menino besta! A natureza é perfeita. Tudo equilibrado. Se ocê olha pra mata muito tempo, a mata também olha pra ocê. Mas se ocê fuçá onde num deve, as coisa foge do jeito que é e isso num dá coisa boa. Dá, não.

— E que nova alma é essa? — quis saber Tibor, curioso e temeroso.

— A Bernúncia! — desferiu o Saci.

— Bernúncia? — repetiu Rurique, sentindo na própria palavra uma aura de perigo. — Mas o que seria isso? — Já imaginava como poderia ser horrenda a criatura com um nome tão agourento.

— Um bicho que tem fome e se alimenta de almas. Uma cobra enorme vinda direto do Além — revelou Pereira, num tom sombrio.

Tibor revisitou suas memórias. Já vira aquela cobra antes num sonho. Ela tinha se alimentado de treze homens. A Cuca falara com ela, depois de invocá-la de uma antiga cova de escravos.

— E o Muiraquitã? — quis saber.

— A Bernúncia não é deste mundo. Num pode vivê muito tempo fora do Além. Precisa de um lugar pra ficá. Alguma coisa poderosa... Ela habita o coração do Muiraquitã. Com ele nas mãos, a Cuca pode fazê o que quisé. — Todos ficaram pensativos por alguns segundos. — Por isso que a pedra é preta! — finalizou o velho perneta.

"E quanto ao Boitatá?", pensou Tibor. Não poderia mais invocá-lo, mesmo se apossando da pedra que a tia-avó roubara dos seus pais? Ao presumir isso, Tibor se conteve. Mas no que estava pensando? O Boitatá era um traidor. Assim como o próprio Saci. No entanto, ali estava ele, dando-lhes informações úteis.

— Mas esse ritual parece sê algo maior ainda — continuou o Saci. — Algo tão maligno que nem eu já vi coisa parecida, com esses óio que quase já viu de tudo — indignou-se o Saci. E seu semblante pareceu demonstrar um leve receio. — Ouvi os capanga dela dizendo que, pra o ritual dá certo, ela vai sacrificá um inocente — anunciou o ser fantástico, trazendo mais tensão para a conversa. — Ela deve tá escolhendo um de nós três. Tá, sim. Sem isso, ela num consegue fazê nada.

— Um inocente, é? Eu não sou inocente. Sou um lobo — constatou Rurique. — Com certeza machuquei pessoas. Não deve ser eu.

— Ela vai mi escoiê — falou o Saci, categórico.

Tibor riu-se.

— Você? E desde quando você é inocente?

O Saci mirou-o com as pupilas em brasa.

— Ocê considéra ocê mesmo inocente? — desferiu.

As palavras cortantes do Saci quase feriram Tibor fisicamente. O menino só balançou a cabeça, dizendo que não. Não se considerava inocente. Era alguém cheio de falhas.

— Mas você matou o meu...

— Eu num matei seu bisavô. Matei, não — contestou o Saci. — Quem matô foi os caçadores que acharo ele envenenado na mata.

— Mas foi você quem o atraiu para a Cuca e a Pisadeira — acusou Tibor de novo, dessa vez apontando com o dedo indicador, agora tão convicto do que dizia quanto Sacireno.

— Eu só tava cumprindo uma promessa. O pedido de um amigo — revelou o Saci.

— Um amigo? — repetiu Tibor. Não era a primeira vez que ele ouvia sobre "pedidos de amigos". João Pestana dissera que lhe mostrava aqueles sonhos a pedido de um amigo. Será que havia uma ligação entre as duas coisas?

— É só uma parte do pedido — continuou o Saci. — A outra parte vem agora. Êh-êh!

— Como assim? Que outra parte? — quis saber Tibor.

— Ora! O Saci fica em gestação, dentro dos gomo do bambu, por sete anos. A gente nasce com 7 e morre com 77! — explicou o Saci.

Os meninos ficaram encarando o Saci à espera de mais explicações, pois o que Sacireno tentava dizer ainda parecia totalmente sem nexo.

— A morte é o que faiz tudo ter sentido. Porque ela existe, é sempre certeza que os dias da gente tão contados — explicou ele. — Vai tudo acabá. Isso faiz a gente cuidá pra tudo valer a pena. Num é? Pensa bem.

Os meninos ficaram por um instante admirando o Saci. Pela primeira vez viram que poderia haver um sábio ali, diante deles. Nunca tinham olhado para o ser fantástico daquela maneira.

— Eu levei meus últimos fio pra seus lugá no mundo — e Tibor se lembrou do terror que foi quando os filhos do Saci nasceram dos bambus. Destruíram todo o sítio em questão de minutos —, e voltei pra terminá o que comecei. Voltei, sim — frisou ele. — Deixei ela me pegar!

— Mas por quê? Não entendo... — perguntou, Tibor, confuso.

Sacireno olhou para Tibor com um sorriso e, por breves instantes, o menino não viu mais no rosto do Saci aquela impressão maligna de víbora, pronta para dar o bote.

— Eu tenho 76 anos. Faço 77 esta noite — revelou. — Êh-êh! É a última parte do pedido.

— Mas então... Você deixou eles te pegarem... pra morrer? — constatou Rurique.

— A vida num acaba agora. Acaba não. Só acaba neste mundo, né?

— Sacireno Pereira! — Todos se sobressaltaram com a voz vinda do lado de fora da cela. — Viemos buscar você! — Quem falava era o homem muito parecido com Queirós.

Os meninos se viraram para a porta da cela e a viram ser destrancada.

— Faz alguma coisa! Revida! — implorou Rurique, entredentes, para o Saci.

Sacireno fez que não com a cabeça.

— Num posso — explicou, com o leve sorriso ainda estampado no rosto encovado.

— Ela te escolheu para o ritual, Saci — revelou um dos capangas.

Ao ouvir o homem, Tibor se voltou para Sacireno.

— Mas você não pode ser inocente! — disse Tibor, perplexo.

— Talvez eu seja, menino besta! — retrucou o Saci.

Os seguidores da Cuca invadiram a cela e agarraram pelos braços o velho de uma perna só, que não ofereceu resistência. Mas, antes de ser levado para fora da cela, ele se virou para Tibor e avisou:

— Menino, ocê tem que aprendê logo o que precisa. Êh-êh! Ou então desiste logo, porque não vai prestá pra nada... — E enquanto era levado, virou-se para Rurique: — E ocê, menino-lobo, a sua cura tá na casa dos Málabu.

18

A Bernúncia

Tibor e Rurique foram levados em seguida. Segundo seus captores, era ordem da própria Cuca que presenciassem o ritual em que Sacireno seria oferecido em sacrifício. Os meninos foram escoltados até o centro da caverna, onde havia um grande círculo desenhado no chão. Viram o velho Pereira mais à frente, sendo carregado por um grupo de seguidores. Por um instante, ele lhes pareceu muito frágil.

— Se ele revidasse, tudo seria tão mais fácil! — cochichou Rurique.

— Quietos, vocês dois! — mandou o sósia de Queirós.

Os dois amigos viram, em meio à penumbra, um amontoado de seguidores da bruxa e alguns outros seres que não conseguiram identificar se posicionando em torno do grande círculo desenhado com pó vermelho.

O Saci foi amarrado em pé, num tronco fixado na pedra. Atrás dele, pelo reflexo das poucas tochas, parecia haver uma espécie de fosso ou piscina natural.

A Cuca surgiu ao lado do prisioneiro. Seus ombros caídos a faziam parecer um urubu empoleirado. Um urubu do tamanho de um ser humano.

— Vejam só o xamã da floresta! — ela exclamou, com a voz gélida e carregada de sarcasmo. — Tão indefeso! Tão entregue! — Um dedo longo e branquelo saiu de dentro da túnica e acariciou a face do Saci.

Os meninos perceberam que a voz da Cuca já não lhes afetava mais como antes. A gororoba de folha do Saci tinha surtido efeito.

— Ocê tá mexendo com coisa dotro mundo — ralhou o velho.

Sem dar ouvidos ao Saci, ela se virou para o círculo e deu uma ordem para um dos seus seguidores. Ao falar, os meninos repararam que a sua boca embaixo do capuz parecia desproporcional, como se os maxilares estivessem descolados e o queixo se deslocasse mais do que o normal.

— Não tenho nada contra você — disse ela para o Saci —, mas está no meu caminho. — Ele apenas a observou com seus olhos vermelhos.

Uma taça prateada foi servida ao xamã. Como ele não fez menção de pegá-la, fizeram o velho beber do conteúdo à força.

— Tibor — chamou Rurique, baixinho —, essa talvez seja a nossa chance de sair daqui.

— Pode falar, estou ouvindo — sussurrou Tibor de volta, indicando que aceitava qualquer plano que pudesse tirá-los dali.

— Tem um líquido preto dentro daquela taça — explicou Rurique. Nesse instante Tibor se lembrou de um ritual ocorrido dois anos antes, em que fora preso por trasgos, os fantasmas das crianças perdidas na floresta. Naquela ocasião, os trasgos também queriam obrigá-lo a beber um líquido negro numa taça prateada. Por sorte, ele conseguiu não tomar, mas sentiu o amargor em seus lábios. — Isso — continuou Rurique — é baba de Pisadeira.

— Isso é o quê? Você disse baba? Quer dizer, "saliva"? — perguntou Tibor, pasmo e enojado.

— Exatamente — confirmou Rurique. — Beber a saliva dela causa alucinação. É com essa baba que ela me faz perder o controle. Assim como aconteceu com Málabu durante todo o ano passado — revelou.

— Acho que estou entendendo aonde quer chegar — devolveu Tibor, olhando de canto de olho para quem o mantinha preso. Percebeu que seus captores também pareciam tensos e apreensivos com o que assistiam na gruta.

Todo o corpo de Sacireno Pereira começou a tremelicar. Eram os efeitos da saliva venenosa da Pisadeira.

— É bom que esteja bem atormentado para dar mais força ao ritual! — falou o Urubu humano, afastando-se de Sacireno, sem lhe dar assistência nem mostrar compaixão.

Segundo Dona Gailde contara aos netos, o sentimento que a irmã nutria pelas outras pessoas era mais frio do que gelo. E a avó tinha razão. O Saci tremia de um jeito que fazia Tibor ter vontade de correr para socorrê-lo. No entanto, a Cuca não dava a mínima. Tibor e Rurique sentiam-se impotentes. Estavam, literalmente, de mãos atadas.

A bruxa murmurou alguma coisa indiscernível. Numa língua desconhecida. Suas mãos se estenderam na direção do velho Pereira, que agora sofria os efeitos do veneno com mais intensidade. Com o corpo todo estrebuchando, o xamã abriu os olhos. Suas pupilas vermelhas brilhavam como as de um gato diante dos faróis de um carro.

Os sussurros da Cuca aumentaram e um vento repentino soprou no interior da caverna. Boa parte do pó vermelho que formava o grande círculo espalhou-se pelos ares, causando incômodo e coceira nos olhos de todos. O vento assobiou mais forte e apagou as tochas, mergulhando tudo na escuridão.

Tibor e Rurique já estavam apavorados quando o vento estacou num repente, como se nunca tivesse soprado. Ninguém se atreveu a mover um músculo. A única coisa visível no escuro eram os olhos do Saci, de um escarlate fulminante.

Uma brisa voltou a soprar pela grande galeria, mas dessa vez foi diferente. Nada se agitou com a sua passagem. Nem um fio de cabelo. Era como se a nova ventania viesse de outro lugar, sobrenatural. Não movimentava coisas físicas, mas, ainda assim, todos a sentiam.

— Não saiam do círculo desenhado no chão! — ordenou a bruxa, autoritária.

No centro da gruta, uma cabeça surgiu, como se viesse de debaixo da terra. No entanto, ninguém viu buraco nenhum se abrir no chão. Era uma cabeçorra parruda de algum tipo de animal. A enorme boca lembrava a de uma baleia. Sua pele emitia um pálido brilho azulado, agora a única fonte de luz do ambiente.

A cabeça continuou se projetando do solo, presa a um pescoço que não parecia ter fim. Era uma cobra horrenda que vinha do Além e deslizava direto para o interior da caverna!

A ponta do rabo finalmente saiu do chão e, diante de todos, a imensa cobra flutuou acima de suas cabeças e encarou o ser oferecido em sacrifício a ela.

— Ofereço um inocente, Bernúncia — falou a bruxa, com os braços branquelos estendidos. — Tome posse do que é seu e me dê o que lhe peço!

A assombração abriu sua boca de jubarte e projetou-se na direção de Sacireno, pronta para engoli-lo. Tibor não conseguiu ver a expressão do velho Pereira, mas percebeu que a luz dos seus olhos vermelhos se apagou antes que a cobra desse seu bote voraz.

O Saci tinha fechado os olhos antes de morrer.

A morte foi rápida e pareceu indolor. A cobra simplesmente atravessou o xamã da floresta e o tronco ao qual estava amarrado, como um fantasma. No mesmo instante algo se desprendeu de Sacireno Pereira e foi absorvido pela cobra. A alma dele! Uma cópia fiel do Saci, só que azulada e transparente.

Bernúncia desapareceu no fosso atrás de onde estava sua oferenda. A água escura nem se agitou, quando a gigantesca anaconda mergulhou seu corpanzil dentro da piscina natural.

Tibor sentiu um aperto no peito. Pelo Saci.

Por algum motivo, não o via mais como um inimigo, só como um velhote que tinha um sítio na mesma rua que ele. Que um dia usara uma prótese de bambu para substituir a perna que faltava. Que cuidava dos seus filhotes. Sabia muito a respeito da natureza. E um dia fora amigo do seu bisavô.

Esse Saci não existia mais.

Mas o pesadelo ainda não havia terminado. Não tiveram nem tempo de lamentar a morte do xamã. Assim que Bernúncia desapareceu da caverna, tudo à volta deles mudou. A impressão era a de que todos os presentes tinham sido transportados para um outro local: uma enorme sala. Muito alta e larga. As paredes e tudo o que havia nela eram transparentes, assim como Bernúncia e a alma do Saci.

Incontáveis velas iluminavam aquele enorme espaço. Velas grandes e pequenas, inteiras ou apenas em tocos, sobre prateleiras e móveis.

Tibor olhou para os lados, tentando assimilar o que seu cérebro registrava. Era um grande salão-fantasma! Tão fantasma quanto a aparição de Dona Arlinda na sala do sítio da avó. Tão fantasma quanto os trasgos da floresta. Tão fantasma quanto a procissão que tinham presenciado em Guará. Até as velas eram translúcidas!

A Cuca foi até uma das prateleiras, sobre a qual havia uma infinidade de velas. Era como se o urubu gigante deslizasse pela sala, em seu manto negro da cabeça aos pés. Ao passar por Tibor, um cheiro pútrido e nauseante lhe invadiu as narinas.

Ela se postou diante da prateleira, com os olhos fixos nas fileiras de velas sobre o móvel. Numa delas faltava uma vela. O urubu olhou para o alto e desferiu:

— Onde está a minha vela?! — A pergunta foi feita em tom tão feroz que percorreu todo o ambiente e ecoou nas paredes.

— Quero saber onde está a minha vela! — repetiu ela, como se exigisse uma resposta de alguém que estivesse na caverna.

Uma sombra escura se formou às costas da Cuca e Tibor sentiu todo seu corpo gelar por dentro.

A silhueta de algo parecido com um morcego gigantesco se materializou diante de todos. O pânico no ar era palpável, embora ninguém soltasse um pio.

— Ah, Cuca, é você? — perguntou uma voz estridente. — Além de invadir minha casa ainda me desperta do meu sono?

A Cuca se virou, fazendo o manto ondular, e fitou a nova aparição.

— Tenho quase tudo para o ritual final — falou a tia-avó para a grande sombra, sem se surpreender com sua chegada. — As urtigas, o amuleto e o inocente. Onde está a minha vela? — tornou a perguntar exigente, como se falasse com uma pessoa comum, não com um ser fantasmagórico conjurado do nada.

— Alguém andou visitando a minha casa numa outra ocasião e pegou a sua vela — delatou a Sombra disforme. Sua voz era um ruído enregelante que parecia não passar pelos tímpanos, mas seguir direto para a própria alma, espremendo o coração com dedos gélidos. Era uma experiência que Tibor não queria vivenciar outra vez.

A Cuca caiu de joelhos, como se a Sombra também a afetasse.

De repente, a grande sala e suas muitas velas dispersaram-se no ar. Num instante estavam ali e, no seguinte, não estavam mais.

Tibor sentiu a antiga caverna estremecer e as tochas se acenderem sozinhas. Quando a luz voltou a reinar no recinto, viram a Cuca estatelada no chão.

Dois seguidores de capuz correram até ela e a ajudaram a se levantar. A bruxa pareceu recobrar um pouco as forças, mas ficou de pé com dificuldade.

— Tibor, é agora! — sussurrou Rurique. — Preciso tomar o líquido que resta naquela taça.

Em outra ocasião, Tibor seria contra, mas, com tanta coisa estranha acontecendo, não conseguia pensar direito.

— Mas o que vai fazer depois que beber da taça? — quis saber o menino.

— Vou perder o controle e atacar todo mundo — anunciou Rurique, cheio de convicção. — Quando isso acontecer, você corre — mandou.

— Mas você tem que voltar comigo para o sítio.

Tibor sabia que o amigo estava cansado, não só fisicamente, mas de passar tantos meses na condição de prisioneiro. De ficar afastado da família por tanto tempo. Não poderia chegar tão perto da liberdade e ser levado de volta, como um cão de estimação da bruxa.

— Você sabe onde me encontrar! A saliva da Pisadeira vai me causar pesadelos. Vou acabar voltando para aquele lugar — assegurou Rurique. — Agora preciso de uma distração.

Tibor reparou que o responsável por impedi-los de fugir era a mesma criatura que os carregara na carriola. Uma espécie de Gorjala, mas um pouco menor. Sob a luz trêmula das tochas, percebeu que era mesmo um Gorjala, pois tinha apenas um olho no centro da testa. Não teve tempo para tramar muita coisa. Precisava ser rápido. Mirou a testa da criatura e golpeou com toda a força, com a própria cabeça. E deu certo!

O urro de dor foi suficiente para chamar a atenção de todos. Tibor aproveitou o momento em que o minigorjala esfregava a cabeçorra machucada, parecendo zonzo, e empurrou o outro que segurava Rurique, distraído.

Por milagre, o amigo magricela conseguiu se desvencilhar e correu até a taça. Mãos tentaram agarrar Rurique, mas ele correu como nunca.

Tibor estava parado no lugar, assistindo à cena, quando sentiu duas mãos prenderem seus braços por trás. Enquanto isso Rurique alcançava a taça prateada e, sem perder tempo, virava um grande gole garganta abaixo.

Ele era o mesmo menino de outrora, mas com algo a mais. Algo que devia ter adquirido depois de ficar um ano se transformando em fera. Atacando, mordendo, arranhando. Causando pânico. Incitando o terror. Sendo o demônio das luas cheias.

Assim que Rurique terminou de engolir a saliva venenosa da Pisadeira, jogou a taça no chão e encarou com ar ameaçador os adeptos da Cuca.

A fúria era evidente em seus olhos.

19

CAVALOS ERRANTES

Sem aviso, Rurique desabou no chão. Seu corpo todo tremia, como se sacudido por descargas elétricas. Um dos seguidores da Cuca ousou se aproximar, mas se afastou rápido ao perceber o que de fato ocorria.

O menino se debateu por alguns segundos na penumbra da caverna. Então, Tibor percebeu, atônito, os braços magros do amigo ficando cada vez mais compridos. No lugar do nariz, agora havia um longo focinho, e presas afiadas começavam a se projetar da boca, enquanto seu corpo todo se cobria de pelos.

Um Lobisomem estava vindo à tona!

Antes de Tibor perceber que fim levara a Cuca, alguns dos seus partidários começaram a correr para longe de onde Rurique estava. Em vez de se preocuparem com a Cuca, corriam para salvar a própria vida. Só alguns continuavam parados, confusos, sem saber o que fazer. Tibor concluiu que os asseclas deviam ter sido contratados com o ouro maldito oferecido pela cigana Moura. Não pareciam estar ali por um ideal, apenas cumprindo ordens.

Próximo ao corpo inerte do velho Saci, ainda amarrado ao tronco, o lobo de pelagem avermelhada se levantou sobre duas patas. Olhou em volta com seu olhar de fera e soltou um rosnado ameaçador.

Aproveitando a distração do seu captor, Tibor repetiu a mesma cabeçada que o libertara antes e acertou em cheio a testa da criatura outra vez. O golpe fez o semigorjala soltá-lo, berrando de dor. Devia estar duplamente furioso com a insolência do prisioneiro.

Sem esperar para ver, Tibor localizou a saída da caverna e correu. Não seria tarefa fácil correr até lá sem ser pego, mas o menino apostava na própria sorte.

O Lobisomem cumprira muito bem o papel que a Cuca pretendia usar a seu favor: se utilizara de sua ferocidade para instaurar o caos. Enquanto Tibor se concentrava em alcançar a saída, o Lobisomem atacava com violência.

Corpos foram arremessados para o alto. O lobo saltava e aterrissava sobre as presas. Alguns corriam, mas logo eram pegos e abatidos. Um depois do outro. Rurique havia se transformado num lobo incontrolável. Era perigoso ficar ali. Até o próprio Tibor corria o risco de levar uma dentada.

Quando estava chegando à saída, sentiu uma pancada forte nas costas e ficou sem ar. Quase perdeu os sentidos antes mesmo de chegar ao chão. Esborrachou-se no terreno pedregoso e rolou pela superfície áspera, ralando dolorosamente cotovelos e joelhos. O Gorjala usara o braço como um porrete. Parecia bem zangado. Pelo jeito tinha levado as cabeçadas para o lado pessoal.

Tibor, ainda caído, percebeu que a criatura vinha outra vez para cima dele e só teve tempo de levantar o braço para se proteger do murro. Era como tentar deter, apenas com o antebraço, o tronco de uma árvore que tombava.

Foi dolorido!

Mais uma vez a mão-porrete do Gorjala o atingiu. O menino viu estrelas. Não aguentaria uma terceira esmurraçada. Não havia braço suficiente para isso. Ia ser esmagado pela mãozorra.

Nesse instante, o lobo jogou todo seu peso sobre os ombros do troglodita, que outra vez investia contra Tibor. O Minigorjala não se levantou mais quando o lobo fincou-lhe as unhas afiadas.

O licantropo voltou-se para Tibor como se quisesse dizer que ele seria o próximo. Mais uma vez, Tibor não reconheceu o amigo naqueles olhos ferozes e pensou que aquele seria o seu fim.

Por sorte, a mão massuda e pesada do jovem Gorjala acertou uma forte bordoada no lobo, chamando a atenção da fera para si. As duas criaturas se atracaram no chão e Tibor pôde se dedicar à sua fuga. Assim como grande parte dos contratados pela Cuca.

O jovem Lobato subiu um caminho íngreme e correu até a entrada dentada da caverna. Viu-se diante da floresta. Não conseguiu precisar o tempo que ficara dentro da toca da Cuca, mas parecia estar prestes a amanhecer. Ainda escutou o canto de um urutau soar ao longe, mas, sem pensar em mais nada, correu em disparada.

E foi assim por um bom tempo.

Correu até sentir que não era mais perseguido. Ainda assim, não deixou de correr. Suas pernas queimavam de tanto esforço, mas ele não diminuiu o ritmo. Queria distanciar-se de tudo que testemunhara. Distanciar-se do corpo moribundo do Saci, amarrado àquele tronco. Distanciar-se da assombração viscosa que levara a alma do xamã embora.

O que seria aquela sala, cheia de velas, que se materializara no interior da caverna? Para que serviam tantas velas? O que a Cuca queria com aquilo? Ele se lembrou da bruxa se perguntando onde estava sua vela. O que aquela vela tinha de tão importante? E quem era aquela Sombra que contara a Cuca que alguém havia levado o objeto?

A sua tia-avó se referira a um ritual. Ele a ouvira dizer que as urtigas e o amuleto já estavam prontos e que ela já tinha um inocente nas mãos. Que só faltava a tal vela! Para que seria aquele ritual?

Eram muitas pontas soltas. Muitos mistérios sem solução. Enquanto os pensamentos davam voltas na cabeça de Tibor, seus passos ecoavam pela floresta. Já fazia um bom tempo que corria. Provavelmente horas.

Estava sozinho na mata e precisava achar um jeito de encontrar Sátir e Pedro. Tinha que voltar para o sítio. Precisava se recompor antes de qualquer coisa. Tinha muitos machucados pelo corpo todo. Os mais recentes, nos joelhos e cotovelos, ardiam um bocado.

Precisava descansar. Precisava dormir. Precisava comer algo que não fosse mingau e, muito menos, servido por um estranho.

Quando não aguentou mais, parou de correr e começou a caminhar. Não conhecia aquela floresta. Nem sabia se ainda estava em Guará. Pensou em Rurique e teve certeza de que, como Lobisomem, ele ficaria bem. Nenhum dos asseclas da Cuca era páreo para ele quando transformado. E aquele ritual deixara a Cuca enfraquecida. Ela não conseguiria atacá-lo. Devia ter dado um jeito de se retirar às pressas e, sem o seu comando, tudo tinha ficado caótico.

Foi então que Tibor pensou melhor a respeito: aquele ritual incompleto provava que a bruxa também tinha suas falhas. Não era invencível. Apesar de ser um ser fantástico poderoso, também tinha seus pontos fracos.

Tibor não conseguia tirar da cabeça a fúria da bruxa ao dar por falta daquela vela. Será que tudo girava em torno dela? Será que era uma boa ideia tentar impedir que ela a recuperasse? Pelo jeito, alguém tinha sido mais rápido. Será que isso significava que mais alguém sabia o que a Cuca tramava?

O menino suspeitava que, com tantos questionamentos, ele logo toparia não com uma solução, mas com uma velha conhecida sua: a insônia.

Os primeiros raios de sol clarearam um pequeno retalho do céu. Mas a floresta ainda estava mergulhada na escuridão. Tibor agora não se preocupava tanto em fugir, mas em encontrar o caminho de casa. Andava a esmo por boscagens e clareiras que nunca vira antes, em busca de algo conhecido, ao mesmo tempo que ouvia o tagarelar incessante da sua mente.

"O Saci está morto", admitiu ele.

Repassou a conversa que tivera com Sacireno pouco antes de sua alma servir de alimento para a Bernúncia. O xamã havia dito que Tibor precisava aprender logo o que precisava aprender. Será que era a respeito dos sonhos que ainda não tivera? Poderia ser isso o que os sonhos de João Pestana lhe mostrariam? Algo a respeito da vela desaparecida?

O Saci tinha contado que sua morte era a segunda parte de uma promessa. Uma promessa a um amigo. O que ele queria dizer com aquilo? Qual seria a primeira parte, então? E que tipo de amigo cobraria uma promessa estúpida como essa?

Além disso, ele dissera que a cura de Rurique estava na casa dos Málabu. Pelo que sabia, o caseiro dos Bronze morava no fundo da casa dos patrões. Em que lugar estaria a cura de Rurique? E que cura seria essa? Como a reconheceria?

Tibor não se considerava muito bom em reconhecer coisas. Tinha achado que a menina que encontrara na floresta, na madrugada passada, pudesse ser o guia que o levaria até a misteriosa casa das Marias. E acabou por comer um mingau que quase o fizera virar o jantar da Comadre.

Sacireno dissera: a casa dos Málabu. Seria uma casa da propriedade da família Málabu? Nunca ouvira falar de uma. Percebeu quanto era relapso na sua amizade com o grandalhão. Considerava Málabu um amigo, um amigo que se fora, mas nunca tinha perguntado sobre a família dele. Não sabia nada sobre o brutamonte. Apenas que o falecido amigo tomava o remédio que sua avó Gailde lhe preparava para não se transformar em Lobisomem. E que era caseiro da família Bronze, vizinha de Rurique.

"É! Bem que Dona Lívia Malasartes me alertou", refletiu Tibor sobre a mãe do amigo Pedro. "Este ano é bissexto, portanto vai ser uma longa quaresma..."

O menino se sentou sob uma quaresmeira em flor. Foi um movimento involuntário. Parecia que seu corpo decidira, por conta própria, sentar-se ali. Ele apenas obedeceu. Ficou observando as flores roxas da árvore, mas estava encucado com as perguntas que pipocavam em sua cabeça.

Eram muitas. Precisava achar a irmã para ajudá-lo. Onde ela estaria?

"Por favor, que apareça alguém!, pediu em pensamento. "Preciso encontrar minha irmã."

Foi aí que percebeu que seu corpo pedia arrego. Nem percebeu quando suas pálpebras começaram a pesar.

Acordou com sons de cavalos. Relinchos e bufadas. Levantou-se rápido e a primeira coisa que viu foram os raios de sol matutinos em meio à névoa. Andou na direção de onde vinha o barulho dos animais e, depois de alguns metros, vislumbrou uma linda paisagem.

Numa clareira em meio às árvores, havia um laguinho raso. O coaxar de rãs e sapos vinha dali também. Parecia um brejo, pontilhado de tufos de taboas castanho-claras. Dentro dele havia treze cavalos, com a água mal cobrindo seus cascos. Todos adultos e de pelagem de diversas cores, eles matavam a sede no pequeno açude.

Tibor ficou ali admirando os animais por um tempo, em silêncio. Saboreou a sensação de paz que emanava deles.

Não tinham selas. Eram cavalos sem dono, selvagens. Alguns eram pretos, outros baios bem puxados para o amarelo e também brancos. Dois deles eram malhados como a vaca Mimosa. Mas um tinha a cara preta e outro tinha a cara branca.

O mais alto, e também mais forte, percebeu a presença do menino. Ficou estático enquanto o observava, como se tentasse descobrir se Tibor era uma ameaça. Depois, aparentemente, constatou que não e voltou a atenção outra vez para o pequeno brejo.

— Bom dia, menino perdido! — falou alguém ao lado de Tibor.

Pego de surpresa, Tibor se virou rápido e deu de cara com um menino entre as árvores.

— Bom dia — respondeu Tibor, um pouco apreensivo. O garoto tinha mais ou menos a mesma idade dele e o cabelo preto bem ralo. Sua pele era de um tom marrom-escuro, bonito e forte, como a de Queirós e seu sósia, seguidor da Cuca. — Há quanto tempo está aí? Não tinha visto você — estranhou Tibor, reparando na roupa suja e surrada do menino.

— Acabei de chegar, na verdade — disse o garoto com um semblante tranquilo. — Estava colhendo fruta na mata pra você comer antes de partir.

"Antes de partir?", pensou Tibor, desconfiado. Quem seria aquele menino? Outra assombração?

— Trouxe butiás e bananas-de-macaco! — falou o menino, mostrando as frutas. — Não queria atrapalhar você. Vi que estava encantado com os cavalos. — O garoto olhou para os animais, como se eles também o fascinassem.

Tibor achava que os animais eram tão serenos... Não havia como não se encantar com eles.

— Eles são seus?

— Não. Nada é de ninguém nestas terras. São cavalos errantes. Eu apenas ando por aí com eles. Pastoreio — contou o garoto. Tibor apenas escutou, ainda admirando os corcéis de pelos brilhosos. — Já me sinto parte do bando. Sou um deles.

— Sabe como sair dessa floresta? — perguntou Tibor, sem querer mais perder tempo.

— É por isso que estou aqui — revelou o menino, de pele e olhos escuros.

— Vai me ajudar a sair daqui?

O menino assentiu.

— Primeiro precisa se alimentar — aconselhou o garoto de roupas rotas. — Coma as frutas que eu trouxe.

— Onde achou essas frutas? Procurei, mas não encontrei nenhuma árvore frutífera nesta floresta.

— É preciso saber onde procurar — disse ele. — Ali embaixo tem uma bananeira. Estas que eu trouxe são bananas-de-macaco. Talvez você não tenha visto porque o pé dessa banana é um pouco diferente.

— E qual é a diferença? — quis saber Tibor.

— Ora, ela nasce ao contrário. Os cachos crescem de ponta-cabeça. As bananas apontando para o céu. Dizem que isso foi coisa do pai das matas. — Tibor arqueou as sobrancelhas, estranhando nunca ter ouvido falar daquela fruta. O menino suspeitou que o tal pai das matas podia ser uma referência ao seu bisavô. Resolveu não falar nada sobre o Curupira naquela estranha conversa, mas o fato de a bananeira ser ao contrário casava muito bem com a natureza do seu bisavô. — E mais lá adiante tem um butiazeiro — continuou o menino, apontando para o meio do mato. — Não é surpresa você não encontrar. Eu é que estou tempo demais por essas bandas e conheço tudo. Eu e os cavalos — disse o menino, com o olhar longínquo. — Os coquinhos do butiazeiro ficam bem no alto da palmeira. Antigamente, aqui era um butiazal, mas agora só ficou um pé.

— E o que você faz por aqui? — perguntou Tibor, ainda desconfiado.

— Na verdade, sempre fui daqui. — Ele falava com o mesmo ar sereno dos animais que bebiam do laguinho. — E, enquanto não vou embora, ajudo a todos que perderam algo na floresta.

Tibor pensou no que o garoto tinha falado. Achava, ainda, muito esquisito tudo aquilo. Mas seu estômago fez um som parecido com o ronco da porca dos sete leitões e sua atenção se desviou. O menino agora colocava as frutas sob a árvore onde Tibor tinha cochilado. Algumas bananas e frutinhas alaranjadas.

Tibor cheirou as frutas antes de comê-las. Não queria correr o risco de ser enfeitiçado novamente. Nem teria aceitado aquelas frutas se a fome não o castigasse por dentro. Deu uma mordiscada numa banana e percebeu que a fruta era um pouco diferente das bananas a que estava acostumado. As bananas-de-macaco tinham mais sementes e um gosto mais amargo também, mas ainda assim eram deliciosas.

— E por que você vai me ajudar? — perguntou Tibor, mastigando metade da banana e curioso para saber os motivos do estranho menino.

— Porque você me pediu!

— Não, eu não pedi, não! — retrucou Tibor.

— Pediu, sim — insistiu o garoto. — Ouvi seus pensamentos, quando ainda estava escuro. Você disse que precisava encontrar a sua irmã.

— Ouviu meus pensamentos? — O medo brotou, mais uma vez, no peito de Tibor.

— Ouvi. Você não pediu?

O jovem Lobato coçou a cabeça, confuso, e assentiu. Pensou mais uma vez no guia que o levaria até a casa das Marias. O tal espaço neutro, de que João Pestana precisava.

— Você é o guia? — arriscou Tibor.

— Não, exatamente — disse o menino, inclinando a cabeça. — Mas pode me chamar assim, se quiser.

— Não está aqui para me levar até a casa das Marias?

— Não — respondeu o garoto. — Estou aqui para achar sua irmã pra você.

— E por acaso sabe onde ela está?

— Mas é claro que sei! — respondeu, animado. — Eu sou o Negrinho do Pastoreio, ora! Perdeu algo? Me peça e encontro pra você!

Tibor observou o tal Negrinho. Suspeitou estar diante de outro ser fantástico e não de um garoto comum.

— Você fica aqui ajudando as pessoas a encontrarem tudo que perderam? — perguntou Tibor, largando a casca da última banana e pegando um butiá.

— Isso mesmo.

— E um dia você vai embora? — Tibor mordeu a fruta e percebeu que era uma espécie de coquinho. O gosto era um pouco ácido, mas ainda assim docinho.

— Ora, não pertenço mais a esse lugar, menino perdido. Eu devia estar no Além.

— Como assim?

— Morri muitos anos atrás. Mas não consegui ir embora — explicou ele.

— Então você está morto? É um fantasma? — Tibor ficou indignado. Largou no chão a semente de um butiá e tentou manter a calma.

— Minha morte não foi nada fácil. Foi uma crueldade sem tamanho, na verdade. Sou da época em que a cor da pele é que determinava se você viveria pra bater ou pra apanhar.

Os dois ficaram em silêncio. O menino avaliava o efeito das suas palavras na expressão pensativa de Tibor.

— Época de escravos? — adivinhou Tibor, devorando o último butiá, já mais conformado com o fato de que vivia se deparando com seres fantásticos.

O menino apenas assentiu, tristonho.

— Época de relhos e chibatas — falou, com o olhar longínquo. Suas retinas deviam ter sido cúmplices de cenas horríveis. Mas logo o Negrinho se recompôs, como se voltasse de um triste devaneio. — Bom. Já terminou as frutas. Acho que está na hora de você ir embora. — O menino colocou dois dedos nos lábios e assoprou. Ao som do assobio, as orelhas dos cavalos ficaram de pé. Todos saíram do brejal e foram até ele. — Siga os cavalos — aconselhou. — Eles te levarão até a sua irmã.

Tibor não ficou com medo do garoto ou dos cavalos. Ele era uma assombração, no entanto não tinha intenção de feri-lo ou lhe fazer mal. Muito pelo contrário. Era bem o que sua avó lhe dissera uma vez. Existem seres bons, outros ruins e outros que apenas são o que são. Aquele Negrinho do Pastoreio, como ele mesmo se intitulara, era bom.

— Você vai continuar andando pela floresta? — perguntou Tibor.

— Eu não posso ir com você. Há muitas outras coisas pra encontrar por aí. Ainda mais em tempos como esses. Faça uma boa viagem, menino perdido!

— Pode me chamar de Tibor.

— Tibor — repetiu o Negrinho. — Faça boa viagem.

Um dos cavalos relinchou forte e Tibor se assustou. Quando olhou, novamente, para onde antes estava o garoto misterioso, ele já tinha desaparecido.

O dia raiou por fim e Tibor sentiu o clima mais abafado. Os cavalos continuaram acompanhando o arvoredo, até que um deles parou e voltou-se para o garoto.

Com a cabeçorra, empurrou seu braço. Tibor não entendeu de pronto e levou outro empurrão. Pensou que o animal estivesse pedindo carinho. Estendeu a mão, acariciou o pescoço e a crina comprida do corcel. O cavalo apenas resfolegou, irritado, sacudindo a cabeça. Tibor ainda não tinha compreendido o que o cavalo queria.

O cavalo baio balançou o pescoço musculoso para cima e para baixo, impaciente.

— Quer que eu monte você? — perguntou Tibor. O cavalo relinchou num tom mais animado. — Isso é um sim?

Tibor hesitou por alguns segundos. Mordeu os lábios, imaginando se deveria montar o cavalo ou não. Poderia muito bem levar um coice ou uma mordida. Resolveu arriscar. Agarrou tufos da crina do cavalo e ele se abaixou para que o menino pudesse subir. Tibor levantou a perna direita e, receoso, passou-a pelo lombo do animal. O cavalo se levantou logo em seguida e Tibor se viu a quase dois metros do chão. O manga-larga resfolegou outra vez, como se aprovasse a decisão de Tibor.

Pateou o chão e disparou num trote rápido mata afora. Tibor sentiu um solavanco, mas logo se aprumou sobre o equino. Os outros cavalos correram ao lado dele, os cascos golpeando o chão em seu galope rápido por entre as árvores.

A manada ganhava cada vez mais velocidade. Tibor sentiu o vento lamber suas bochechas. Seu corpo acompanhava os movimentos do animal, como se houvesse uma conexão entre cavalo e cavaleiro. Ele agora percebia quanto era prazeroso galopar. Mais ainda do que andar de bicicleta.

Os corcéis avançaram da floresta para um morro descampado, que descia até uma estradinha de terra. Na descida do morro, Tibor segurou firme a crina do baio, mas apenas por precaução. Aquele cavalo lhe passava tanta segurança que o menino sabia que não iria cair.

Tibor também sentiu algo que não sentia havia dias. Depois de ficar no escuro e embaixo da terra, preso numa cela dentro de uma caverna, e impossibilitado de se mover por conta de um mingau, ele foi inundado por um sentimento de liberdade.

Deixando-se levar pela sensação deliciosa, soltou a crina do animal e abriu os braços. Respirou fundo e fechou os olhos, sentindo o vento açoitar seu corpo. Foi um presente. Um momento de paz. Longe de todo o turbilhão da quaresma.

20

De volta ao sítio

Quando os cavalos estacaram à beira da estrada, Tibor entendeu que era hora de descer. O menino teve pouco tempo para se despedir do corcel que lhe oferecera o lombo, pois, ao colocar os pés na grama, os cavalos já deram meia-volta e partiram outra vez para a floresta.

"Obrigado!", agradeceu Tibor mentalmente tanto os dóceis animais quanto o Negrinho. Então lhe ocorreu que deveria ter pedido mais um favor ao garoto dos cavalos. Caso se deparasse com alguém procurando uma vela, não deveria ajudar essa pessoa. Tibor ainda não fazia ideia da razão, mas sabia que a tia-avó não podia encontrar a vela desaparecida.

Nesse instante, Tibor ouviu a voz de uma menina. Caminhou até a estrada, certo de que a voz viera de lá.

— Sátir? — arriscou ele.

As folhas de uma mangueira próxima se agitaram e, lá do alto dos galhos, a irmã de Tibor saltou. Pedro desceu pelo tronco de outra mangueira. Os dois com frutas enroladas na camiseta, na altura da barriga.

— Não acredito, Tibor. Até que enfim achamos você! — A irmã correu, animada, até ele.

Tapioca saiu de trás de uns arbustos, abanando o rabo para Tibor. Ficou saltitando em torno dele e depois se pôs a cafungar suas roupas.

Tibor, contente, apertou os dois num abraço forte e foi logo contando a novidade.

— Encontrei Rurique! Estive com ele.

O casal olhou para ele com expectativa.

— Era ele mesmo o lobo que nos atacou? — Pedro perguntou, temeroso com a resposta que ouviria. Tibor assentiu, confirmando seus temores.

— E onde é que ele está? — quis saber Sátir, olhando em volta, como se esperasse Rurique surgir a qualquer instante.

— Eu... o perdi outra vez! — confessou Tibor. Então, ao perceber os olhares decepcionados dos dois, garantiu: — Mas sei onde está! Só precisamos ir buscá-lo.

No caminho, Sátir e o namorado contaram sobre o caos que tinha sido a vida deles nos dois dias de busca por Tibor. Tinham revirado Guará do avesso — e Tibor não tinha dúvida disso —, mas não encontraram nada que pudesse levá-los até ele.

Tibor também contou tudo que tinha acontecido desde que o Lobisomem o raptara, de dentro do bar de Vlado. Sátir se espantou com toda a história e também com o estado do irmão, que tinha machucados bem feios pelo corpo todo. E ficou muito chocada ao ouvir sobre a morte de Sacireno.

Pedro não conhecia Sacireno pessoalmente. Só tinha escutado histórias contadas por Sátir. Como sempre ouvira falar do Saci como um vilão, achou que a sua morte era até boa notícia. A verdadeira má notícia, para Pedro, era saber da existência de uma cobra vinda do Além, com a capacidade de engolir almas, e de uma velha que distribuía mingau paralisante pela floresta.

Tibor ainda não queria revelar a conversa sobre os sonhos e a visita de João Pestana. Evitou também falar sobre os sentimentos que Rurique nutria por ele.

Descobriu, com Pedro e Sátir, que, mesmo depois de terem percorrido boa parte da mina subterrânea, ainda estavam numa das florestas que circundavam Guará.

Os meninos discutiram a possibilidade de chamar Antenor e todos os seus combatentes assim que voltassem ao sítio, para seguirem pela floresta da qual Tibor viera, até encontrarem o covil da Cuca. A ideia partira de Pedro, logo que Tibor contara que, segundo o sósia de Queirós, um agrupamento da Cuca estaria se reunindo próximo a Membira.

Pedro e Sátir tinham passado dias procurando Tibor e recuperado suas energias na casa de Vlado, já que seu bar fora parcialmente destruído.

— Achei que ia dar uma notícia boa para a nossa avó, maninho — caçoou Sátir, após comerem algumas mangas. — Que ela ia poder transformar seu quarto finalmente num cantinho de costura!

A menina tinha mania de fazer piadas sem graça nos momentos mais inoportunos. Tibor não riu, mas gostou de ouvir a voz da irmã. Era música para seus ouvidos. Significava que estavam juntos outra vez. Pedro, por outro lado, riu com vontade. O casal de pombinhos realmente combinava, afinal. Sátir tinha encontrado alguém para rir das suas piadas.

Finalmente se aproximaram do último local onde tinham acampado, no final da trilha, onde Vlado Queirós os deixara. Chegando lá, Tibor botou a cabeça para funcionar, tentando se lembrar do trajeto até a mina. Enquanto era carregado pelo lobo, não tinha conseguido ver muita coisa, mas sabia que a entrada era em algum lugar ali por perto.

Depois de quase uma hora procurando nos arredores, com a ajuda da irmã e do amigo, Tibor encontrou um buraco embaixo de uma árvore oca. A árvore crescera em cima da entrada da mina, encobrindo seu acesso.

Todos desceram pelo buraco. Tibor, agora munido de uma lanterna, apontava o facho de luz para o negrume à sua frente, certo de que, a qualquer minuto, topariam com um Rurique esfarrapado.

Chegou ao local onde o lobo o jogara contra a parede, mas não encontrou Rurique. Tibor sentiu o estômago gelar. Será que tinha acontecido alguma coisa de ruim ao amigo? A Cuca ou algum dos seus comparsas conseguira capturá-lo?

— Ei! — chamou uma voz pastosa vinda do corredor de pedra. O coração dos três foi parar na boca. — Estão procurando por mim?

Tibor apontou a lanterna e viu que era Rurique.

— Puxa, que bom te encontrar! — exclamou Tibor. — Pensei que algo tivesse acontecido lá na caverna.

— E aconteceu! — falou Rurique, animado. — Causei um belo alvoroço no covil da nossa grande amiga Cuca! — riu-se ele. Mas logo ficou sério e levou as mãos à cabeça com a expressão confusa. — Ou, pelo menos, acho que causei. Não me lembro muito bem.

Sátir abraçou Rurique, feliz com o reencontro, e deu um beijo estalado na bochecha do amigo, que não via fazia um ano. Mal podia acreditar que ele estava ali mesmo, diante dela.

Tibor suspirou, aliviado. Enfim, estavam todos reunidos outra vez.

— Pedro, este é o Rurique — apresentou-o Tibor.

— Olá! — cumprimentou Pedro, estendendo a mão. — Muito prazer, Pedro Malasartes.

Rurique cumprimentou-o com um sorriso e apertou a mão do menino.

— Muito bem, agora vamos sair daqui rápido? — apressou-os Sátir, preocupada. Tibor lhes contara a história da Comadre, que os perseguira pela mina, e não queriam correr o risco de encontrar a assombração e perder o amigo mais uma vez.

Rurique precisou de ajuda para sair da mina. Mal conseguia ficar de pé. Provavelmente, o veneno da taça prateada ainda corria nas suas veias.

Enquanto era praticamente carregado, Rurique sussurrou no ouvido de Tibor.

— Os pesadelos... não foram tão horríveis desta vez.

— Ah, é? E por quê? — quis saber o amigo.

— Porque eu sabia que, mais cedo ou mais tarde, você viria! — respondeu Rurique, com um sorriso.

Tapioca não recebeu o novo integrante do grupo muito bem. Ficou nervoso, como se sentisse o lado ferino do garoto, e rosnou para Rurique quase o tempo todo. Isso obrigou Pedro a ficar dando broncas no cachorro e de vez em quando uns "chega pra lá".

Ao chegarem à cidade, Queirós tentou convencê-los de que Tibor e Rurique precisavam de cuidados médicos. Mas Tibor argumentou, dizendo que precisavam se apressar porque a época da lua cheia estava chegando, e que a avó Gailde poderia tratá-los. Afinal, ela era a melhor curandeira dos vilarejos e tinha remédio pra tudo.

Queirós observou Rurique com muita atenção, como se tentasse reconhecer no garoto magricela o lobo que atacara a sua loja. Tibor ficou apreensivo com o olhar de Queirós sobre o amigo. Uma das coisas que Vlado lhes dissera é que costumava perseguir Lobisomens. Dera a entender que era caçador. Tibor achou que Rurique poderia correr perigo, se ficassem muito tempo em Guará. Se alguém do vilarejo descobrisse que o menino era o terror que assolava a vila, com certeza buscariam um acerto de contas.

Por fim, mesmo a contragosto, Vlado aceitou ajudá-los a conseguir uma carona à Vila do Meio. O mesmo carro que os levara ao cemitério de Guará, para se despedirem de Dona Arlinda, acabou transportando-os de volta para o sítio dos Lobato.

Dona Gailde, assim que os viu atravessando a porteira, correu até eles de braços abertos. Abraçou e beijou Rurique, aliviada.

— Menino! — exclamou ela, feliz. — Procuramos você em toda parte. Que bom que está de volta!

Ela os colocou depressa para dentro de casa. O instinto protetor de Dona Gailde estava a toda. Lembrava muito a galinha do sítio, quando cobria os pintinhos com as asas para protegê-los.

— Que tipo de avó sou eu? — desabafou ela, enquanto ajudava a deitar Rurique no sofá da sala. — Eu praticamente coloquei vocês para fora do sítio!

— Vó! — repreendeu Sátir, mais realista. — Iríamos de qualquer jeito. Precisávamos encontrar Rurique.

O menino magricela não pôde deixar de sorrir ao constatar o carinho da amiga em suas palavras. Junto daquela família, ele sempre se sentia acolhido.

— É, eu sei, eu sei. Mas vocês voltaram em frangalhos. Veja só o Tibor! — disse ela, examinando com preocupação os machucados do neto.

— Mas voltamos, não voltamos? — retrucou a menina, uma vez mais.

Tibor viu a avó e a neta cruzando olhares, mas Dona Gailde por fim pareceu concordar com a neta.

— Eu só quero vê-los bem. Só isso. Já perdi muitas pessoas da família — falou, enquanto subia as escadas para buscar alguma coisa no andar de cima.

Tibor imaginou que a avó estivesse se referindo, além do filho e da nora, ao bisavô Curupira. A Cuca provocara sua morte, pelo que sabia, com a ajuda de Sacireno Pereira. Mas então se lembrou do que o xamã dissera. Que poderia ser inocente! Tibor não conseguia imaginar como.

A maleta de Gailde trabalhou muito aquela tarde. A avó passou horas aplicando seus unguentos milagrosos, alguns que os meninos nunca tinham visto antes. Vez ou outra, ela complementava com algo vindo da horta atrás da casa.

Enquanto recebiam os cuidados da velha senhora, deixaram-na a par dos últimos acontecimentos.

— Uma cobra vinda do Além? — exclamou ela, sobressaltada, assim que escutou os relatos de Tibor sobre a caverna e o ritual. — Um Muiraquitã preto? E Sacireno foi sacrificado? — Ela não parava de levar as mãos ao coração com um semblante preocupado. — E vocês comeram o mingau? — Ela se espantava mais a cada novo episódio relatado pelos meninos. — E foram os cavalos que levaram você até Sátir, Tibor?

— Vó — Tibor estava tão cansado que mal conseguia mover o corpo —, preciso avisar Antenor sobre o covil da Cuca.

— Ninguém vai fazer mais nada hoje! — sentenciou ela, quando viu Tibor tentando se levantar. — Amanhã cuidaremos de tudo que é urgente, logo cedo. Por ora, quero meus netos... — fez uma pausa, virando-se para Pedro e Rurique — e agregados com a saúde recuperada.

Ela fez questão que os dois meninos também passassem a noite no sítio. No dia seguinte, enfrentariam a fúria da mãe de Pedro pelo seu sumiço e concederiam aos pais de Rurique a felicidade de rever o filho.

Tibor queria mesmo que Avelino e Eulália pudessem ser felizes de novo. Odiava vê-los tão amargurados com a perda do filho e ansiava pelo amanhã.

Dona Lívia, por sua vez, já tinha visitado o sítio várias vezes, em busca de notícias do filho, e comentara que Sátir já não era uma boa namorada para ele. Era uma menina aventureira demais.

— "Isso *responsa* muita habilidade!" — exclamou Pedro, repetindo a frase que o pai costumava dizer em momentos como aquele. Pela cara dele, estava preocupado com o encontro com a mãe no dia seguinte.

Foi uma bênção, enfim, poder tomar um banho. Tibor sentiu como se estivesse recebendo de presente um corpo novo. Quando a noite chegou, deliciaram-se com um bolo de cará que Dona Gailde havia preparado. O bolo e o achocolatado bem quente fizeram todos relaxar antes de marcharem para a cama.

A avó pediu ajuda a Sátir e Pedro, que estavam mais "inteiros", para dispor os colchões pelo quarto de Tibor. Rurique se deitou num colchão próximo à janela e Pedro em outro, perto da porta do banheiro. Sátir e a avó foram para os seus próprios aposentos.

Dona Gailde ainda serviu um chá de ervas bem escuro a Tibor e Rurique. Segundo ela, para o caso de ainda haver algum resquício da saliva da Pisadeira no organismo dos dois.

O colchão de Tibor nunca lhe pareceu tão macio. Ele o envolvia quase como um abraço. Era ótimo estar de volta. Mas sabia que seria por um período curto. Tinha conseguido encontrar Rurique, mas ainda precisava dar um jeito de enfrentar a tia-avó. Isso lhe causava um temor crescente, pois, a cada encontro com a Cuca, parecia mais impossível enfrentá-la.

No entanto, o ato do amigo, de se transformar em lobo e atacar todos os seguidores da tia-avó, lhe injetou mais coragem no peito.

Antes de pegar no sono, Tibor listou mentalmente as tarefas do dia seguinte. Eram muitas: levar Rurique para os pais, avisar Antenor sobre a caverna onde encontrara a Cuca e avisá-lo também de que um exército se agrupava próximo a Membira.

Ajeitou a cabeça no travesseiro de pena de ganso, numa posição em que conseguia ver o velho baú do seu pai, num canto do quarto. Pensou em João Pestana. Já fazia um tempo que não recebia suas visitas. Parecia extremamente necessário sonhar mais alguns dos seus grãos, como ele mesmo dissera. Tentou não esquecer, em meio a tanta coisa em sua cabeça, os sonhos já sonhados. A mulher na carruagem, que tossia sangue e se dizia à beira da morte, e também o sonho em que a mulher grávida trazia um boi à vida. Assim, entre um pensamento e outro, pegou no sono.

Algumas horas depois, Tibor acordou com o barulho de algo correndo pelo quarto e indo direto para o banheiro. Assim que ouviu Pedro reclamar de alguém pisando em cima dele, soube que era o amigo Rurique.

Tibor se levantou e foi até a porta do banheiro. Rurique estava abraçado ao vaso sanitário, colocando o bolo de cará e o achocolatado para fora. O menino estava pálido e o som que fazia, toda vez que expelia um pouco mais do conteúdo do estômago, ressoava pelo quarto todo.

— Você está bem? — perguntou Pedro, questionando o óbvio. O menino também se levantara e coçava a barriga, na porta do banheiro, mal cabendo no pijama que Tibor lhe emprestara.

Rurique limpou a boca na manga.

— Agora estou — respondeu, encarando os azulejos da parede. — Será que acordei Dona Gailde e Sátir também?

— Não se preocupe com isso — tranquilizou-o Tibor.

Então ouviram um ronco alto e todos identificaram logo sua origem. Era a barriga de Rurique.

— Botei tanta coisa pra fora que já estou com fome de novo. — E voltou-se para Tibor. — Será que teria algum problema eu assaltar a sua geladeira, cara?

Tibor apenas sorriu.

— Posso até ajudar você nisso — disse Pedro em apoio ao amigo, ajeitando o pijama que deixava seu umbigo de fora. — Afinal, já faz um tempinho que comemos aquele bolo de cará, não é mesmo?

Os três saíram para o corredor do primeiro andar. Os quartos de Dona Gailde e de Sátir, que ficavam no final do corredor, estavam fechados. Desceram as escadas até a cozinha, evitando fazer barulho ou acender as luzes. Chegando lá, abriram a geladeira e a luz interna do refrigerador foi suficiente para iluminar todo o recinto.

— Sobrou bolo aqui, Rurique — avisou Tibor, estendendo-lhe um pote de plástico. O amigo cheirou o pote, numa atitude incomum.

— Acho que não aguento mais comer bolo — confessou, após dar duas fungadas.

— Bom, eu aguento — considerou Malasartes, tirando o pote da mão de Tibor.

— Fique à vontade pra escolher o que quiser então, Rurique. — O menino deixou a geladeira para o amigo e foi beliscar um pedaço do bolo de cará.

— Hum... que delícia! — anunciou Rurique.

Tibor e Pedro se espantaram quando viram o menino com algo inusitado nas mãos. Por um momento acharam que Rurique estava fazendo piada. Uma piada tão sem graça quanto as de Sátir. Mas, no instante seguinte, compreenderam que não era piada coisa alguma...

— O que foi? — quis saber, ao se deparar com os olhares pasmos dos amigos. — Você não disse que eu poderia escolher qualquer coisa? Pois, então.

E Rurique abocanhou um enorme pedaço de carne crua.

21

LUA CHEIA

Os dias se arrastavam lentamente em cada uma das sete vilas, ao longo daquela quaresma penosa. Pelo menos a alegria tinha voltado na casa dos pais de Rurique. Avelino já tinha até programado uma pescaria com o filho, em Braço Turvo. Já Eulália, nos últimos dias, tinha recuperado seu ânimo de viver e, junto ao marido, preparava pratos caprichados para devolver alguns quilos ao filho que, embora sempre magrelo, parecia bem mais ossudo que o normal.

Na casa de Pedro, por outro lado, se alguém perguntasse aos vizinhos, com certeza diriam que alguma coisa muito estranha estava acontecendo lá dentro. Foram berros exaltados da mãe, por ele ter saído de casa daquela maneira e, logo em seguida, gritos de alegria por ter reaparecido. Pedro, na hora, ficou em dúvida se a mãe lhe mandaria para o quarto de castigo ou se correria para lhe fazer tapiocas de boas-vindas.

Antenor tinha sido avisado, logo no dia seguinte, sobre os seguidores da Cuca nos arredores de Membira e já destacara uma equipe para investigar também a caverna. No final da semana, avisou que seus homens não tinham encontrado caverna nenhuma. Era como se ela não existisse mais. Mas comunicou que seus homens continuariam a busca. Além disso, anunciou que reforçaria as vigílias ao longo do muro de Membira.

Tibor achou as notícias de Antenor nada animadoras. Mas foi na segunda-feira cedo que algo realmente o preocupou. Depois de colocar capim e feno para Mimosa no curral, viu Avelino e Eulália entrando pela porteira do sítio com Rurique. Não pareciam tão contentes quanto nos últimos dias.

Ainda sentindo as fisgadas dos seus ferimentos, Tibor foi recebê-los. O que mais lhe incomodava era o machucado no braço, feito pelo próprio amigo quando transformado.

— Oi, Tibor — cumprimentou Dona Eulália. — Sua avó está por aí?

— Está sim. Podem entrar — falou o menino, abrindo a porta da casa e oferecendo o sofá para os pais do amigo. — Vó! — chamou ao pé da escada.

Dona Gailde apareceu no topo da escada, calçando os chinelos e com o rosto inchado de sono. Parecia ter dormido mais do que o normal, provavelmente ainda se recuperando das noites maldormidas do período em que os netos estavam fora.

— Eulália? Avelino? O que houve? — perguntou, estranhando a presença da família tão cedo.

— Dona Gailde — começou Eulália —, é o nosso menino. — Ela colocou a mão nos ombros do filho, que parecia cabisbaixo. — Eu juro que tenho tentado, não é amor? — perguntou, dirigindo-se ao marido, que apenas assentiu. — Tentamos de tudo. Achei até que tinha perdido a minha habilidade no fogão, mas não. Acho que tem a ver com o lado... — e ela fez uma pausa ressentida antes de continuar — lobisomem.

— Ora, mas do que está falando? Não entendo... — disse Gailde. Mas Tibor sabia a que a mulher se referia.

— Ele não come outra coisa a não ser carne crua — soltou Eulália. — Ontem mesmo, Avelino depenava uma galinha que eu faria recheada com farofa e azeitonas, quando vimos... Rurique estava...

— Dona Gailde — cortou Avelino, impaciente —, estamos com receio do que possa acontecer. Eu tinha planejado pescar com Rurique, mas esta semana é de lua cheia. E sabemos que a senhora preparava alguns frascos para João Málabu — disse, de uma vez.

Dona Gailde foi até o menino e, com os polegares, puxou a pele embaixo dos olhos para analisar suas pupilas.

— Vó! — chamou Tibor. E todos voltaram a atenção para ele. — Quando eu e Rurique estávamos na cela de pedra da Cuca, Sacireno, antes de ser levado pelos guardas, disse que a cura para Rurique estava na casa dos Málabu.

— Rurique nos contou isso também — emendou Avelino. — Fui, pessoalmente, até o casebre do Málabu, no fundo da casa dos Bronze, mas não encontrei nada.

— A não ser que exista outro Málabu — complementou Dona Eulália. — Mas não sabemos de outro por aqui.

Dona Gailde ficou pensativa um instante.

— Houve, sim, outro Málabu — disse ela, surpreendendo a todos na sala. — Mas já faz muito tempo. Vocês se lembram do Alfredo? — perguntou, dirigindo-se aos pais de Rurique.

— Alfredo? A senhora diz o prefeito Alfredo? — quis saber Eulália. — O último dos prefeitos?

— Esse mesmo — confirmou Dona Gailde.

— Esse não é o prefeito maluco que dividiu a antiga cidade em sete vilas? — perguntou Avelino, ansioso para entender a relação entre uma coisa e outra.

Tibor se lembrou de que Rurique já havia contado sobre o tal prefeito maluco, logo que ele e a irmã tinham vindo morar no sítio.

— O que tem ele? — perguntou Avelino.

— Ele era um Málabu! — revelou ela, causando surpresa e um arquear de sobrancelhas por toda a sala. — Esse composto que eu fornecia ao nosso falecido amigo João Málabu era a pedido dele. Um favor.

— O que quer dizer? — inquiriu Rurique, que acompanhava a conversa com interesse.

— O antigo prefeito Alfredo Málabu, queria encontrar um jeito de curar seu filho, amaldiçoado pelo Lobisomem que assombrava essas terras — contou ela, ignorando os olhares estupefatos de todos. — A esposa já tinha enlouquecido com a situação e se mudado para a cidade grande. Pelo que eu soube, ela foi internada para evitar que cometesse uma atrocidade contra si mesma. — Dona Gailde sentou-se em sua cadeira de balanço, para continuar o relato. — Mas Alfredo tinha uma responsabilidade como prefeito. Tinha que cuidar da cidade. E também tinha uma responsabilidade como pai. Conseguir a cura para seu filho.

— Então João Málabu era filho do prefeito maluco! — constatou Rurique.

— Sim — confirmou Gailde, mais uma vez. — Para manter o sigilo, tinham encontrado um esconderijo onde hoje é a Vila Guará. Era para lá que Alfredo levava o menino quando se transformava em lobo.

— Por isso a vila se chama Guará — sussurrou Tibor, pensando alto. — Málabu se transformava num lobo de pelagem avermelhada e se escondia lá desde pequeno.

— Soube que Alfredo vendeu todos os seus bens para custear tratamentos para o jovem João, mas nenhum surtiu efeito. Depois de esgotadas as possibilidades e sem ter mais dinheiro para gastar, Alfredo ouviu dizer que eu era curandeira e me procurou desesperado, implorando algum tipo de ajuda.

Tibor se sentara no tapete branco felpudo para ouvir a história da avó.

— Fiz o que pude — explicou ela. — Fui misturando ervas e, mesmo depois de muitas tentativas, só consegui chegar a um preparado que retardava um pouco o processo. Mas nunca fui capaz de evitar que ele se transformasse em lobo. Nunca! — Gailde parecia desgostosa consigo mesma. Como se tivesse sido vencida por um desafio que impusera a si mesma.

Eulália e Avelino não pareceram nada animados com o que Gailde contara, mas ainda havia um brilho de esperança em seus olhos.

— Depois de muito tempo tentando curar o filho — Dona Gailde continuou —, veio a notícia de que a mãe de João tinha morrido na cidade grande. Foi aí que Alfredo perdeu a cabeça.

— Foi quando tudo aconteceu? — certificou-se Avelino.

— Sim, Alfredo passou a dar ordens estapafúrdias na prefeitura. A cidade seria dividida em vilas, mais cemitérios seriam construídos... Alfredo perdeu completamente a cabeça e todos tinham medo do que poderia vir a seguir. Por fim, ele foi obrigado a deixar o cargo e, desde então, não há mais prefeito algum. Somos essa espécie de distrito, com representantes responsáveis em cada vila.

— E o que foi que aconteceu com Alfredo? — quis saber Dona Eulália, pousando a mão no joelho do filho.

— Sofreu um infarto! — revelou Dona Gailde, franzindo a testa enrugada. — Ele nunca conseguiu curar o filho, mas guardou segredo sobre a maldição para que ninguém fizesse mal a ele. Assim que Alfredo morreu, Málabu veio para cá. Cuidei dele até que conseguisse o emprego na casa dos Bronze. Ali, conseguiu uma casa pra morar e ganhar seu próprio sustento. Desde então, testávamos novos jeitos de vencer a sua sina. Tomando a poção que eu fazia, ele conseguia ter um controle temporário. Era o suficiente para chegar ao seu esconderijo em Guará, sem causar alarde ou mal a alguém.

— E o lobo que passou a maldição para ele? — indagou Tibor, preocupado, imaginando se não haveria outro Lobisomem à solta.

— Foi morto pelo próprio Alfredo. No mesmo dia em que João foi atacado — contou ela, balançando-se de leve em sua cadeira. — Foi graças a esse feito que ganhou notoriedade e apostou num cargo político.

— Já que não estamos mais falando da casa dos fundos da família Bronze, onde seria essa casa dos Málabu? — quis saber Dona Eulália.

— Eu não sei — respondeu Dona Gailde, com sinceridade. — Essa era uma época em que eu não me atrevia a dar as caras. Estava absorta em coisas que não vem ao caso. — Tibor percebeu que não era a primeira vez que Gailde se desviava de um assunto. E parecia que, toda vez que alguém esbarrava nele, ela tratava de se esquivar. — Quando Alfredo me procurou, já tinha liquidado todos os seus bens — contou. — O que sei é que ele morava onde hoje é Membira.

Todos ficaram pensativos por um tempo.

— Bom, vamos falar da lua cheia! — continuou ela, evitando rodeios. — O fato de Rurique consumir bastante carne crua está ligado à sua fome de lobo.

— Mas ele não estava assim, vó. Isso tem se intensificado agora. Estive com ele durante todos esses dias — falou Tibor, buscando uma maneira de defender o amigo, que parecia se incomodar muito com os rumos da conversa.

— É porque você ainda não viu como fico na lua cheia, Tibor — comentou Rurique, não ajudando em nada a sua defesa.

— O que quer dizer? — replicou o amigo, aflito.

— Fico assim, faminto por carne, quando estou prestes a me transformar num Lobisomem completo — explicou o menino magricela.

— O que foi aquilo que me atacou em Guará? Aquilo não era um Lobisomem completo? — ironizou Tibor, ainda querendo minimizar a condição do amigo.

Rurique negou com a cabeça.

— Você só viu uma transformação provocada pelo veneno da Pisadeira. O Lobisomem de lua cheia é outra coisa! — disse ele, com um ar fatalista.

Tibor só tinha visto um lobo na lua cheia no ano anterior, quando Rurique, Rosa Bronze e ele procuravam alguma pista de Sátir e o lobo os perseguira por entre salgueiros-chorões. Na época, haviam sido salvos por Horácio, o filho de Dona Arlinda, que quase teve seu bebê Flavinho levado pela fera, para virar o seu jantar.

— De qualquer maneira, eu já estava discutindo com João Málabu um novo tratamento, que nunca conseguimos colocar em prática — continuou Gailde. — Nos últimos dias de Málabu, seus remédios estavam envenenados pela Pisadeira. Portanto, seu esconderijo já não significava mais uma proteção nem para ele, nem para os moradores dos vilarejos. — Gailde olhou, séria, para a família Freitas e sugeriu: — Se concordarem, podemos tentar esse procedimento com Rurique.

Dona Eulália e Seu Avelino se entreolharam, preocupados, mas sem muita alternativa. Viraram-se para Dona Gailde e concordaram com a cabeça.

Dona Gailde se levantou da cadeira e andou devagar pela sala rústica.

— Entendam, não existe uma cura neste caso — advertiu. — É só para manter Rurique por perto. Uma forma de proteção para ele e para nós. — Todos a observavam, sem nem mesmo piscar. — E, enquanto isso, podemos ir testando minhas novas poções.

Rurique levantou a mão como se estivesse na escola e quisesse pedir à professora para ir ao banheiro. No entanto, o que ele queria de fato era fazer parte da decisão que determinaria o seu futuro.

— Sim? — disse Gailde.

— O que, exatamente, vai fazer comigo? — quis saber ele.

Dona Gailde precisaria da cooperação de todos para que tudo desse certo. Pediu que Avelino fosse chamar Horácio. Eulália foi até sua casa buscar mudas de roupa limpas para a família. Passariam aquela semana dormindo na sala do sítio dos Lobato.

Tibor e Sátir foram encarregados de tirar Mimosa do curral e limpar todo o ambiente. Ninguém tinha entendido muito bem o que seria feito. Apenas seguiam as instruções de Dona Gailde.

Pela manhã, Rurique ficou sentado à beira do poço, observando toda a movimentação por causa dele. Sentia-se bem desanimado por causar tantos problemas.

— Ei, Rurique! — chamou Tibor, ao notar a expressão de desânimo do amigo, ao passar por ele com a vaca Mimosa. — Vai ficar tudo bem, você vai ver. Minha avó vai dar um jeito de curar você.

A vaca leiteira, ao ver Rurique, travou os cascos no chão, sem querer se aproximar mais dele. O animal arregalou os olhos como se estivesse na frente de um leão prestes a devorá-lo. Só com muito custo, Tibor conseguiu puxar a vaca com uma corda e amarrá-la atrás da casa, para evitar maiores constrangimentos.

Avelino voltou com Horácio já perto da hora do almoço. O pai de Rurique não parecia muito feliz ao lado do filho de Arlinda, e Tibor não entendeu por quê. Gailde deixou nas mãos de Eulália os últimos preparativos para o almoço e foi conversar com o homem que mais parecia um lenhador.

Tibor não acompanhou a conversa. Apenas viu Horácio, muito sério, acatando tudo o que Dona Gailde dizia. Assim que ouviu tudo o que precisava, saiu pela porteira.

— Entendeu alguma coisa, maninho? — quis saber Sátir, limpando o suor da testa. A menina também estava bem interessada em descobrir o que, de fato, aconteceria ali.

— Nadica de nada — respondeu o menino, observando Horácio deixar o sítio.

A refeição foi farta e todos almoçaram bem. Salada de salpicão, banana frita, angu, quiabo, couve, arroz e feijão-preto. Apenas Rurique se esbaldou com um prato cheio de bifes crus. E todos evitaram encarar a cena como algo fora do comum, para não encabular o garoto.

Horácio voltou para o sítio com uma carriola cheia de cadeados, trancas e correntes.

— A senhora pode me explicar o que vamos fazer? — pediu Eulália à Dona Gailde.

— Vamos criar um ambiente seguro para Rurique passar as noites esta semana — falou Gailde.

Com a ajuda de todos, várias trancas foram parafusadas do lado de fora da porta do antigo lar de Mimosa. Do lado de dentro, Horácio instalou outros aparatos, como grossas correntes e braceletes de metal.

— Deixei de ser prisioneiro da Cuca para ser prisioneiro de vocês! — comentou Rurique, cabisbaixo, próximo aos irmãos Lobato.

— É para o seu bem, Rurique. Sabe disso — explicou Sátir, no seu tom mais reconfortante. Mas pela sua expressão dava para perceber que também achava aquilo um pouco exagerado.

Foi um dia inteiro de trabalho árduo. O próprio Rurique ajudou a pregar algumas trancas que o deixariam preso no curral mais tarde. O sol já dava adeus àquele dia e era quase impossível não olhar para Rurique com certo temor. Tibor percebia quanto aquilo abalava o amigo.

E não era só isso que afetava Rurique. O menino estava agitado, parecia saber que a hora de ser levado ao curral se aproximava.

Deram a ele um tempo para tomar banho, se vestir e comer alguma coisa. Assim que ficou pronto, todos seguiram com ele até o lado de fora da casa.

— Força, Rurique! Estamos com você — disse Sátir, para animar o amigo.

— Vai dar certo, filho — garantiu Avelino.

— Seus pais estão bem aqui. Não vamos a lugar nenhum, meu filho — tranquilizou Eulália, beijando o menino em cada parte do rosto.

— Amigão, lembre-se, você não é um monstro, tá? — E Tibor sorriu para ele. — Todos nós estamos com você. Não está sozinho nessa.

— Rurique! — chamou Dona Gailde. — Beba. — Ela estendeu um copo de chá para ele. — O gosto não é bom, mas é para o seu próprio bem, menino. A ideia desse composto de folhas é ajudar a manter sua lucidez. — Rurique bebeu. Fez cara feia, mas tomou até o final em quatro goladas, uma seguida da outra. — Tente focar sua mente em tudo o que ama. Sua família e amigos.

— Obrigado, Dona Gailde. — Ele devolveu o copo e ela bagunçou seus cabelos, carinhosa, depois os arrumou de volta.

Rurique enfrentou a situação com valentia. Entrou no curral com passos firmes e foi até Horácio, que o esperava no centro. A antiga casa de Mimosa era um grande quadrado com quatro paredes altas de madeira. Correntes fortes tinham sido instaladas ali, vindas dos quatro cantos até o meio da construção. As extremidades das correntes terminavam em grossos braceletes capazes de prender os braços e tornozelos de alguém de grandes proporções e força extrema.

Tibor entrou logo atrás e observou todo aquele arsenal com dificuldade para imaginar a ferocidade da criatura em que o amigo se transformaria. Rurique estendeu os braços para Tibor e Horácio e os dois prenderam o menino às correntes maciças.

— Engraçado, Tibor — começou. — Tô morrendo de medo e a fera aqui sou eu.

— Não pense nisso, Rurique. Pense que é uma noite de cada vez. A semana logo vai passar — falou Tibor. — Quem sabe minha avó não dá a sorte de misturar a coisa certa e, antes mesmo do final de semana, você está de volta, sem pelo nem garra nenhuma.

— Isso seria ótimo! — disse Rurique, sorrindo. — Mas com Málabu... durou uma vida inteira.

— Precisa ter esperança, amigão.

E Rurique apenas assentiu.

— Hora de ir, Tibor! — anunciou a voz grossa de Horácio.

Era de cortar o coração ver o amigo em tal situação, mas não podia demonstrar sua preocupação, por isso escondeu todo o sentimento por trás de um sorriso animador.

— A gente se vê amanhã, tá? — falou Tibor.

Tibor sabia que todos sentiam o mesmo que ele. Apesar de ser um mal necessário, uma culpa recaía nos ombros de cada um deles por deixar Rurique acorrentado a noite toda ali naquele curral. Era um sentimento de traição. Como se estivessem abandonando o amigo, o filho. Tibor tentava se convencer, a todo instante, que aquilo era mesmo para o bem do menino. O que realmente fazia diferença era a firmeza com que a avó lidava com a situação. Sem ela, era óbvio que ninguém levaria aquele plano adiante.

Tibor e Horácio saíram do curral cabisbaixos. Eulália ainda conseguiu dar um tchauzinho para o filho antes de o batente encontrar a porta. As trancas e os trincos cadeados foram travados com cadeados, um a um. Horácio deu a volta na casa, certificando-se de que todas as janelas estavam lacradas.

O menino foi trancafiado no curral.

— Agora vamos entrar — Gailde pediu a todos. — É melhor que não estejamos aqui fora quando ele se transformar. Do contrário, sentirá o nosso cheiro e ouvirá todos os barulhos que fizermos e isso não será bom para ele.

Horácio terminou de trancar tudo e foi até eles. De macacão jeans e botas, trazia consigo o molho de chaves de todos os cadeados e também uma espingarda carregada.

— O que é isso? Para que precisa disso? — Assustou-se Eulália, ao ver a arma.

— Proteção — respondeu ele. — Essa era a minha condição para vir ajudar. — E olhou para Avelino, buscando uma confirmação.

— O quê? — indignou-se a mãe de Rurique. — Você concordou com isso, Avelino? — E a alegria que voltara a reinar no dia a dia dos Freitas rapidamente se transformou em desespero novamente. — Ele é só um menino! — exclamou Eulália em pânico.

— É só um menino agora! — emendou Horácio, nem se dando ao trabalho de esconder a espingarda de dois canos. — Assim que a lua cheia despontar no céu essa noite, é melhor que essas correntes e esses cadeados bastem para segurá-lo lá dentro. Caso contrário, estamos todos perdidos!

Sem mais uma palavra e com os ombros pesados, entraram todos na casa, trancaram as portas, acomodaram-se na sala e esperaram a lua cheia brotar no céu.

22

EXPULSOS

A noite estampou no céu uma lua clara e enorme. De repente, ouviram Rurique gritar no curral. Avelino abraçou a esposa. Não podiam fazer nada para ajudar o filho agora. Os berros eram agonizantes, como se ele estivesse sofrendo uma dor extrema.

Tibor torcia para que não houvesse ninguém pelas redondezas naquele momento. Imaginou o que Antenor ou Queirós diriam se descobrissem o que estava acontecendo ali no sítio. Era certo que os chamariam de irresponsáveis ou coisa pior. E, com certeza, pensariam em submeter Rurique a práticas bem mais severas ou até em exterminar o lobo. Pelo menos, agora, o garoto estava ali com a família e os amigos.

Um ranger ruidoso de correntes agrediu os ouvidos de todos na sala. Rurique devia estar se debatendo em fúria para se soltar dos grilhões.

Não demorou muito para um uivo cortar a noite e, todos, sem exceção, assumirem expressões soturnas. Não era mais Rurique que estava no barracão ao lado. Havia um Lobisomem aprisionado em seu lugar.

O sítio tinha virado um fuzuê. As galinhas cacarejavam desesperadas dentro do galinheiro. A campana pendurada no pescoço de Mimosa badalava freneticamente, indicando o nervosismo da vaca, ao escutar o uivo do predador que agora ocupava seus aposentos.

Eulália chorava em silêncio na sala, com o rosto enterrado no peito do marido. Os dois não conseguiam acreditar que aquele som infernal vinha do próprio filho. Horácio chegou a verificar por três vezes se sua espingarda estava devidamente carregada e não parava de ir até a janela, obviamente rezando para que, a cada puxar da cortina, o cenário lá fora continuasse o mesmo. Gailde fazia o máximo para manter a calma e tranquilizar os demais. Tibor e Sátir tentavam fazer o mesmo, para apoiar a avó e o tratamento de Rurique.

Mais uivos. Dessa vez, com doses extras de raiva. O lado licantropo de Rurique ficava cada vez mais irritado com as correntes que restringiam seus movimentos.

Não havia mesmo o que fazer a não ser esperar, enquanto escutavam os arranhões na madeira, o tilintar das correntes e rosnados ameaçadores. Mas nada mais além disso. O frio da madrugada enregelava a todos, que se recusavam a pregar os olhos. Sátir acendeu a lareira para esquentar o ambiente e Tibor ajudou a avó a servir um caldo verde bem quente.

Assim prosseguiram, até que os sons provocados por Rurique diminuíram. Aos poucos, o intervalo entre um uivo e outro foi ficando mais espaçado, até não haver mais uivo nenhum e o sol raiar, iluminando todo o sítio.

Dona Gailde abriu a porta da frente e saíram da sala para a manhã ensolarada do lado de fora. Da boca de todos exalava o vapor da respiração em contato com o ar frio, mas ninguém parecia dar atenção ao frio que eriçava os pelos dos braços, das pernas e da nuca. Só queriam ver como estava Rurique.

Horácio destravou apenas os cadeados e trancas da porta da frente do curral. E lá estava o menino caído no chão. Estava ofegante e encharcado de suor. As roupas limpas que vestira eram apenas trapos. O chão de terra estava todo arranhado por garras enormes.

Soltaram o menino, que olhava para todos, confuso. Parecia não saber muito bem o que estava acontecendo. Seus pulsos e tornozelos estavam em carne viva. Gailde o examinou e pediu que os pais a ajudassem a levá-lo para dentro de casa. Ele precisava se alimentar, tomar banho e descansar.

Horácio e Tibor verificaram as correntes. Um dos ferrolhos se soltara da parede e outros dois estavam frouxos. Era preciso consertar tudo ou não segurariam o lobo na próxima noite.

Mais tarde, a avó tomou nota das lembranças que Rurique tinha da transformação e do tempo que passara como lobo. Ela fez algumas anotações na caderneta em que costumava registrar suas receitas e deixou o garoto descansar. Assim que terminaram, Rurique começou a roncar. Enquanto isso, Dona Gailde foi até a cozinha e voltou a se concentrar no preparo da fórmula que daria ao garoto na próxima noite. Tibor ficou assistindo a avó trabalhar por um tempo e a viu acrescentando ingredientes novos à receita.

Rurique teve pouco tempo entre a hora em que acordou e a que voltou para o curral. Mas aproveitou seu tempo livre para se juntar aos amigos na grama. Ficaram os três deitados de barriga para cima, deliciando-se com os últimos raios de sol daquele dia. Admiraram a mudança nas cores do céu. Fachos de luz passavam por entre as nuvens, pintando um teto multicolorido sobre suas cabeças. Na visão de Tibor, o céu se parecia muito com um gigante Galafuz, a entidade que fazia a guarda de todo o reino aquático. Os Galafuzes eram as sentinelas de Naara, a sereia, que tinham conhecido no ano anterior.

Ao final da tarde, Rurique foi colocado de volta no curral. Passaria ali mais uma noite de terror. Quando a lua cheia apontou no firmamento, o primeiro uivo enregelante cortou a noite e um bando de pássaros assustados voou para longe, como se soubessem que uma fera rondava o lugar.

Rurique parecia mais feroz que na noite anterior. Suas investidas contra a corrente eram mais violentas. Era possível perceber todo o curral vibrando com a fúria do lobo, como se estivesse prestes a ser arrancado dos seus alicerces.

A madrugada chegou e partiu, dando lugar, mais uma vez, ao sol da manhã e ao alívio no coração de todos. Olheiras profundas demonstravam o cansaço de Tibor e de todos os outros, que já estavam havia dois dias sem dormir. Dona Gailde, mais uma vez, anotou as sensações de Rurique e passou toda a tarde trabalhando num novo composto de ervas, enquanto o menino descansava no quarto de Tibor.

Eulália e Avelino aproveitaram a luz do dia e o sono de Rurique para dormir um pouco e recuperar as energias. Tibor chegou a tirar um leve cochilo também, mas nenhum sono que lhe trouxesse sonhos. Horácio foi visitar a esposa Janaína e seu filho Flavinho, para conferir se estava tudo bem com a família. Sátir recebeu a visita do namorado, que tinha vindo avisá-la dos rumores que rondavam Membira sobre os uivos frequentes do Lobisomem. A menina não conseguiu esconder de Pedro o que estavam fazendo com Rurique e o menino prometeu não falar nada a ninguém. Depois contou também que os pesadelos eram cada vez mais frequentes na vida dos moradores da região e já era comum ver pessoas desmaiando na rua devido à fraqueza causada pela falta de sono.

Tibor, quando soube, não pôde deixar de odiar um pouco mais suas tias-avós. Aquilo tudo era obra delas. Tanto o lobo quanto os pesadelos.

A terceira noite foi um pouco pior. O efeito do remédio preparado por Dona Gailde pareceu deixar Rurique mais fora de si. O lobo enlouqueceu e a impressão era de que derrubaria o curral. Os trancos que dava nas correntes eram mais violentos e persistentes que na noite anterior. O lobo queria se soltar a todo custo.

Horácio não desgrudava da espingarda e andava de um lado para o outro na sala, pronto para qualquer emergência. Ninguém tinha dúvida de que o lobo poderia se soltar a qualquer momento.

Mas, mais uma vez, a noite passou sem que nada de mais grave acontecesse. Só tiveram que reforçar as correntes. Rurique tinha quase se soltado, arrancando-as das paredes, com parafuso e tudo.

Tibor mais uma vez observou a avó de pé na cozinha, concentrada na sua fórmula. Dona Gailde picou um mundaréu de folhas, misturou tudo e jogou numa panela. Depois amassou frutinhas que o menino nunca tinha visto e acrescentou-as aos outros ingredientes.

— Vó! — chamou o neto a certa altura. — Precisa descansar um pouco.

Ela apenas concordou com a cabeça, sem parar o que estava fazendo. Parecia nem escutá-lo, tão concentrada estava no seu elixir.

Naquela tarde, levaram Rurique outra vez para o curral. O menino despediu-se dos amigos e o desespero em seus olhos dizia muita coisa: "Socorro! Me tirem dessa! Não aguento mais!". Mas ele sabia, tanto quanto os outros, que aquela provação era necessária. Ao entrar no curral, tomou o composto preparado por Dona Gailde e quase vomitou. Dava para sentir de longe o cheiro forte da nova mistura. Mesmo assim, Rurique se esforçou para manter o líquido no estômago, onde fermentaria e agiria em prol da sua cura.

Os uivos vieram como das outras vezes, mas algo novo aconteceu. Eles não foram tão constantes quanto na noite anterior. A certa altura, o lobo ficou um bom tempo sem uivar ou mesmo puxar as correntes. Eulália chegou a se perguntar, em voz alta, se o filho teria pego no sono.

Mas, antes de a noite terminar, tomaram um susto ao ouvir um baque forte na porta do curral. Todos na sala tiveram um sobressalto e Horácio ficou pálido ao olhar pela janela.

— Ele se soltou! — declarou, engatilhando a arma e correndo para a porta da frente.

Ao abrirem a porta, Tibor conseguiu ver apenas um borrão negro saltando a porteira e sumindo por entre os arbustos.

— Isso foi um erro, Dona Gailde! — reclamou Horácio, enquanto corriam para fora. — Eu disse que seria um erro! — Ele parecia tão nervoso que não hesitaria em atirar se o lobo ainda estivesse por ali.

As correntes tinham sido forçadas até se desprenderem das paredes e os braceletes de metal jaziam no chão, agora inúteis.

— Acalme-se, Horácio! — pediu Gailde. — Ele não irá muito longe.

— Como pode saber? — retrucou Horácio, buscando um argumento que o tranquilizasse.

— Já está quase amanhecendo — disse ela.

Nesse instante, Tibor encontrou algo, no curral, que fez brotar um fio de esperança em seu peito. Numa das lascas de madeira que se soltara da parede, havia uma forma humanoide esculpida. A figura era tão rústica que poderia ser apenas obra do acaso, mas também poderia significar que o chá de Gailde estava surtindo algum efeito sobre o amigo. Rurique tinha talento para a marcenaria e talvez tivesse entalhado a lasca de madeira num momento de lucidez, mesmo transformado em lobo.

Horácio passou o dia todo longe do sítio. Foi visitar a família e depois procurar Rurique pela vizinhança. Mas, no fim da tarde, viram com espanto Rurique entrar sozinho pela porteira, todo esfarrapado.

— Rurique! — chamaram Tibor e Sátir juntos, da soleira da porta.

Os irmãos foram correndo até ele e ajudaram o amigo cambaleante a chegar até a porta da frente.

— Não me sinto muito bem... — avisou o menino. — Comi carne podre!

E, todos na vila souberam, mais tarde, que alguma criatura havia se alimentado das últimas cabras mortas do velho Benson, que estava retirando a lã dos animais antes de enterrá-las.

Dona Gailde explicou, na cozinha, que aquela tinha sido a fórmula que mais se aproximara de uma cura. Mais até do que tudo o que já tentara com João Málabu. Descobriram que Rurique tinha realmente modelado a figura de um homenzinho na madeira, pois, segundo ele, suas garras de lobo eram muito boas para esculpir. Ele contou também que, ao se soltar das correntes, o seu primeiro pensamento tinha sido "matar a fome". Disse que chegou a pensar em Mimosa, mas desistiu ao imaginar que não teriam leite para o café da manhã. Correu, então, a esmo pela vila, para encontrar alguma coisa e se deparou com as cabras mortas dos Benson. Não teve dúvida: atacou-as com voracidade. Só não imaginava que estivessem mortas havia um tempo, pois o chá de Dona Gailde provavelmente tinha entorpecido o seu faro.

As notícias até que eram animadoras. Rurique parecia ter conseguido raciocinar na pele de lobo. Chegara até a esculpir um toco de madeira e optar por não se alimentar de Mimosa. Era um progresso.

Eulália beijou o filho inúmeras vezes e Avelino o abraçou como se fosse quebrá-lo ao meio.

E lá se foi Dona Gailde se debruçar sobre o caldeirão, para preparar um novo xarope para o menino. Era evidente que ela precisava de um descanso, mas nem por um segundo pensou em largar sua tarefa antes de terminá-la. Só se deu ao luxo de tirar uma pestana após servir a nova bebida ao garoto e colocá-lo de volta no curral. Tibor e os outros dois homens estavam cheios de machucados nas mãos, por causa dos consertos de emergência que fizeram para fixar as correntes de novo.

O lobo uivou com a chegada da lua cheia, mas se manteve quieto pelo resto da noite. Tibor imaginou, curioso, um lobo enorme e comportado sentado no meio do curral, mas não teve coragem de ir lá espiar. Horácio, que também voltara para o sítio no final da tarde, não permitiria que ninguém saísse antes do amanhecer.

Dona Gailde, finalmente, conseguira. Achara um composto capaz de conter o lobo. Rurique não tentou romper as correntes ao longo das outras duas noites. E, quando a semana da lua cheia acabou, todos ficaram aliviados. Teriam mais três semanas de paz até que a lua voltasse a despontar plena no céu.

As noites de lua minguante instauraram uma nova atmosfera no sítio. Os Freitas voltaram para casa. Os machucados de Tibor melhoraram muito e ele pôde convidar Rurique e Pedro para brincar de luta com as espadas de madeira. Tibor tinha achado as duas, esculpidas por Rurique no primeiro ano dos irmãos Lobato no sítio. Uma delas continuava inteira e a outra fora quebrada na batalha do Oitavo Vilarejo. A luta com as espadas era uma velha brincadeira que lhes rendia boas risadas. Pedro era péssimo e Rurique ainda dava um banho em qualquer um.

Sátir também aproveitou a melhora do amigo Rurique. Os dois passaram uma tarde só comendo mangas no pé e conversando. Bastava surgir um assunto que culminasse em discussão e Sátir dizia que a solução só poderia ser à base de bofetadas. Rurique gargalhava com a falta de paciência costumeira da amiga.

Tapioca ainda não tinha aceitado a amizade de Rurique. Toda vez que o menino tentava se aproximar, recebia um rosnado que prenunciava uma dentada, caso o menino ultrapassasse algum limite. O cachorro acabou aprendendo a tolerar a presença do menino, mas ficava o tempo todo de orelha em pé, atento a cada movimento de Rurique.

Dona Gailde pôde, enfim, descansar. Os dias combatendo a licantropia tinham lhe aprofundado os vincos no rosto, mas os sorrisos sinceros e bem-humorados davam a todos a certeza de que ela seria capaz de enfrentar tudo de novo com a mesma garra.

Na madrugada do dia 20 de março, Tibor acordou com alguém gritando e batendo forte na porta do sítio. Quando desceu as escadas, percebeu que fora o último a acordar. A avó já abria a porta, com uma Sátir descabelada ao lado dela, para ver quem era o responsável por aquele escarcéu.

— Dona Gailde! — disse Antenor, sem fôlego, no umbral da porta, usando suas costumeiras calças cáqui e botas pretas até o meio das canelas. — Arrumem suas coisas e venham comigo! Depressa!

— O que aconteceu? O que está havendo, Antenor? — quis saber a avó, ajeitando as mechas soltas do coque.

— Membira foi atacada! — anunciou ele, falando rápido. — Todos os moradores que conseguiram escapar foram expulsos de suas casas e colocados para fora do muro. — Dona Gailde e os netos arregalaram os olhos, surpresos. — Um exército de criaturas está espalhando o pânico daqui da Vila do Meio até Pedra Polida. — Antenor soltou uma lufada de ar antes de complementar. — É hora de abandonar o sítio!

Por cima do ombro do homem careca, Tibor viu, do lado de fora da porteira, um amontoado de gente carregando malas e mochilas. Entre eles, Pedro Malasartes com a mãe e o cachorro e também Rurique com os pais.

23

FELICITAÇÕES NA FLORESTA

— Abandonar o sítio?! — repetiu Tibor. — Mas nós...

— Tibor, Sátir — interrompeu-o a avó —, vão para o quarto de vocês, peguem somente o necessário, coloquem numa mochila e me encontrem aqui na sala em dois minutos!

— Só pode estar brincando, vó!

— Faça o que mandei, Sátir — ordenou Dona Gailde, séria, indo para a cozinha.

Os dois irmãos subiram as escadas e fizeram o que a avó mandou.

Tibor foi muito prático. Enfiou na mochila algumas roupas, a lanterna e um canivete. Fechou o zíper e então passou os olhos pelo quarto. O que estavam fazendo? Abandonando o sítio?

— Vamos, maninho! — chamou a irmã com a mochila nas costas, passando por ele no corredor.

Um urro alto, no meio da noite, os pegou de surpresa. Parecia uma trombeta grave, soprada num lugar não muito distante dali. Isso causou um certo rebuliço nas pessoas que aguardavam os Lobato do lado de fora do sítio.

— O que foi isso? — perguntou Sátir, já na sala, ao lado do irmão. Ambos esperavam a avó descer com seus pertences, para partirem.

— Eles são chamados de Bradadores — explicou Antenor. — Criaturas enormes que soltam um brado quando estão chegando. — Os irmãos se entreolharam assustados. — É logo após esse aviso que o pandemônio se inicia.

Dona Gailde desceu as escadas, trazendo na mão apenas uma maletinha.

— Onde estão suas coisas, vó? — quis saber a neta.

— Isso é tudo que vou precisar, Sátir — respondeu ela, descendo o último degrau da escada.

Outro urro, agora mais próximo, fez todas as vidraças da casa vibrarem. Tibor sentiu até uma trepidação no corpo todo, fazendo a ponta do seu nariz coçar.

Todos se entreolharam, receosos.

— Solte as galinhas e a Mimosa, Tibor! — ordenou Dona Gailde.

— O quê? — espantou-se o garoto, sem acreditar no que a avó pedia.

— Não vamos conseguir levar os animais conosco, mas daremos a eles uma chance de sobreviver na floresta — explicou ela.

Tibor recebeu aquela missão com muito pesar. Não queria se desfazer dos animais do sítio. Eram parte dali. Parte dele. Que exército era aquele que estava chegando e expulsando as pessoas de suas casas? Ele não queria deixar o sítio. Mas estava sendo obrigado. Sentiu ainda mais ojeriza da sua tia-avó.

Abriu o galinheiro depressa, enquanto Gailde trancava a casa. Sátir ajudou, espantando os galináceos até a orla da mata, enquanto o irmão conduzia Mimosa pelo gramado, puxando-a por uma corda. Tudo feito às pressas.

— Por favor, sejam rápidos! — pediu Antenor, assim que um terceiro urro irrompeu no ar. Em seguida, ele saiu andando na direção da horda que o aguardava, composta de mais de cinquenta pessoas.

Tibor revisou mentalmente o conteúdo da sua mochila, certificando-se de que pegara tudo o que era importante. Assim que viu Mimosa embrenhar-se no mato irritou-se consigo mesmo por estar se desfazendo de uma amiga que lhe dera seu leite e sua companhia por todo aquele tempo. Amava Mimosa. Não queria que ela partisse, mas também não queria que nada acontecesse à vaca ou às galinhas, galos e pintinhos. Mas não tinha certeza de que estariam seguros na floresta. Não eram animais acostumados a viver soltos. Parecia a Tibor que deixá-los ficar ou instigá-los a partir dava no mesmo: era entregá-los à morte. O menino não conseguia pensar numa solução que não fosse uma dessas duas opções. Então se limitou a fazer o que a avó pedira.

Tibor passou pela porteira do sítio e não pôde deixar de olhar para trás. Poderia ser a última vez que pousava os olhos verde-folha naquele sítio. Os inimigos ainda nem tinham chegado e, só com a menção da sua presença, já tinham se apropriado de um lugar sagrado para ele. Mesmo em meio à noite escura, conseguiu contemplar o casarão com sua varanda, suas portas e janelas de madeira. Viu a janela do seu quarto. Quantas vezes tinha parado ali, diante da vidraça, para contemplar a paisagem? Olhou para a árvore que ficava na frente do quarto da irmã. Conseguiu ver, por entre os galhos, a casinha de madeira que Málabu havia ajudado a construir num aniversário de Sátir. A casa da árvore era o mesmo local em que tinham ajudado Rurique a estudar para as provas de recuperação na escola. E também onde Tibor e Rosa Bronze trocaram o seu primeiro beijo. Depois, os olhos de Tibor se fixaram na pilha de pedras que marcava o local onde o amigo João fora enterrado.

Pensando em João Málabu, o menino se deu conta de que já tinha passado por algumas situações que mostravam quanto era difícil dizer adeus. Quanto era complicado se despedir. Colocou a mão na porteira de madeira e olhou para cima. A plaqueta, esculpida pelo amigo Rurique, estava pendurada no alto e isso trouxe à sua memória mais outros tantos dias bons vividos ali.

Percebeu a irmã ao seu lado. Os dois trocaram um olhar cheio de significado. Ao atravessar aquela porteira juntos, no interior do carro velho de Raul, tinham começado uma vida completamente nova. Uma vida ao lado da avó e do amigo Rurique. Uma vida longe do Orfanato São

Quirino. Uma vida que lhes devolvera a alegria. Uma alegria roubada dos dois no momento em que os pais morreram num incêndio.

Tibor não pôde deixar de perceber a ironia. Ao cruzar a mesma porteira que os levara a uma vida de alegria, eles estavam deixando toda essa alegria para trás.

Não podia ser verdade. Tibor não queria acreditar que estavam abandonando o sítio. Jurou para si mesmo que um dia iriam voltar.

Dona Gailde foi até os netos e, arrancando os dois dos seus devaneios nostálgicos, puxou-os na direção do grupo, para seguirem viagem juntos pela estrada.

Sátir aninhou-se a Pedro e Tibor foi para junto da família de Rurique. A pequena multidão exalava medo e incerteza e, agora, Tibor fazia parte dela. O sentimento que os unia era o temor de "nunca mais voltar". Não tinha outra opção senão caminhar, confiando no homem careca que os conduzia.

— O que foi que aconteceu, pode me dizer? — perguntou Dona Gailde a Antenor, que seguia na frente, liderando o grupo. Tibor e Sátir iam logo atrás, junto de Pedro e Dona Lívia, Rurique e seus pais. Todos se calaram para escutar a resposta do homem.

— Um ataque noturno! — começou ele, olhando para todos os lados, preocupado com a estrada. — O povo de Membira e de outras regiões está mais fraco por causa dos estranhos pesadelos. Eu mesmo tive alguns e não consegui voltar a dormir — contou ele. — Acho que isso enfraqueceu os vigias do muro e eles foram atacados. As criaturas da bruxa vieram do leste, passaram pelo muro e invadiram ruas e casas. Ferindo, expulsando e aterrorizando as pessoas.

— Muitos não sobreviveram — comentou Dona Lívia, entrando na conversa. — Foi horrível! Tive o ímpeto de fugir de casa pela janela, quando vi aquelas coisas horrendas arrancando a família do padeiro de sua própria casa. — Ela fungou, como se chorasse baixinho. — Não tenho certeza se resistiram. E não pudemos fazer nada.

— Precisamos sair da estrada — falou Antenor, relembrando os ataques ferozes que presenciara. — Somos presas fáceis aqui.

O grupo estava agitado. Tibor notou que alguns deles carregavam trouxas nas costas aparentemente feitas às pressas com lençóis. Outros não tinham nada além da roupa do corpo e muitos vestiam pijama. Alguns tinham escoriações no corpo e todos — sem exceção — ostentavam olheiras profundas nos semblantes derrotados. A maioria exibia sinais de luta e tinha uma expressão de choque no rosto.

— Que tipo de criaturas você viu? — quis saber Tibor, no momento em que Antenor deixou a estrada de terra e penetrou na mata, fazendo todo o comboio segui-lo por uma trilha na floresta.

— Vi de tudo! — revelou ele. — Além dos Bradadores e dos homens que foram pagos pra trabalhar pra ela, há criaturas que ninguém nunca viu por estas bandas. Os forasteiros que apareceram no ano passado não são nada perto do número de criaturas que estão vindo de longe.

Tibor sabia que o Gorjala e o boto Humbertolomeu eram dois dos forasteiros a que Antenor se referia.

— Ouvi dizer que algumas bruxas foram vistas pelas ruas de Membira — disse uma mulher que estava próxima a eles e escutava a conversa com atenção.

— Sou de Pedra Polida — falou um jovem, ao lado da mulher. — Vi coisas estranhas saírem da água também. Minha vila foi dizimada e eu me perdi da minha família. Não sei se conseguiram se salvar.

Dona Gailde observou as pessoas do grupo, todas com o semblante carregado de pesar. Ver tantas pessoas afetadas pela maldade da irmã lhe causava uma grande tristeza, mas, ainda assim, ela conseguia se manter tranquila, passando segurança para quem estava ao seu lado.

— Onde está Horácio? — ela perguntou a Antenor.

— Não sabemos dele, Dona Gailde — respondeu o homem, abrindo caminho com um facão e esmagando o mato alto com as botas. — Passamos pela cabana dele na floresta e ela estava vazia. Estava tudo revirado e quebrado, mas nem ele nem Janaína e o filho estavam lá.

Mais um brado cruzou os ares. Por alguns instantes, o comboio inteiro parou de andar para tapar os ouvidos. Logo em seguida, ouviram gritos ao longe e o ruído de construções e telhados indo abaixo e vidros sendo estilhaçados.

— Para onde estamos indo? — quis saber Sátir. Tibor percebeu que a irmã não queria, assim como ele, imaginar o sítio sendo destruído.

— Precisamos nos reagrupar — explicou Antenor. — Existem mais dois grupos de pessoas resgatadas dos ataques. Meu pessoal está reunindo essas pessoas no meio da floresta. Temos de ficar juntos.

Andaram por mais de uma hora, mata adentro. O facho de muitas lanternas apontava para cantos diversos. Mesmo com o grupo em silêncio, o barulho dos passos de tantos pés sobre a camada de galhos secos no chão era ruidoso. A certa altura, alguns começaram a reclamar de fome, sobretudo as crianças. Ao ver uma árvore bem parecida com uma bananeira, mas com o cacho de bananas ao contrário, veio à mente de Tibor o Negrinho do Pastoreio e as frutas da mata que ele havia colhido para Tibor. O menino foi, então, até a bananeira e colheu o cacho de bananas-de-macaco. Não eram muitas, mas dava para alimentar as crianças e adolescentes do grupo. Antenor deu os parabéns a Tibor e disse que ele seria muito útil na linha de frente contra o exército da Cuca. Tibor preferiu não dizer nada. Algo dentro dele lhe dava a certeza de que aquele não era seu caminho. De que precisava estar em outro local que não aquele.

— Precisamos descansar! — gritou um senhor de idade, meio encoberto pelos outros membros do grupo. Com essa reivindicação, outras vieram. Muitos pediam um tempo para descansar, mas alguns preferiam continuar a caminhada.

O velho que pedira para descansar saiu do meio do grupo e foi até Atenor.

— Escuta aqui, seu moço — ralhou ele, com o dedo em riste e a voz rouca. Tibor o reconheceu. Era o velho Benson, que fornecia leite de cabra e café para todos os vilarejos. — Estamos todos chocados com o que aconteceu. Temos sorte de estarmos vivos! — disse ele, nervoso e com uma pitada de ironia. Antenor apenas o observou enquanto falava. — Mas, nesse ritmo, você vai acabar matando mais alguns de nós. Eu e minha esposa não temos mais idade para esse tipo de aventura na floresta.

Mais reclamações vieram da multidão, mas Antenor ignorou-as.

— E o que o senhor sugere? — perguntou ao velho fazendeiro.

— Ora, é madrugada! — vociferou ele, mostrando as pantufas que ainda usava. — Já nos embrenhamos nesta floresta. Não acho que esse bando de filhos da mãe vai nos encontrar aqui. Talvez não faça mal pararmos aqui para dormir um pouco.

Mais objeções se fizeram ouvir, aumentando o burburinho. Antenor levantou os braços, pedindo calma.

— Somos um grupo, pessoal! — começou ele. — A intenção é nos mantermos unidos para sobreviver. Portanto, aqueles que preferem continuar, levantem as mãos. — Muitos braços apontaram para o alto. — E, agora, aqueles que gostariam de descansar até o amanhecer levantem as mãos. — Um número maior se manifestou. — Está decidido! — determinou ele, olhando em torno. — Dividam entre vocês seu suprimento de água. Ajeitem-se nas árvores próximas. Não quero ninguém distante do grupo. Precisamos tomar conta uns dos outros.

Todos colocaram seus pertences no chão e começaram a procurar um lugar para descansar, causando um certo alvoroço. Antenor selecionou algumas pessoas para revezar a vigília.

— Assim está bom, vó? — falou Sátir, usando sua mochila para apoiar as costas de Dona Gailde. Depois a menina olhou para Tibor. — Venha, maninho. Vamos nos ajeitar por aqui.

Aos poucos, o amontoado de gente foi se acomodando para o cochilo e logo tudo o que se ouvia eram suspiros profundos e o ressonar daqueles que já dormiam a sono solto.

— Não consigo dormir. São os pesadelos — falou uma garotinha na multidão.

— Shhh. Procure descansar! — recomendou uma mulher ao lado dela.

— Ei, maninho! — chamou Sátir. — Sei que não é o melhor momento, mas eu queria te desejar feliz aniversário...

E Sátir deu um abraço apertado em Tibor.

— Não era bem assim que eu imaginava comemorar o meu aniversário — confessou ele.

— Mas, na situação em que estamos — comentou Rurique, a poucos metros dos dois —, acho que é bom receber votos de felicidade, não acha?

— É verdade — concordou Sátir. — Felicidades, maninho!

— Obrigado... eu acho — agradeceu Tibor.

— Ei, meu neto! — chamou Dona Gailde. — Sabe que, em outras circunstâncias, eu lhe faria um bolo, não sabe? Já tinha até deixado os ingredientes separados. Ia ser um bolo de cenoura com cobertura de chocolate, mas... — Ela acariciou o rosto de Tibor. — Acho que vou ter que concordar com Rurique e me contentar em lhe desejar felicidades. O bolo fica para depois.

O menino retribuiu com um sorriso que fez surgir duas covinhas em suas bochechas.

— Felicidades, Tibor! — desejou Pedro, de outro canto.

Mesmo que fossem apenas votos, Tibor se sentiu mais fortalecido. Os inimigos podiam ter lhe tirado a casa, mas ele ainda tinha o que havia de mais precioso. A família. Os amigos. Tibor sentiu que, na verdade, isso era o que havia de mais importante em sua vida.

E os amigos, familiares e conhecidos que estavam ao seu lado buscaram seus melhores sorrisos, mesmo em meio a todo aquele flagelo, e lhe felicitaram pelos seus 16 anos de vida.

Fazia um tempo que Tibor não sonhava. Não sabia nem se podia chamar aquilo de sonho, porque parecia mais um aviso.

No sono, viu-se na mesma mata. Sentado ao lado da mesma árvore. Mas era dia. Uma manhã bonita. Pássaros cantavam suas melodias. Com os olhos semicerrados, Tibor viu agachado ao seu lado um homem usando uma espécie de paletó preto, com uma gola que lembrava a batina de um padre. Viu que as barras da calça do homem eram curtas e só iam até o meio das canelas. As mangas do paletó também terminavam bem acima dos pulsos. Ele pôde notar que os braços e pernas do homem eram extremamente brancos, como se sua pele nunca tivesse sido exposta ao sol.

E, então, Tibor se deu conta de que ele sussurrava alguma coisa.

— Está quase na hora de partir — disse o homem, com uma voz que mais parecia uma brisa que formava palavras. — O guia vai aparecer e você precisa reconhecê-lo. Ele pode se manifestar da forma mais improvável. Mas verá como o destino é certeiro. O improvável, muitas vezes, é o que o define.

— João Pestana? — pensou Tibor. — É você?

Em vez de responder, o homem se levantou e correu floresta adentro. Tibor o seguiu com os olhos, até ele sumir no meio da mata.

— Ache o local neutro antes que ela impeça que os grãos certos cheguem até você. — Estranhamente, a voz ainda soava do seu lado esquerdo, como se o homem de terno preto lhe sussurrasse ao pé do ouvido. — Isso é importante — continuou. — A Pisadeira não pode transformar o mundo dos sonhos em terra árida. Ela não pode.

Nesse momento, o menino viu uma sombra gigantesca escurecer toda a floresta. Ele olhou para o céu e viu a sola de um pé descomunal descendo rápido para pisotear todos ali, como se fossem insetos. A sola era quase uma montanha. Era o pé cascorento da Pisadeira, mas do tamanho de um pequeno edifício. O menino mal teve tempo de se proteger e o grande pé o esmagou.

E, num sobressalto, Tibor acordou.

O dia 20 de março raiou e, junto com ele, vieram algumas surpresas nada agradáveis. Tibor ainda refletia sobre o aviso que recebera enquanto dormia e se recuperava do susto que levara ao perceber o pé gigantesco descendo do céu para esmagá-lo. Seus pensamentos se dispersaram quando ouviu Antenor discutir com alguns de seus homens.

— Não é possível que tenham fugido! — dizia, indignado, o homem careca. — O que eles têm na cabeça? Coloquei os três para fazer a vigília ontem. Por qual motivo fugiriam pela floresta? — vociferava ele.

— E eles não foram sozinhos — revelou um dos homens.

— Como assim? — perguntou ele. A careca lustrosa reluzia ao sol, cujos raios se infiltravam por entre as folhas das árvores.

— O grupo está menor — explicou outro. — Pelas minhas contas, mais de dez foram embora com eles.

Tibor se levantou num salto e olhou em volta. Reparou que o grupo de fato parecia bem menor. Sumiços como aquele sempre tinham um motivo macabro na quaresma.

— Acorde todos que ainda dormem e descubra para onde os outros foram! — mandou Antenor — Interrogue um por um. Alguém deve ter visto alguma coisa.

E Tibor notou algo que não fazia sentido.

— Ei, Antenor! — chamou ele, atraindo a atenção do líder. — Escutei o que disseram sobre as pessoas que fugiram.

— Você viu alguma coisa, jovem Lobato? — questionou o homem, com firmeza.

— Não, mas veja isso — disse o garoto, apontando para algumas trouxas abandonadas, incluindo um par de pantufas. — O Senhor e a Senhora Benson não estão aqui. Acha mesmo que eles caminhariam pela floresta? Os dois pareciam bem cansados.

— Ei, pessoal! — disse outro refugiado. Tibor o reconheceu. Era o rapaz que examinara as cabras drenadas dos Benson. — Talvez... — começou ele, incerto do que diria a seguir. — Talvez nós é que fugimos.

— Mas que loucura é essa que está dizendo, Josepe? — interpelou Antenor.

O rapaz coçou o braço e passou a mão na franja, sem jeito. Parecia não acreditar nas próprias conclusões que tirava.

— Pode parecer loucura, Antenor. Mas essa não é a mesma floresta em que paramos para dormir. — Todos inspecionaram a floresta para verificar se o que o jovem dizia tinha cabimento. — Ela é muito diferente de onde paramos. Vejam!

De fato agora havia espaços amplos entre as árvores. Só havia uma árvore aqui e outra ali. E todas pareciam ser da mesma espécie. Altas e majestosas. O tronco formado por vários pequenos caules, que se juntavam, formando um só. A copa das árvores era imensa e se estendia num raio de dez a quinze metros, o que criava um dossel de folhas verdes que encobria o sol. Vários cipós desciam até o chão, que era duro e coberto de raízes. Não havia relva, nem arbustos. Só grossas raízes, que se entrelaçavam, formando uma infinidade de lombadas.

— Mas como isso pode ter acontecido? — disse um dos desabrigados. — Então, onde é que estamos?

— Eu não sei — concluiu Antenor. — Mas, se alguém souber de alguma coisa, a hora de dizer é agora! — Ninguém se pronunciou. — Ninguém viu nem ouviu nada suspeito? — quis saber ele, perguntando a todos. Mais uma vez, não obteve nenhuma resposta. — Então peguem suas coisas! Seguiremos para o sul.

Caminharam várias horas por entre as árvores frondosas. Vez ou outra, enfiavam os pés num vão entre as raízes e tropeçavam. A família de Rurique parecia cansada, mas Avelino e Eulália andavam abraçados ao filho. Não podiam nem pensar na hipótese de perdê-lo outra vez.

Pedro Malasartes andava com disposição e isso sempre espantava Tibor. O amigo, mesmo com uns quilinhos a mais, era sempre quem estava mais animado para atividades que exigissem esforço físico. Aguentava longas caminhadas, assim como a mãe, que acompanhava o grupo sem se incomodar com as raízes, como se andasse em terreno liso.

Dona Gailde tinha o auxílio de Sátir. A menina cedera o braço para que a avó pudesse se apoiar, enquanto a ajudava a pisar nos lugares mais seguros.

Tibor só queria encontrar um espaço aberto para ver o céu. A copa das árvores criava um imenso teto que parecia não ter mais fim. O aviso de que aquele não era o seu caminho ainda lhe voltava à mente com frequência. E os sussurros tão reais do homem de terno preto ainda soavam no seu ouvido. Não entendia por que sentia isso, mas algo naquilo tudo parecia extremamente errado.

— Ei, tem alguém aqui! — gritou uma voz.

Antenor correu para o lugar de onde tinham gritado e Tibor, curioso, foi logo atrás.

Havia um corpo caído no chão. Parecia uma mulher. Todos observaram quando Antenor se adiantou e virou a pessoa, que estava deitada de barriga para baixo, por entre as raízes.

— A Moura — disseram os lábios de Tibor, instantaneamente.

A cigana estava imóvel e com os olhos vidrados.

— Está morta! — confirmou Antenor, depois de tentar sentir a pulsação com dois dedos no pescoço da mulher.

Tibor chegou mais perto e percebeu que o homem careca tinha razão, a Moura estava mesmo morta. Uma inimiga a menos, pensou ele.

— O que é isso? — indagou Antenor.

Enfiado na boca da mulher havia algo preto.

— Parece que morreu sufocada — constatou Antenor, pinçando com os dedos o que estava enfiado na boca da Moura. Quanto mais puxava, mais confusa ficava sua expressão. — Parece... cabelo — disse, espantado. Continuou a puxar devagar. Fios negros não paravam de sair de dentro dela. Era uma cabeleira comprida, densa, emaranhada e escura, enfiada até o fundo da garganta da defunta.

24

GAMELEIRAS FAMINTAS

Um vozerio se espalhou pelo comboio. Por todos os lados, as pessoas cochichavam sobre o que tinham visto e sobre o que achavam que tinham visto. Outros repetiam o que tinham escutado ou o que tinham entendido e, assim, deu-se início a uma infinidade de teorias e relatos diferentes. Nenhum deles tinha muito fundamento e Tibor sabia que isso era o pior. "Todos temem aquilo que não conhecem!", pensou ele. E como haveriam de conhecer algo que enfiava cabelo na garganta das pessoas?

Ele não queria sentir pena da Moura, afinal, ela enganara seus pais com a história do acampamento de ciganos, em que ele morara grande parte da sua vida. Colocara Hana e Leonel numa armadilha para depois roubar o último Muiraquitã. No final, acabou por levar a Cuca até eles para completar o serviço. Tibor e a irmã nunca mais viram os pais vivos, novamente. Mas encontrar a Moura daquela maneira foi no mínimo tétrico. Os olhos, arregalados e revirados, causavam arrepios.

Tibor pensou que talvez a Moura merecesse aquele destino bizarro, mas não conseguia desejar aquilo para ninguém.

O dia do seu aniversário ficava ainda mais bizarro quando pensava que aquelas quase cinquenta pessoas tinham dormido numa floresta e acordado em outra! E para completar, Antenor os guiava para o sul. Onde esperava chegar, já que não estavam mais na mesma floresta?

— Ei, Antenor! — chamou Josepe. — Já faz duas horas que estamos andando nesta floresta. Acho que é hora de admitir que estamos perdidos, não acha? Pelo que entendi, o ponto de encontro com os outros grupos não era tão distante assim.

Antenor escutou, mas preferiu não falar nada e continuar andando. O homem careca parecia cansado. Mas Tibor admirava a persistência dele. Tinha sido amigo de seus pais e também uma vítima da Cuca. Perdera sua família inteira. Seus filhos, Noel, Mia e Lineu tinham sido algumas das quarenta crianças levadas pela tia-avó de Tibor, quinze anos antes. Muito provavelmente, faziam parte do grupo dos trasgos.

Tibor lembrou-se de Miguel Torquado. Da última vez que o encontrara, o menino era só uma lembrança do que já fora. Quase não sabia mais o que ou quem tinha sido em vida. Uma sombra de um ser humano.

E, mesmo tendo os filhos nessas condições, aquele homem não perdera a fibra para lutar. Ele se tornara uma inspiração para aqueles que precisavam de algo em que acreditar. Tornara-se uma luz no fim do túnel para aqueles que tinham perdido tudo. Era um norte para quem precisava de um rumo. E ali estava ele, conduzindo os sobreviventes de um dos muitos ataques de uma bruxa, depois de muitos anos de investidas injustas e consequências severas, de uma das quais ele próprio fora vítima.

Tibor observava os passos daquele homem, em meio às raízes das grandes árvores. Não tinham traço algum de desânimo. Ele lutava contra o próprio cansaço, determinado a manter acesa a chama de esperança no coração de todos ali.

Talvez por isso o homem careca achava tão irônico Hana Lobato ter chamado o próprio filho de herói. Antenor, sim, era um herói de verdade. Tibor só sentia o aviso de que deveria partir. De que seu próprio caminho não era naquele lugar e nem com aquelas pessoas. É como se, ali, estivesse perdendo tempo. Um tempo precioso. Seria isso uma grande covardia? Tibor achava que sim.

O menino teve a impressão de que a avó havia percebido essa necessidade nele. Por duas vezes a flagrou observando-o e, pelo seu olhar, sabia que ela de alguma forma o entendia. Mas para onde ele deveria ir? Se ao menos o aviso viesse completo, com endereço e horário de partida...

Ao passar por uma das grandes árvores, Tibor vislumbrou algo de canto de olho. Voltou dois passos para identificar o que era.

— Vlado? — chamou o menino, correndo até um homem cambaleante. — Sátir, me ajude aqui! — pediu Tibor. — É o Queirós. Ele está ferido.

Queirós vinha apoiando-se num dos troncos colossais.

— Maninho! — gritou Sátir de volta, agora alerta. — Esse daí não me parece o Vlado.

Tibor titubeou. Não era mesmo o amigo recente, dono do bar em Guará. Mas sim o seguidor da Cuca, que os prendera na caverna. O homem, que era muitíssimo parecido com Vlado, vinha andando até eles com dificuldade. Mancava e segurava o ombro, todo esfolado. Antenor fez menção de ir até ele prestar socorro.

— Não, Antenor — Tibor avisou. — Esse daí é um dos partidários da bruxa.

E a aproximação de Antenor foi agressiva. Dobrou o homem com um soco no estômago e, com a ajuda de mais dois parceiros, derrubou o sósia de Vlado no chão enraizado.

O grupo todo se postou ao redor do desconhecido. Antenor queria interrogá-lo. Precisavam saber que lugar era aquele onde estavam. Mas foi Tibor quem iniciou o interrogatório.

— O que está fazendo aqui, seu capacho de bruxa! — lançou o menino. — Que sorte você teve, não é mesmo? Achei que tinha virado comida de Lobisomem. — Tibor logo se arrependeu de ter dito aquilo. Ninguém, daquele imenso grupo sabia que Rurique era o Lobisomem. A não ser Antenor, que pousou os olhos em Tibor entendendo muito bem a que ele se referia.

O sujeito pareceu não se importar com as provocações do menino. Estava mais absorto na dor dos seus ferimentos.

— Responda a pergunta do garoto! — mandou Antenor, em tom de ameaça.

— Ela matou todos eles — revelou. — Todos.

— Você fala da Cuca?

Ele assentiu.

— Ela disse que aquele grupo não servia pra nada. E liquidou um a um, naquela caverna. Eu consegui fugir! — Tibor notou que o homem não parecia mais tão perigoso quanto antes. Estava bem assustado e olhava para todos os lados, preocupado.

— Quem é você? E o que faz aqui? — perguntou Antenor.

O homem cuspiu sangue no chão antes de responder.

— Me chamo Astor — respondeu e olhou para Tibor. — Astor Queirós. — O menino se espantou. — Vejo que conheceu meu irmão, não foi? — Então passou a rir como um demente. Os dentes amarelos, tingidos de vermelho. — Precisa escolher melhor os seus aliados, menino Lobato. Vlado não é melhor do que eu. Nem um pouco — disse, continuando a rir.

Antenor segurou-o pelos farrapos da camiseta, estropiada e suja.

— Eu perguntei o que você faz aqui! — rosnou, perdendo a calma.

Astor, o irmão de Vlado, encarou Antenor nos olhos e deixou de lado seu eu risonho para assumir uma postura tão agressiva quanto a do homem que o interpelava.

— Estou aqui pelo mesmo motivo que vocês — respondeu ele.

— Seja mais específico, homem! — gritou Antenor. — Chega de joguinhos!

— Estou aqui para morrer! — vociferou Astor. — Todos estamos aqui para isso. — E tornou a rir loucamente. — Por acaso conhecem essa floresta? *Ela* nos colocou aqui. Só pode ser isso. — Então mirou seus loucos olhos no grupo todo, com a intenção de assustá-los. — Todos nós vamos morrer aqui! — afirmou. E foi aí que Tibor viu que o homem, na verdade, não era tão parecido com o irmão. Vlado parecia, sim, alguém melhor que Astor.

Antenor pediu que lhe arranjassem algo com que pudesse amarrar o homem. Uma adolescente tirou da mochila um longo pedaço de cordão de varal.

Prenderam Astor a uma árvore e o homem continuou dando sua risada, como se tivesse perdido de vez a razão.

— Não gosto nem um pouco disso — murmurou Josepe para Antenor.

— E o que quer que eu faça? Que eu o mate? — o homem devolveu. Depois voltou-se para o grupo. — Hora do descanso, pessoal. Em vinte minutos seguiremos viagem. Agora aqueles que tiverem algo para comer, dividam com os outros.

Ficaram ali um pouco mais de vinte minutos. A menina que tinha o cordão de varal também tinha bolachas e as dividiu com as pessoas mais próximas. Dona Gailde e Tibor também dividiram um pacote e Sátir compartilhou sua parte com o namorado.

Rurique e os pais tinham um saco de pães de milho, que distribuíram para alguns também. Tapioca entrou na fila e conseguiu garantir um pedaço.

Os pés de todos doíam. Não tinha sido nada fácil andar por sobre aquelas raízes até ali. Rurique tirara o tênis e exibira suas bolhas para quem quisesse ver. Ninguém queria, mas o menino fez tanto drama por causa dos pés machucados que não teve quem não visse.

— Ele fugiu! — ouviram alguém gritar, desesperado. — Ele fugiu!

Todos ficaram de sobreaviso.

— Minha nossa! — exclamou um homem de trinta e poucos anos, que estava mais próximo dos Lobato.

Antenor e mais alguns homens correram até a árvore em que Astor estava amarrado.

— Mas como ele conseguiu? — indagou-se Josepe, sem entender direito o que via.

Tibor se aproximou da árvore troncuda. Não havia nem sinal de Astor. O cordão que o prendia estava caído no chão.

— Para onde ele foi? — perguntou um deles.

— Tenham cuidado, pessoal. O homem fugiu! — avisou, aos berros, uma mulher do bando.

Todos ficaram preocupados e trataram de ficar mais perto uns dos outros, esquadrinhando cada canto com os olhos. O grupo parecia em pânico. Já tinham acordado numa floresta estranha, visto uma mulher morta, com tufos de cabelo na boca, e agora aquele seguidor da bruxa insano fugira, depois de dizer que todos estavam ali para morrer.

— Onde está meu marido? — gritou de repente uma mulher. — Selênio! Onde você está? Meu marido sumiu!

— Tina! — mais alguém gritou, alarmado. — Minha sobrinha estava aqui agora e desapareceu.

O grupo, cada vez menor, cedia ao pavor. Dona Gailde segurou os netos pelos ombros e os trouxe mais para perto. Ninguém sabia o que estava acontecendo ali. As pessoas estavam sumindo sem deixar vestígios. Isso os fez concluir que o primeiro grupo desaparecido na noite anterior não tinha, na verdade, debandado. Haviam evaporado no ar, assim como estes agora.

— Isso não me é estranho — sussurrou Dona Gailde apenas para os netos. — Já escutei relatos de sumiços como esses. — E ela olhou para as árvores, como se suspeitasse de algo.

— Ei, pessoal! — gritou Antenor, num brado quase tão alto quanto o de um Bradador. — Mais uma vez, preciso que todos se acalmem. Não vai adiantar se perdermos a cabeça e...

— Antenor, veja isso! — chamou Josepe, despertando a atenção do grupo com o tom de voz de alguém que encontrara alguma coisa muito esquisita.

E de fato tinha encontrado.

Na árvore a que Astor Queirós estivera amarrado havia uma protuberância entre os caules que formavam o gigantesco tronco.

— O que é isso? — quis saber Avelino.

— Parece uma perna... — espantou-se Dona Lívia Malasartes.

Perceberam, então, que era de fato a perna de Astor do joelho para baixo, como se a enorme árvore tivesse engolido o prisioneiro. Duas pessoas tentaram puxar Astor pela perna e o escutaram gritar de dor. A voz do homem soava abafada, como se viesse do interior do tronco. Ele gritou outra vez, quando a perna desapareceu um pouco mais para dentro do caule.

— A árvore engoliu o homem, é isso? — questionou a jovem que levara o cordão de varal na mochila.

A árvore estava sugando o homem, como alguém que suga um fio de macarrão para dentro da boca.

— Todos se afastem das árvores, agora! — mandou Antenor, sobressaltado. E todos obedeceram.

— Que árvores são essas, Josepe. Sabe me dizer? — perguntou o líder.

— Sei, sim — disse o rapaz. — São gameleiras.

— E elas comem gente, é?

— Elas têm fama de serem famintas — disse o rapaz, assustado, olhando para o dossel de folhas sobre a cabeça —, mas não a ponto de comerem gente.

— Então, famintas como? — questionou Pedro, afastando-se, pé ante pé, da árvore mais próxima.

Josepe, aturdido com tudo aquilo, num primeiro momento não respondeu.

— Fale, homem! — ralhou Antenor.

— Elas crescem em cima de outras árvores e acabam sufocando-as. Assim como um parasita. Seus cipós vão engrossando e se juntando até formar um tronco. — Josepe tremia e olhava para cada pedaço de chão em que pisava. — Por fim, elas acabam engolindo a árvore hospedeira, mas isso, de engolir gente, eu nunca tinha visto.

Ninguém se aproximava das árvores. As crianças do grupo choravam aterrorizadas. E não só as crianças, alguns adultos também. Como a mulher que perdera o marido e o homem que perdera a sobrinha.

— Tina! Selênio! — gritavam eles, para as árvores.

O sangue de Tibor gelou quando ele viu um rosto no chão, entre as raízes. Ao avisar que havia alguém ali, alguns homens sacaram facas das mochilas mais do que depressa e tentaram cortar as raízes para retirar a pessoa presa ali.

— É o meu marido. É o Selênio! — gritava a mulher em choque.

— Por favor, me tirem daqui! — implorou ele, com o rosto no chão.

— Ele está vivo. Rápido! Cortem logo isso! — ordenou Antenor. E as serras das facas pareciam não ser suficientes para cortar as raízes com tamanha rapidez.

Outro pedido de socorro, abafado e agonizante, veio de dentro de uma árvore. A pequena multidão ficou terrificada, diante de algo tão surreal. Então ouviram outro clamor por socorro e mais outro. Todos de árvores diferentes. Estava difícil acreditar no que viam. Era como se as árvores falassem. Vozes macabras e distorcidas ecoavam de todas as direções. Lamentosos pedidos de ajuda. E ninguém fazia ideia de como atendê-los.

— Tina! — chamava o homem que perdera a sobrinha. Ele a ouvira chamando de dentro de uma das árvores e agora esmurrava o tronco querendo resgatá-la. — O tio vai tirar você daí. Aguenta firme, Tina!

— Melhor se afastar dessa árvore! — avisou Josepe. Mas, ao tentar segurar o braço do tio desesperado da menina, Josepe levou um sopapo que o fez cair de joelhos.

Quando Antenor fora buscar Dona Gailde, Tibor e Sátir no sítio, ele tinha dito que, após o trombetear dos Bradadores, viria um pandemônio. O que presenciavam ali, entre as gameleiras, era mais do que isso. Era absolutamente sobrenatural! E os gritos de pavor, vindos de dentro daquelas árvores, ficariam na memória daquelas pessoas para sempre.

O grupo agora estava bem menor. As gameleiras haviam pescado e engolido pelo menos um terço dos viajantes e pareciam não ter intenção nenhuma de devolvê-los. Eram árvores vorazes. E estavam todos perdidos em meio a uma floresta aparentemente interminável e formada de milhares de árvores como aquelas. Todas da mesma espécie. Provavelmente o lugar já fora uma floresta normal e agora era dominado por aquelas gameleiras, que tinham engolido as árvores originais.

— Já estão assustados o suficiente? — indagou uma voz inocente.

Quando se voltaram na direção da voz, viram que ela partira de uma garotinha de uns 9 anos de idade, que surgira de repente entre eles. Ela usava um vestido branco e tinha cabelos negros e compridos. Todos tiveram certeza, no mesmo instante, que aquela menina não fazia parte do grupo.

25

O ASSOBIO ORIGINAL

— Eu sabia que você tinha algo a ver com isso, Comadre Fulozinha! — falou Dona Gailde, causando espanto geral. Principalmente nos netos, que não imaginavam que a avó conhecesse a bruxa que servira mingau paralisante para Tibor e o amigo Rurique. — Meu pai já te expulsou dessas terras. O que fez dessa vez? Conjurou uma floresta só para você? É isso? — acusou a senhora Lobato.

— Você é a filha do Curupira? — quis saber a garotinha, agora com a voz de uma pessoa bem mais velha. — Pois foi exatamente isso o que eu fiz! — confirmou. — Conjurei uma floresta só para mim. Aqui a natureza tem os mesmos dons que eu. Uma mata com os meus maiores poderes.

O que achou disso? — perguntou ela, quase caricata. — Essas árvores já são famintas por natureza, eu só as tornei melhores.

— Solte minha sobrinha e todos os outros, sua bruxa! E dê o fora daqui! — gritou o tio desolado.

A Comadre o encarou e inclinou a cabeça, estudando a coragem do homem. Mas, no instante seguinte, uma mecha dos seus cabelos negros se estendeu até ele e o atingiu em cheio, dando-lhe uma chicotada. A multidão toda deu uns cinco passos para trás, assombrada. Testemunharam o homem se virar antes de cair, como se desse uma cambalhota, com a força do ricochete que estalou no ar.

Por entre o tapete de raízes esgrouvinhadas, brotaram cabelos que se enrolaram nas pernas do homem.

— O que é isso?! O que está fazendo?! Tire isso de mim! — vociferou ele, tentando soltar os fios de cabelo, que pareciam vivos.

— Vou guardá-lo para o jantar. Será o primeiro de todas as refeições que consegui hoje.

Tibor tentou ajudá-lo a se soltar, junto com outros homens. Puxaram os cabelos com toda a força, mas eles mais pareciam fios de aço. E todos levaram chicotadas que lhes deixaram com enormes vergões avermelhados na pele. Já não podiam se aproximar do homem, que estava até a cintura num casulo de cabelos.

— Então foi você que deu fim à Moura? — quis saber Tibor, revendo, em sua mente, o olhar enevoado da cigana, com a boca entupida de cabelos escuros.

— A Cuca me prometeu alimento. Disse que eu poderia comer todos os seus inimigos. — E ela lambeu os lábios, que agora estavam cheios de rachaduras e feridas, como se sua boca estivesse meio podre.

— Mas a Moura não era inimiga da Cuca. E nem o Astor — estranhou Tibor.

Pedro se colocou ao lado do amigo e piscou para Tibor, como se tramasse algo.

— Será que a Cuca não ficou louca e passou a atacar seus aliados? Se for isso mesmo, não vai demorar muito para ela vir atrás de você — arriscou Malasartes Júnior. Aquela bruxa tinha o corpo de uma criança, quem sabe não conseguiria tapeá-la com um bom papo?

Tibor viu Dona Lívia puxar o braço do amigo, que fez questão de se desvencilhar da mãe. Provavelmente, ela não aprovava quando o garoto dava uma de esperto. Como reclamava o próprio Pedro, seu pai é quem tinha a mania de fazer coisas do tipo. Usava da sua esperteza para se sair bem. E Tibor achava um absurdo Dona Lívia tentar deter o filho naquele momento. A ideia de tapear a bruxa poderia muito bem salvar a vida de todo mundo ali.

A Comadre soltou uma risada. Tão tresloucada quanto a de Astor, quando fora amarrado à gameleira que o engolira.

— Astor foi um péssimo aliado — começou ela, com a voz rascante.

De uma forma ou de outra, o papo-furado de Pedro pareceu mesmo dar certo. Os fios de cabelo pararam de se enrolar em torno do tio da menina chamada Tina, que jazia dentro de uma daquelas árvores monstruosas.

No entanto, eles não afrouxaram nem desistiram do homem. Pedro só conseguiu retardar um pouco o processo.

— Ele e todos os outros mereceram o castigo que tiveram naquela caverna. Assim que o lobo se foi e a Cuca recuperou suas forças, ela deu uma lição neles. — A Comadre então se voltou para a árvore que engolira Astor. — Esse daí conseguiu fugir, mas eu o peguei. Ele é meu! Fico imaginando que gosto tem esse pequeno humanoide.

Tibor escutava o que ela dizia, mas, ao mesmo tempo, pensava numa solução. Vendo-o pensativo, Sátir se aproximou do irmão.

— Agora seria uma boa hora para chamar o Boitatá — sussurrou ela no ouvido do irmão. — Sei que não temos um Muiraquitã, mas, no ano retrasado, não foi preciso amuleto nenhum para chamá-lo, não é? Conjure-o e estamos salvos.

O menino fez que não com a cabeça. A irmã estava pedindo o impossível. Era um absurdo! O Boitatá havia assassinado seus pais. Fora ele quem queimara todo o acampamento de ciganos e iniciara o incêndio. Como consequência, tirara a vida dos dois.

— A Moura, por sua vez — continuou a menina com cara de velha —, foi uma traidora de mão cheia. Todo esse tempo ao lado da grande Cuca — e ela encheu a boca para falar da bruxa para a qual trabalhava — só para roubar sua vela, embaixo do nariz dela.

— Como é que é? — quis saber Tibor.

— É isso o que ouviu, garoto. A Moura Torta tramou contra sua mestra. Roubou a vela de que a Cuca tanto precisa e a manteve escondida com uma criatura que ronda Membira.

— O Corpo Seco — arriscou Pedro. E Tibor olhou para o menino, pedindo mais explicações. — Dizem que o Corpo Seco é uma espécie de zumbi que habita o cemitério de Membira. Os que o veem comentam que ele está sempre cuidando de uma vela.

— Exato, garoto! Quem sabe eu não comece meu lanche por você? — Nesse momento, Dona Lívia colocou-se na frente do filho. — Seu cérebro parece tão apetitoso quanto sua barriga — disse a bruxa, analisando o menino de cima a baixo. — Não me importo de comer gordura. Ela sempre dá um sabor especial à comida. — Antenor também se colocou na frente de Pedro Malasartes, disposto a impedir qualquer tentativa de ataque contra o menino. Dona Lívia encontrou no homem uma cumplicidade que havia tempos não encontrava em ninguém.

— Então a Cuca conseguiu recuperar a vela roubada? — questionou Tibor, sentindo que a tia-avó já tinha lhe passado a perna. Ela já estava de posse do último Muiraquitã e também da vela. Embora até então ele não entendesse qual a finalidade de todos aqueles aparatos.

Um assobio estridente cortou a conversa e fez todos taparem os ouvidos. Um vendaval veio em seguida, espalhando poeira e balançando a copa das árvores.

Jovens Sacis surgiram de todas as partes.

Os sobreviventes já se preparavam para sair em disparada, afinal, a maior parte deles nunca tinha visto um Saci antes e todos já estavam fartos de surpresas desagradáveis. Mas, assim que dois deles soltaram o tio de Tina do casulo de cabelos, viram que as assombrações estavam do lado deles.

— Chega disso, sua bruxa velha! — ralhou um dos Sacis, com o pito na boca. Tibor conhecia bem aquele Saci. Era o filhote de Sacireno que Gailde tinha mantido preso na garrafa, na quaresma anterior. Ele até tentara dar a criaturinha em troca de Sátir, quando pensou que a irmã tinha sido raptada por Sacireno. — Olá, menino besta! — cumprimentou o menino perneta. Então Tibor notou que aquele era o único Saci que não usava na cabeça um gorro vermelho. O dele era amarelo. — Qui tá me oiando? — perguntou o diabrete. — Qual o problema de usar um gorro de otra cor? Perdi o meu e meu pai num teve tempo de fazê ôtro — e voltou-se para a Comadre com uma ameaça. — Ocê vai pagá pelo que ocêis fizero com nosso pai. Vai, sim!

Tibor comemorou, por dentro, a aparição dos filhos de Sacireno. Não sobreviveriam àquela bruxa. Ela aprisionaria um por um e teria comida para o ano todo.

O jovem Saci virou-se para Tibor mais uma vez.

— Nóis já tava cada um no seu lugá, nesse mundão — contou ele, enquanto Tibor calculava mais de cem Sacis pelas redondezas. Todos com o corpo esguio e os músculos bem definidos. Mas suas feições tinham algo que lembrava Sacireno. Eram um misto de malandrice e ruindade. Típico de Saci. Tibor reparou que alguns deles eram do sexo feminino e isso foi uma surpresa. — Foi aí que nóis sentiu nosso pai sê mandado pro além antes da hora. Sentiu, sim. — Virou-se de volta para a Comadre com mais ferocidade que da primeira vez. — Ele era o último dos véio Saci. Um dos mais sábio. E ocês deu cabo dele. — Os olhos da jovem aparição reluziram num tom vermelho-fogo. — Ocê vai pagá, Comadre. Te prepara!

A Comadre já parecia preparada. Os cabelos esvoaçaram como se já estivessem prontos para aprisionar e chicotear quem se atrevesse a lhe fazer mal.

O Saci colocou dois dedos na boca e puxou um bocado de ar para os pulmões. Ia desferir outro assobio. Tibor e os outros se apressaram em tapar os ouvidos.

— Num precisa tapá os ouvido não, menino besta! — avisou o Saci, interrompendo o assobio em cima da hora e equilibrando-se numa perna só, tal qual seu falecido pai. — Esse é o assobio original. É, sim.

— Assobio original? — repetiu Sátir, ao lado do irmão. A menina parecia fula da vida com Tibor, por alguma razão que ele só saberia mais tarde.

— É sim, menina! É a primera coisa qui nóis aprende, né? O assobio de todas as coisa.

Os irmãos se entreolharam e deram de ombros.

— E o que ele faz? — quis saber Tibor.

FIIIIIIIII!, assobiou o jovem Saci de gorro amarelo. E, como que por mágica, aquele sopro de nota aguda não feriu os tímpanos de ninguém.

Assim que o assobio ecoou pela floresta, as árvores estremecerem. O Saci assobiou outra vez, agora acompanhado de outros Sacis, que também passaram a assobiar. Logo havia cem Sacis assobiando ao mesmo tempo, naquela vasta e surreal floresta.

Tibor percebeu que o assobio de todos eles juntos, em uníssono, formava uma melodia especial. Uma melodia serena e bonita. Sentiu um calor dentro do peito. Algo tão bom quanto as manhãs perfumadas do sítio ou a visão dos cavalos do Negrinho, tomando água em paz no pequeno brejal. Ou a lembrança da mãe acordando-o com cheiro de mirra e laranja nos cabelos ou do pai descrevendo um nascer do sol maravilhoso.

Ao som daquela melodia incomum, mas ao mesmo tempo tão familiar, as gameleiras estremeceram um pouco mais. E algumas começaram a expelir as pessoas presas no interior dos seus caules.

— O que estão fazendo, seus demoniozinhos! — xingou Fulozinha, contrariada. Tentou impedir os pequenos Sacis de assobiar, mas, quando avançou sobre um deles, algumas notas da melodia se modificaram um pouco e ela não foi mais capaz de se mover. A Comadre ficou paralisada no ar.

— Nóis aprende a frequência de todas as coisa. Nóis sabe a canção que é a origem de tudo — explicou o Saci.

As pessoas estavam extasiadas com o que viam. Algumas corriam para junto dos entes queridos que eram cuspidos de dentro das árvores. Alguns estavam desacordados; outros muito lúcidos, só ansiando por um pouco de ar.

O Saci reparou no deslumbre de Tibor e sorriu. Um sorriso matreiro, digno de Saci.

— Nóis é mágico, menino besta!

— Parem com isso, já! Eles são meus! — gritou a bruxa, enquanto assistia suas gameleiras regurgitarem as últimas vítimas.

— Nóis vai desconjurar esta floresta — avisou o jovem Saci de gorro amarelo. — Esse tipo de mal num é pra existi. É não.

E a melodia mudou pela terceira vez. Aos poucos, começou a cair uma chuva leve e revigorante, que molhou os ombros e a cabeça de todos. A multidão olhou para o alto e viu que o imenso dossel de galhos e folhas que os cobria não estava mais lá. Puderam, enfim, ver o céu. Quando olharam em torno, perceberam que estavam outra vez na floresta em que tinham se embrenhado na madrugada passada. Os filhotes de Saci haviam salvo a todos das garras da Comadre, uma bruxa extremamente perigosa e uma partidária muito poderosa da Cuca.

Um dos Sacis, uma fêmea, saltou até onde estava Antenor.

— Se ocêis seguí nessa direção — e ela apontou para uma trilha em meio à mata. — Ocêis vai encontrá os ôtros grupo.

Antenor agradeceu com a cabeça a jovem diabrete.

— Nóis se vê na batalha, hômi careca — falou a Saci, soltando fumaça no ar com seu cachimbo e saltando de volta para junto dos seus.

— E o que vão fazer com a Comadre? — indagou Antenor, curioso.

— Nóis vai tirá ela de circulação, né? — respondeu o Saci de gorro amarelo.

E todos os meninos e meninas de uma perna só giraram em seus lugares. A Comadre arregalou os olhos e soltou um guincho que mais pareceu de um animal selvagem. Os redemoinhos se uniram ao redor da bruxa anã e se tornaram um só. Folhas e galhos foram arremessados para todos os lados e a multidão precisou proteger o rosto.

O redemoinho carregou a bruxa floresta afora, como um vendaval com vontade própria. Em meio ao zumbido do grande furacão produzido pelos Sacis, mal se ouviu os últimos berros rascantes da Comadre.

26

HORA DE PARTIR

Pelo resto do dia, Dona Gailde teve que prestar assistência aos enfermos. Ela botou sua maleta para trabalhar e seus netos e amigos ajudaram no que foi preciso. Arranjaram panos e os estenderam no chão fofo da floresta, para que os feridos pudessem se deitar. Rasgaram mangas de camisetas para fazer compressas. Todos sabiam que tinha sido uma baita sorte a aparição inesperada dos Sacis. Mas, mesmo com o salvamento, tinham sofrido perdas. Alguns não sobreviveram ao ataque das grandes gameleiras. O Senhor Benson estava inconsolável, pois sua amada esposa não resistira. Quando a árvore que a engolira devolveu-a ao marido, já era tarde demais.

— Sei que minha esposa ficaria honrada em ajudá-la, Dona Gailde — comentou Benson, enquanto a senhora Lobato cuidava de um corte feio que ele tinha na testa.

— Não tenho dúvida disso. Ela era muito boa com curativos — respondeu Dona Gailde. — Quando meus meninos se queimaram com as urtigas, foi ela quem cuidou deles e evitou que a coisa piorasse. Era uma ótima pessoa.

Além da Senhora Benson, mais três integrantes do comboio, sem contar Astor Queirós, não conseguiram sair daquelas árvores demoníacas com vida.

Já fazia dois dias que estavam acampados naquela parte da floresta. Antenor queria continuar seguindo em frente. Dizia que uma guerra seria travada aos pés do muro de Membira e precisavam somar número às forças de resistência. Exasperava-se, convencido de que estavam perdendo tempo. Gailde fazia frente ao homem, dizendo que os feridos não tinham condições de seguir viagem e morreriam antes de chegar ao muro.

Tibor tinha ido buscar água num córrego próximo de onde estavam. A avó precisava da água para um tipo de unguento que preparava para os ferimentos mais graves. Na volta, Sátir parou o irmão, colocando a mão em seu peito de maneira brusca, quando ele ainda estava distante do grupo.

— Escuta aqui, Tibor — começou ela, nervosa. — Não sei o que deu em você naquela floresta da Comadre, mas é melhor repensar suas prioridades!

— Do que está falando, Sátir? — O menino já tinha percebido que a irmã estava irritada com ele e suspeitava que sabia o motivo.

— Estou falando do Boitatá — vociferou ela.

— Ah! Eu sabia — irritou-se ele, largando no chão a cumbuca com água. Ironicamente, a cumbuca era uma gamela, um tipo de tigela produzido com a madeira maleável das gameleiras. — Não vê o absurdo que me pediu, Sátir? Chamar o Boitatá? Ele matou nossos pais, esqueceu? Ainda quer tê-lo como aliado? E se o próximo em quem ele escolher botar fogo for eu ou você? Já pensou nisso?

— Já pensei sim — retrucou ela. — Acho que, se quisesse fazer isso, já teria feito logo na primeira vez que precisamos dele. — A menina soltava fogo pelas ventas. — E ele não fez isso, não é? Já nos salvou quatro vezes.

— Sátir...

— Sinceramente, não acho que ele teve culpa da morte dos nossos pais — cortou ela, indo direto ao ponto.

— O quê? — indignou-se o irmão. — Como pode dizer isso? Você ouviu o que Antenor contou lá na sala de casa.

— Ouvi, sim. — Sátir cruzou os braços.

— Ora, se quer tanto a ajuda de um assassino, por que você mesma não o chama?

— Porque só consegui fazer isso com um Muiraquitã na mão. Você foi o único que conseguiu controlá-lo sem o amuleto.

— Mas você por acaso tentou? — alfinetou Tibor. A irmã abaixou a cabeça e desviou o olhar. — Eu sabia. Você também não acredita que não foi ele quem matou nossos pais.

Mas, assim como a irmã, Tibor não tinha certeza se o Boitatá fora realmente o culpado. A própria avó não acreditava que o espírito da floresta tivesse causado a morte de Leonel e Hana.

Sacireno tinha contado a Tibor, enquanto estavam presos no covil da Cuca, que sua tia-avó tinha feito um ritual com um boi. Um boi que não deveria ser morto uma segunda vez. O mesmo boi que ele vira a mulher grávida, Catirina, trazer à vida no sonho. O tal do boi chamado Bumba. De acordo com o velho Saci, assim que a Cuca sacrificou o boi pela segunda vez, uma nova alma foi criada. Uma aberração da natureza. Algo que não deveria acontecer. E essa alma era Bernúncia, a cobra preta do Além que se alimentava de almas e tinha, inclusive, se alimentado do próprio Saci.

O senhor Pereira ainda havia contado a Tibor que Bernúncia não podia sobreviver muito tempo fora do Além, a não ser que habitasse um objeto de poder. O Muiraquitã tinha ficado escuro depois que ela passara a habitá-lo. Agora, com aquela cobra do Além nas mãos, a Cuca era capaz de qualquer coisa.

Toda vez que Tibor parava para pensar no que escutara do Saci, começavam a surgir teorias na sua cabeça. Seria possível que a Cuca, com o auxílio de Bernúncia, tivesse controlado o Boitatá e assassinado seus pais?

— Eu não sei em que acreditar com relação ao Boitatá — continuou Sátir. A irmã fitou o namorado, que estava a vários metros, trocando a compressa na testa de um dos feridos. — Só sei que estou cansada, maninho. De tanto perigo. De tanta morte. — Ela fez uma pausa e engoliu em seco. — Cada quaresma é mais tenebrosa do que a anterior. Até quando vamos aguentar? Veja só, de ontem para hoje, perdemos quatro do nosso grupo. Ninguém aqui tem casa pra voltar. Estamos lutando para não morrer. E eu quero uma vida normal — desabafou, ressentida. Mas logo assumiu sua postura de sempre, mais dura, como de costume. — E quero usar todos os recursos que temos para acabar logo com isso. Portanto, da próxima vez, vamos chamar o Boitatá.

Os dois ficaram em silêncio por um tempo. A menina tinha razão em muitos aspectos. O fato de não terem para onde voltar era algo com que Tibor não se conformava. A vida nova e alegre depois do orfanato lhes havia sido tomada.

— Me lembro do baralho cigano da nossa mãe — recomeçou a menina, mais calma. — Parece que não havia nele muitas cartas que simbolizavam sorte. Quantas cartas acha que ainda nos restam?

Sem esperar resposta, a menina se afastou, deixando o irmão perdido em pensamentos.

Mais tarde, Tibor descobriu que Antenor havia decidido dividir o comboio. Deixaria alguns deles para dar proteção à Dona Gailde e os feridos, e partiria com um número maior para Membira. Naquele momento, amontoavam, numa pilha no chão, tudo que podiam usar como arma. Tibor ficou surpreso com a quantidade de coisas que havia ali. Desde facas e facões até duas forquilhas e seis porretes, além de uma funda, uma arma para arremessar pedras.

Tibor havia sido escalado para o grupo que seguiria para Membira. Deveria estar feliz, já que, assim como a irmã, não via a hora de pôr fim aos planos da tia-avó. No entanto, não conseguia pensar em abandonar a avó ali, com tantos inimigos perambulando pelas vilas e florestas. Precisava ficar e protegê-la.

Além disso, o aviso em seu peito estava mais forte do que nunca. A sensação que tinha era a de que estava no caminho oposto ao que deveria seguir. Já estava ficando nervoso por não saber interpretar o aviso e sentir os dias passando sem que encontrasse uma solução.

Será que tudo não passara de um delírio? Depois de tantos problemas, agora dera para imaginar a visita de um tal Senhor dos Sonhos? Ainda não tinha contado para ninguém sobre João Pestana, pois tudo se passava apenas em seus sonhos. Podiam pensar que estava biruta. E ele mesmo se perguntava se seu cérebro não estava lhe pregando uma peça, fazendo-o buscar inutilmente um guia misterioso, uma casa cujas donas se chamavam Maria e grãos de sonhos que precisava sonhar a pedido de um amigo secreto do Senhor dos Sonhos.

— Tibor — chamou Antenor. — É hora de partirmos.

O menino ficou ali aturdido, sem saber o que dizer. Caminhou com os pés pesados até Antenor, para dar a si próprio alguns instantes a mais para refletir.

Tapioca, o cãozinho branquelo que Pedro assumira a responsabilidade de cuidar, latiu forte para o menino. Tibor foi arrancado dos seus pensamentos, mas, ao perceber que se tratava apenas de Tapioca, prosseguiu com seus passos lentos. Sentiu, no entanto, a barra da calça ser puxada com força. Tapioca tinha cravado os dentes em sua calça jeans e o puxava, querendo brincar numa hora daquelas.

— Ei, Tapioca, me solte! — pediu Tibor.

— Tapioca, vem cá! — chamou Pedro, vendo o cão importunar o amigo.

Mas o cachorro não deu atenção a nenhum dos dois. Encarou Tibor e latiu mais uma vez, empenhado em se fazer entender.

Tíbor olhou para o cachorro com mais atenção. Ele não parecia querer brincar. Era como se quisesse lhe mostrar alguma coisa. Levá-lo a algum lugar.

— O que foi, Tapioca? — perguntou o menino, intrigado. Quando disse isso, o cão correu na direção de uma trilha na floresta. Ao perceber que Tibor não saía do lugar, o cão voltou até ele e cravou-lhe os dentes na calça outra vez. — Quer me mostrar alguma coisa, é isso? — O cachorro latiu, confirmando.

Tibor viu Antenor e os outros se preparando para partir. Então, quando fez menção de que seguiria Tapioca, o vira-lata disparou para o lado contrário do que pretendiam seguir os homens.

Seria o cãozinho o guia que João Pestana mencionara? Lembrou-se do que o homem de terno preto sussurrou em seu ouvido: o guia se manifestaria de uma forma improvável. Poderia ser Tapioca o guia que o levaria a tal casa das Marias? Era improvável, portanto era possível.

— Vamos, Tibor! — chamou Antenor, mais uma vez.

— Espere um pouco, Tapioca! — pediu o menino, abaixando-se e acariciando as orelhas do cão, que havia voltado para chamá-lo de novo.

Tibor percebeu que o aviso no peito se transformava num martelar frenético. Sentia que estava prestes a tomar o caminho certo. Correu até a avó.

— Vó — chamou. — Algo me diz que não devo ir com eles.

Sátir ouviu o irmão conversar com a avó e se aproximou.

— Como assim, maninho. Não vai lutar? — perguntou ela.

— Não posso ir, Sátir — anunciou.

Dona Gailde perscrutou o neto.

— Essa sua decisão repentina não seria por minha causa, não é mesmo? — perguntou ela, transbordando calma.

— Como é? — perguntou Tibor, esperando a avó se explicar melhor.

— Ora, Tibor. Vejo, em seu olhar, uma preocupação em saber qual o caminho certo a seguir. — Ela olhou para o cachorro impaciente pela demora do menino. — Sei que tem alguma coisa nisso tudo que não me contou. Mas acho que você já encontrou esse caminho.

O menino ficou boquiaberto com a sensibilidade da avó. Ela sabia das coisas sem que ele precisasse contar! Que avó fantástica!

— O quê? De qual caminho vocês estão falando? — quis saber Sátir, confusa.

Os três olharam quando Antenor voltou a chamá-los, impaciente. Não demoraria para a bomba-relógio explodir.

— Tibor, não se preocupe comigo. No momento, sou mais útil aqui do que em qualquer outro lugar. Aliás, estou muito bem guardada, não é mesmo? — E os três repararam nos magricelas que tinham sido escolhidos para protegê-los. Ela apontou o dedo para o peito do menino e emendou — Sugiro que siga...

— ... o meu coração? — completou Tibor. — É, eu já sei. — A avó sempre lhe pedia para ouvir o coração.

— Bom, eu ia dizer "intuição" dessa vez. Mas acho que coração também serve.

— Então não vamos com Antenor para Membira? — perguntou Sátir.

— Eu não posso. Tenho algo pra fazer antes de ir pra lá. Preciso! — revelou o menino.

A irmã entendeu que Tibor não tinha tempo para explicar melhor o seu plano.

— Eu vou com você — disse ela.

— Sátir, talvez você seja mais...

— Cale a boca, Tibor. Vou com você e pronto.

Dona Gailde sorriu.

— Então sugiro que se apressem. Saiam antes que Antenor venha buscá-los — falou a avó, observando Antenor se aproximar, seguido de mais uns seis ou sete homens, prontos para a guerra.

Os dois irmãos correram para as árvores, esquivando-se dos olhares que poderiam recair, curiosos, sobre eles. Queriam sair dali despercebidos. O cão se adiantou, disparando para dentro da floresta com Tibor e Sátir em seu encalço.

Ouviram o grito nervoso de Antenor, mas os dois já estavam longe. O líder e os outros nunca entenderiam. Nem eles mesmos compreendiam muito bem. Afinal, deixavam o comboio para trás, seguindo um cachorro mata adentro.

— Para onde vamos, maninho? — quis saber Sátir.

— Por enquanto, só temos que seguir o Tapioca. Ele é o nosso guia. — A irmã o fitou, desconfiada. Pela cara que fez, devia pensar que o irmão estava com febre ou delirando.

De repente, Tibor e Sátir perceberam que eram perseguidos. Pelo resfolegar desvairado, era evidente que quem quer que fosse tinha se esforçado muito para alcançá-los. Estavam tão perto que acharam inútil tentar fugir. Esperaram com os punhos cerrados.

Foi quando, de detrás de algumas moitas e árvores, surgiram Rurique e Pedro.

— Ei, seus manés! Qual é o problema com o gordinho e o pulguento aqui para nos deixarem de fora? — queixou-se Pedro Malasartes. Rurique olhou para ele de cara feia, não gostando de ser chamado de pulguento. — Vamos com vocês, seja lá aonde forem. Afinal, vocês não são nada sem a gente. — Concorda, Rurique?

Rurique confirmou com a cabeça e imitou o uivo de um lobo.

27

CÃES E GIRASSÓIS

Os quatro tiveram uma breve discussão antes de prosseguir. Rurique e Pedro insistiam em dizer que seus familiares ficariam muito bem no acampamento, ajudando Dona Gailde. Nenhum deles havia sido escalado para a guerra em Membira. E eles também não voltariam mais para o comboio de Antenor e ponto-final.

Tibor só sentiu os dois meninos hesitarem quando revelou que o plano era simplesmente seguir o cachorro.

— É, o Tapioca está bem estranho mesmo. Nunca o vi desse jeito — comentou Pedro, tentando se convencer de que o tal plano tinha algum fundamento.

Os quatro continuaram correndo pela floresta, atrás de Tapioca. O aviso no peito de Tibor agora parecia dar vivas por, finalmente, o garoto estar no rumo certo.

Sem diminuir o passo, Tibor decidiu contar a eles sobre João Pestana. Contou sobre sua primeira visita, quando soube que um amigo de João lhe pedira para mostrar a Tibor alguns sonhos específicos e que o futuro dependia de que ele aprendesse com o que visse nesses sonhos.

— E o que foi que você viu? — quis saber a irmã, preocupada e ao mesmo tempo irritada com o irmão, por não ter contado nada disso a ela. Só não reclamou porque a corrida tirava-lhe o fôlego.

O menino começou o relato contando sobre o sonho em que a Cuca trazia a irmã, Pisadeira, de volta dos mortos. E que a tia-avó de pés compridos se transformara quase numa entidade. Algo não físico, tanto quanto o fantasma de Dona Arlinda ou os trasgos.

Agora compreendiam os sonhos ruins que assolavam os moradores de Membira e de outros vilarejos. A Pisadeira os estava enfraquecendo com os pesadelos. A bruxa de pés grandes havia se tornado a Senhora dos Pesadelos, tal qual João Pestana era o Senhor dos Sonhos.

Tibor ainda comentou que a tal guerra contra a Cuca se estendia para além do mundo terreno e do aquático, visto que Pestana travava uma megabatalha contra a Pisadeira. E contou sobre a cova de escravos, que vira no mesmo sonho. Os meninos se espantaram com o plano arquitetado pela Moura, de levar homens como oferenda para uma cobra gigante vinda do Além.

Como os quatro já estavam totalmente sem fôlego, tiveram de descansar um pouco antes de prosseguir. Chamaram Tapioca e o cãozinho, de língua de fora, também pareceu feliz em fazer uma pausa.

Sentados na relva, em meio às árvores, Sátir e os outros quiseram saber mais sobre a figura da cobra translúcida. Agora, Tibor sabia como chamá-la: Bernúncia. E Rurique completou a história toda, recontando o que tinham vivido na caverna da Cuca, onde a mesma cobra se alimentara da alma de Sacireno Pereira.

Pensaram sobre a vela e o motivo por que a Cuca precisava dela. Assim, conjecturaram inúmeras possibilidades, mas não encontraram nenhuma em que pudessem apostar. Sátir chegou a arriscar uma piada, com um sorrisinho irônico:

— Na falta de luz, nunca se sabe...

Apenas Pedro achou graça e soltou uma risada boboca.

Depois que analisaram o primeiro sonho, Tibor relatou outro, em que vira um fazendeiro e a esposa darem uma lição num casal de escravos, porque tinham matado seu boi mais querido para satisfazer o desejo da mulher do casal, Catirina: ela estava grávida e sentira o desejo de comer a língua do bicho.

— Minha mãe tinha desejo de comer tapioca — comentou Pedro. — Acho que ela nunca vai se cansar de comê-las. — E o comentário banal se perdeu, ignorado.

Tibor contou que a escrava tinha conseguido ressuscitar o boi Bumba num ritual, mas que, ao ver o boi vivo outra vez, o fazendeiro tivera um ataque fulminante. E que a esposa do fazendeiro ficara interessada em aprender o tal ritual com a escrava.

— Será que ela queria trazer o marido de volta à vida? — perguntou Pedro.

Tibor disse que não. A esposa tinha deixado isso bem claro.

O cachorro começou a latir, impaciente, interrompendo o descanso. No minuto seguinte, já seguiam Tapioca pela floresta, enquanto Tibor prosseguia no relato dos seus sonhos. Ele vira a esposa do fazendeiro em outra circunstância, continuou ele. Na ocasião, ela estava numa carruagem, com pressa de chegar a algum lugar, e manchava um pequeno lenço de seda com sangue, cada vez que tossia e cobria a boca com ele.

— E o que será que ela tinha? — perguntou Sátir, intrigada.

— Ouvi ela dizer que estava morrendo! — completou o irmão.

— Mas quem são essas pessoas? São reais? E, se você diz que o casal era escravo de um fazendeiro, então estamos falando aqui de tempos muito antigos — deduziu Sátir, enquanto acompanhava os garotos na corrida.

— Segundo João, os sonhos são grãos de areia formados de memórias e desejos. Ele selecionou os grãos certos para me mostrar. Lembranças antigas de outras pessoas.

A caminhada evoluiu para uma corrida silenciosa. Refletiam sobre os relatos de Tibor e o que, de fato, significavam os sonhos. Não só aqueles, do garoto, mas os sonhos em geral.

Tibor contou também que encontrara João Pestana mais duas vezes. Uma delas num enorme deserto de terra árida, cheio de rachaduras. Nesse sonho, Pestana viera avisá-lo de que a Pisadeira ganhava força e, por isso, algumas partes do mundo dos sonhos estavam tão decadentes e escassas de grãos oníricos que tinham se tornado desertos como aquele.

Ainda naquele sonho, Pestana lhe pedira para encontrar um local neutro em que pudesse lhe mostrar os sonhos que faltavam.

— Que tipo de local neutro? — perguntou Rurique, ofegante.

— Ele chamou o lugar de casa das Marias. Disse que elas estarão esperando por mim. Parece que, lá, a Pisadeira não poderá interferir em seu trabalho.

— E o que o meu cachorro tem a ver com isso? — perguntou Pedro, olhando para o pequeno vira-lata que corria na frente, sem diminuir o ritmo.

— João me disse que um guia me levaria até lá. Pensei que fosse a Comadre, quando apareceu pela primeira vez, mas Rurique e eu quase viramos seu jantar. Depois, pensei que fosse o Negrinho do Pastoreio, mas, pelo que entendi, quando o encontrei, ele só estava realizando um desejo meu, de encontrar vocês dois. — E o menino apontou para a irmã e Pedro. — No último sonho que tive, Pestana disse que esse guia se manifestaria da maneira mais improvável. E, então, Tapioca enlouqueceu e correu para a mata, querendo me mostrar alguma coisa importante.

— É por isso que estamos seguindo o Tapioca? — perguntou Pedro, descrente. — Por que achou que ele fosse o guia?

—Não só por isso! — respondeu o menino. — Algo, dentro de mim, me diz que estou no caminho certo.

Tibor falou com tamanha confiança que ninguém o contradisse.

Tiveram de parar outra vez para descansar. Até Tapioca ofegava, como se fosse colocar as tripas para fora. Aproveitaram para comer algumas frutas que Tibor encontrou na mata. Butiás.

— Como sabia onde encontrar essas frutas? Eu poderia passar aqui cem vezes sem nunca suspeitar que havia uma árvore frutífera dessas neste lugar — questionou Rurique, lambuzando as mãos com o butiá.

— Eu também — respondeu, Tibor. — Mas aprendi a reconhecer árvores como essa — e apontou o butiazeiro. — E a bananeira-de-macaco, que encontrei aquele dia com o comboio.

— Aprendeu com quem, posso saber? — perguntou a irmã, desfazendo-se do caroço de uma das frutas e já pegando outra.

— Com o Negrinho do Pastoreio — disse o irmão. — O garoto que pediu para uns cavalos do mato me levarem até vocês.

— Sei. Você já nos contou essa história — falou ela.

Não descansaram por muito tempo desta vez. Tapioca voltou a correr e ninguém mais conseguiu segurá-lo. Quando diminuíam o passo, o cãozinho latia para apressá-los.

Tibor sentia agora no cão uma urgência ainda maior. E ele tinha que acompanhá-lo, quer tivesse forças ou não. Rurique e Sátir pareciam arrependidos de seguir o menino. Não diziam isso, mas resmungavam em voz baixa, enquanto limpavam o suor do rosto. Pedro, no entanto, corria como se fosse um maratonista. Tibor o invejava.

Já era noite quando Tapioca parou de correr. Estavam agora num vale não muito grande nem muito profundo, coberto com uma infinidade de flores amarelas idênticas.

— Girassóis — comentou Pedro. O único com fôlego suficiente para falar alguma coisa.

— Mas eles parecem tão desanimados... — reparou Sátir. — Estão todos voltados para baixo...

— Não estão desanimados! — explicou Pedro, achando graça do comentário da namorada. — Estão voltados para o sol. Como é noite, o sol está do outro lado da Terra. E essas flores o seguem. Amanhã, estarão todos de cabeça erguida, vocês vão ver.

— Vamos ver? Por que diz isso? — perguntou Tibor. — Precisamos continuar.

— Tibor — chamou Sátir. — Na verdade, acho que chegamos! — A irmã apontou para uma casa no centro do vale, bem no meio da plantação de girassóis.

A casa era diferente de tudo que já tinham visto. Era feita de tijolos e tinha um formato triangular e um dos vértices do telhado apontava para o céu. Na sua ponta, havia um grande cata-vento.

Os quatro desceram um declive, na direção da casa, seguindo por uma pequena trilha entre os girassóis.

— Cuidado, pessoal! É bom ficarmos atentos a qualquer...

Tibor não conseguiu terminar de falar, porque, em meio às cabeças de girassol, outras cabeçorras surgiram. Uma despontava aqui, outra ali. Até várias delas brotarem no grande jardim amarelo, pontilhando-o com silhuetas escuras.

Os meninos contaram um total de vinte cabeças. Cabeçorras de cachorro. Todos com os focinhos apontados para eles. Cães de médio e grande porte, que levantavam as orelhas, curiosos para saber quem invadia seu território.

Os quatro ficaram imóveis quando os cachorros começaram a latir. Gelaram ao perceber seus rabos se aproximando acima do mar amarelo. De cada fileira de girassóis, desembocou um cachorro, saindo direto na trilha onde estavam.

Os animais os rodearam, cheiraram suas roupas, com seus focinhos molhados e gelados. Alguns rosnaram para Rurique e o olharam, desconfiados, mas nada que parecesse preocupante. Nenhum dos cães atacou. Para a sorte deles, eram dóceis, assim como Tapioca.

O cão de Pedro, inclusive, parecia muito tranquilo em meio aos outros, e Tibor suspeitou que eles já se conheciam.

De repente os cães começaram a empurrar as pernas dos quatro com o focinho, obrigando-os a caminhar na direção da casa triangular. Pareciam muito animados e ansiosos.

— Calma, cachorrada, já entendemos — disse Rurique, levando focinhadas e cabeçadas na panturrilha já toda babada.

Alcançaram a porta da casinha, e Sátir e Tibor deram uma espiada pelas janelas. Tudo estava escuro e quieto do lado de dentro.

TOC! TOC! TOC!

Rurique bateu com força na porta, quase matando todos de susto.

— Rurique! — reclamaram os irmãos Lobato.

— O que foi? — questionou, sem entender a reação de Tibor e Sátir. — Não andamos esse mundaréu todo até aqui pra chegar e nem bater na porta?!

Nesse momento ouviram a porta da casa se abrindo para eles, sem que ninguém viesse recebê-los.

— Eita! — exclamou Rurique. — Alguém esqueceu a porta aberta.

Observaram por um instante da soleira da porta. A noite estava bem escura e sem luar. Não conseguiram ver quase nada lá dentro.

— Olá? Tem alguém em casa? — arriscou Tibor, temeroso. Não obteve resposta. O menino reparou que até os cachorros tinham se aquietado e observavam a escuridão da casa, junto com eles.

— Parece que não tem ninguém em casa — falou Pedro. E foi entrando.

— Pedro! Volte aqui! Ficou maluco? — sussurrou Sátir para o namorado.

— Mas que amigos malucos são esses que fizemos? — comentou Tibor para a irmã.

Quando acharam que não havia perigo, entraram na casa bem devagar. Aos poucos seus olhos se acostumaram à escuridão e perceberam que não havia nada de esquisito ali. Era uma casa normal. Um sofá de três lugares. Uma mesa de jantar com três cadeiras. Uma portinhola levava a um quartinho com três camas. Parecia que tudo era em trio por ali.

Tudo tinha uma aparência rústica, parecida com a do sítio de Dona Gailde. Tapetes bordados à mão cobriam o chão de madeira e não havia lâmpadas nem lampião na casa toda.

Num armário na parede, uma coleção de objetos destoava do restante do lugar.

— Minha nossa! Não acredito! — Todos se assustaram com a exclamação de Rurique, ao pegar alguma coisa do armário.

— O que foi? — perguntou Sátir, já com os punhos cerrados, preparada para atacar o que quer que fosse.

— Minha lanterna! — falou o menino, mostrando a lanterna prateada que tinha nas mãos.

— Sua lanterna? — repetiu Pedro, confuso.

— É, minha antiga lanterna com figurinha de onça. — E ele de repente ficou muito sério. — É estranho encontrar minha lanterna aqui... Eu a perdi na Du Avessu. Já faz dois anos, lembram? — perguntou para Tibor e Sátir.

— O que é a Du Avessu? — perguntou Pedro, mais perdido do que nunca.

— É uma ponte que o nosso bisavô construiu para entrar no Oitavo Vilarejo.

— E o que isso tem de mais?

— Como o nome diz, ela é do avesso. Ao contrário. O campo gravitacional dela é invertido — explicou Sátir. — Para atravessá-la, é preciso andar por baixo dela.

— Então tem que atravessar de ponta-cabeça?

— Isso mesmo — confirmou Rurique.

— Acho que não entendi ainda...

— Se ela é ao contrário, tudo o que cai dela, na verdade, sobe para o céu — explicou Rurique. — Eu perdi a lanterna quando escorreguei. Tive que escolher. Ou me segurava ou segurava a lanterna. E ela caiu... — falou ele, arqueando as sobrancelhas. — Na verdade, foi subindo, subindo e não a vimos mais. Se perdeu no céu.

— Uau! E como ela veio parar aqui?

— Não deve ter caído de volta — comentou Rurique. — Ela está inteira! — Ele apertou um botão e a lanterna acendeu, iluminando todo o recinto. — E ainda tem pilha!

— Então... — começou Tibor, olhando em volta da casa, agora iluminada pelo facho da lanterna. — Que raio de lugar é esse?

28

AS TRÊS MARIAS

Os meninos cansaram de esperar alguém aparecer e até chegaram a duvidar de que estavam mesmo no lugar certo.

Porém, confiaram em Tibor. Ele tinha lhes contado toda aquela história e parecia certo de que o lugar era de fato aquele. Na verdade, o menino já não tinha dúvida alguma. Sentou-se no sofá de três lugares e encostou a cabeça no espaldar. Ouviu os outros discutindo a respeito da casa, mas não lhes deu atenção. Uma última fungada e se entregou a um sono profundo e relaxado.

A porta rangeu ao ser empurrada e um vozerio chegou aos tímpanos de Tibor, resgatando-o de onde estivesse, em seu sono. Abriu os olhos e a luz do sol os ofuscou. Enquanto suas pupilas se adaptavam à luz, enxergou três vultos entrando na casa. Mas não eram nada parecidos com Sátir ou com os amigos. Lembravam mais a avó, só que multiplicada por três.

— Mas quem são esses aqui no nosso tapete? — perguntou, indignada, uma das figuras que acabara de entrar na sala. — Estão dormindo?

— Este aqui está até roncando — comentou outra voz, mais esganiçada que a anterior.

— Ora, mas que desaforo! Invadem a nossa casa e ainda roncam no nosso tapete! — disse a terceira.

Tibor achou melhor se levantar do sofá.

— Olá! — cumprimentou, timidamente. As três figuras se voltaram para ele. — Desculpem invadir a casa de vocês assim... Meu nome é Tibor Lobato.

Agora via nitidamente as três senhoras, uma ao lado da outra, em pé no meio da saleta. Elas usavam vestidos de renda em tons claros, quase brancos. Só uma leve variação na cor diferenciava um vestido do outro. Uma delas usava um vestido creme. A do centro trajava outro bem parecido, mas num tom cinza. E a última usava um vestido verde-água bem clarinho.

As três senhoras não pareciam representar perigo algum. Mas Tibor sabia que já se enganara antes.

— Vocês são as Marias, suponho — arriscou ele.

Elas pareceram surpresas e o menino, sem jeito, esperou que cochichassem entre si. Estava um pouco constrangido. Ele e os amigos tinham de fato invadido a casa delas e até dormido lá dentro, sem serem convidados. Se fossem levar uma bronca, seria bem merecida.

Conseguiu ouvir algo do que diziam, enquanto o analisavam, receosas.

— Como ele disse que o garoto se chamava? — sussurrou a velhota que usava o vestido creme.

— Não me lembro muito bem — respondeu em voz baixa a senhora de babadinhos cinza.

— Ora, ele não disse que uma garota é que nos procuraria? — perguntou a que vestia verde. E as três avaliaram Tibor com o olhar. — Esse daí não me parece uma garota...

— Mas ele acabou de nos dizer como chama. Uma de vocês, por acaso, se lembra? — voltou a falar a senhora de vestido cinza.

— Tibor Lobato! — voltou a dizer o menino, num tom mais alto para que ouvissem.

— Ah, sim! — exclamou a de verde, para ele, soltando uma risadinha. E logo as três voltaram a cochichar entre elas.

— Ele falou Lobato? É isso mesmo?

— Claro que falou — ralhou a senhora da direita para a que estava no meio. — Por acaso está surda, é?

— Sim — falou Tibor, chamando a atenção das três novamente. — Eu sou um Lobato.

Elas o esquadrinharam com os olhos outra vez.

— E eu me chamo Maria — apresentou-se a de cinza, com a voz que mais parecia o ganido de um cão.

— Eu me chamo Maria — disse a da esquerda, de vestido creme.

— Eu também me chamo Maria — disse a velhinha de verde, finalizando as apresentações.

— Somos as três Marias — disseram as três ao mesmo tempo. E a voz das três juntas ecoou nas paredes de tijolos e acabou acordando os amigos que ainda dormiam na casa.

Rurique, Sátir e Pedro se levantaram assustados e se aproximaram de Tibor.

— Vocês têm o mesmo nome? — estranhou o menino.

— Ora, não procurava pela casa das Marias? — perguntou a mulher da direita, meio impaciente com a surpresa do garoto. — Quantas Marias esperava encontrar? Não poderia ser apenas uma, não é?

— Se bem que já fomos sete! — comentou a senhora de cinza para a Maria de vestido esverdeado, que parecia a mais sem paciência das três.

Tibor, por um momento, não soube o que dizer. Então resolveu apresentar seus amigos.

— Esse é o Rurique. — O menino magricela acenou com os dedos. As três Marias responderam puxando um tantinho a barra do vestido e dobrando levemente os joelhos, num cumprimento antiquado. — Esse aqui é o Pedro. — O amigo Malasartes acenou com a cabeça, balançando os cachos castanhos, e recebeu delas o mesmo tipo de saudação. — E esta aqui é a minha irmã, Sátir. — A menina lhes lançou seu típico sorriso matinal, curto e grosso.

As Marias se alvoroçaram novamente.

— Oh! Ele trouxe a irmã! — comentou a da esquerda, de vestido creme. Tibor achava aquela a mais simpática das três. — Também somos irmãs — revelou com um sorrisinho.

— Irmãs? Com o mesmo nome? — comentou Pedro.

— Sim, sim. E trabalhamos juntas também. — A Maria da esquerda, a mais agradável de todas, confirmou com a cabeça e juntou as mãos, toda animada.

— O que vocês fazem? — quis saber Sátir.

— O que fazemos? É isso que ela perguntou? — quis saber a de verde.

— Depois eu é que sou surda, né? — devolveu a senhora do centro, com uma cotovelada.

— Estou sendo irônica, Dona Maria! — repreendeu a da direita, de vestido verde-água. Sátir não gostou de ser alvo de chacota da velhinha. — Trabalhamos a noite toda e, na volta, quando chegamos para descansar, topamos com um bando de intrusos que nem sabem quem somos nós?

— Ora — contestou a de vestido creme, com um sorriso para Sátir —, eles não têm obrigação nenhuma de saber quem somos. — A menina relaxou os ombros.

— Se bem que não há quem não nos conheça — falou a senhora de cinza, voltando-se para Sátir também. — Pelo menos, eu acho. Sempre vejo os olhinhos admirados de todo mundo, olhando pra gente.

— É! Isso é verdade... — concordou a de creme. — Somos estrelas! — gabou-se. — E nosso dever, como toda estrela que se preze, é brilhar! — exclamou ela fazendo um gesto amplo com as mãos. — Mesmo numa noite escura. Tudo bem, não somos as únicas estrelas do firmamento — e ela apontou para o alto com uma careta —, mas há semanas em que até a lua se retira.

— Tem razão — complementou a que dividia o trio ao meio. — E sobra pra nós a missão de brilhar... — disse ela, simulando um enfado com seu trabalho que na verdade não sentia.

— Espera aí! — pediu Pedro, um tanto atordoado com o que as três irmãs diziam. — Disseram que são estrelas?

— Isso mesmo! — confirmou a de cinza, como se a pergunta fosse um ultraje. — A gente sempre está lá, mesmo na noite mais escura, para todos que precisem de luz — disse, gesticulando, toda teatral.

— Uau! — exclamou Tibor. Já tinha contemplado as três Marias milhões de vezes. Um dia, quando se perdera na mata, e sempre que estava irritado ou se sentindo solitário. Elas eram o seu refúgio. — É por isso que vocês não estavam aqui quando chegamos?

E as três assentiram juntas.

— Estávamos lá, fazendo nosso trabalho, ora essa — reclamou a Maria de verde, mais rabugenta. — Só voltamos para cá de dia.

E Tibor entendeu por que na casa não havia nenhuma fonte de luz.

— E como minha lanterna veio parar aqui? — indagou Rurique, exibindo sua antiga lanterna com figurinha de onça.

— Meu querido — começou a mais simpática delas —, é muito bom que aquela ponte não exista mais. Era cada coisa que caía lá pra cima! Você não faz nem ideia...

A que vestia cinza confirmou com a cabeça, crispando os lábios.

— Essa lanterna aí — falou, apontando para o objeto na mão de Rurique — caiu bem em cima de mim. Fiquei semanas com um galo enorme na cabeça.

— E quanto aos senhores? — inquiriu a menos hospitaleira das três, projetando seu queixo pontudo. — O que estão fazendo aqui na nossa casa?

Tibor pigarreou, preparando-se para o que ia falar.

— O João Pestana me mandou aqui — explicou o menino. E as três trocaram um olhar entre elas, como se Tibor tivesse acabado de confirmar alguma coisa. O garoto não soube muito bem se deveria revelar mais do que isso, mas arriscou. — O João me disse que precisava de um local neutro. Pra que pudesse me mostrar alguns sonhos que...

— Sinto muito! — cortou-o a senhora de verde. — Nós não podemos ajudar.

E Tibor espantou-se com a reação dela.

— Ela tem razão — confirmou a de cinza. — Precisamos descansar. Já fazemos demais pela humanidade, toda santa noite. E ainda querem mais?

— É isso mesmo. Minhas irmãs estão corretíssimas. Podem, por favor, sair por onde entraram? — pediu a idosa que Tibor achava mais simpática. Pelo jeito se enganara como das outras vezes. Estava começando a duvidar dos seus próprios julgamentos. Afinal, a velhinha que julgara a mais amável agora lhes indicava a porta da rua sem nenhuma cerimônia, para que dessem o fora dali. — E podem voltar para o lugar de onde vieram — finalizou, diante do olhar estarrecido de Tibor.

As três abriram espaço para que eles pudessem passar.

— Esperem! — insistiu o menino, com um leve desespero. — Ele disse que vocês estavam esperando por mim.

— Ele disse, é? — chiou a de verde.

E as três voltaram a cochichar.

— Mas que abusado esse Pestana, não acham? Quem ele pensa que é? — zangou-se a de cinza.

— Esperem! Precisamos da ajuda de vocês — insistiu Tibor, buscando uma forma de persuadi-las. Mas elas, impassíveis, continuaram a enxotá-los porta afora.

Quando viram, já estavam de volta ao imenso jardim de girassóis. Desta vez, todas as flores miravam o céu, voltadas para o sol brilhante e majestoso.

— Por favor, me deixem explicar! — implorou Tibor.

Mas a porta se fechou com violência.

— Venha, Tapioca! — chamou Pedro, irritado. — Vamos dar o fora daqui.

— Tapioca? — soou a voz de uma delas, de dentro de casa. — Ele chamou o nosso cachorro de Tapioca? Foi isso mesmo que escutei?

— Foi sim, Maria. Escutei a mesma coisa — confirmou uma delas.

— Mas que nome mais sem classe!

E a porta se abriu, novamente.

— E tratem de deixar nosso cachorro aqui, entendido? — ralhou a menos simpática das três.

Ao menos com relação à senhora de verde, Tibor acertara. Ela era de fato a mais indigesta.

Tapioca foi até a velhinha, para o espanto de todos, e ela se abaixou para acariciá-lo.

— Que nome ridículo eles te deram, né? — disse ela, deixando o cachorro lambê-la no rosto todo. Ela falava com o cão com uma voz infantil, como se conversasse com um bebê. — Por que não falou para eles que seu nome é Estrelinha Branca da Mamãe?

Tibor e os outros fizeram uma careta ao ouvir o nome.

— O que foi? — vociferou ela, percebendo o ar zombeteiro dos garotos. — Cada uma de nós escolheu um nome para ele. — Ela se voltou para o cachorro e, com aquela voz que a fazia parecer levemente retardada, continuou: — É claro que eu sou a mamãe, não é mesmo, meu bebezão? — O cachorro balançou o rabo, parecendo feliz.

Tibor puxou pela memória. João Pestana havia dito que, se as Marias não quisessem atendê-lo, deveria dizer que sabia a respeito de... mas não conseguia se lembrar do nome.

No entanto, de repente ele arregalou os olhos e, assim que a Maria de vestido verde bateu a porta atrás de si, desferiu:

— Eu sei a respeito do Crispim!

Seus amigos não entenderam nada, mas a porta tornou a se abrir. E lá estavam as três senhoras, lado a lado, novamente.

— Sabe mesmo, é? — quis saber a de cinza. Agora a idosa parecia escutar muito bem.

Ele assentiu, confirmando. As Marias se entreolharam e chegaram a um acordo entre si.

— Entrem! — convidaram as três ao mesmo tempo, num tom misterioso.

Os quatro se espremeram no sofá de três lugares.

— Tá legal, garoto — falou a senhora de verde. — Só vamos ajudá-lo por causa da história do Crispim.

Tibor torceu para que não perguntassem nada sobre o assunto, pois ele, na verdade, não fazia ideia de quem era o tal Crispim.

— Se não fosse o seu bisavô... — continuou a de vestido creme. Ela parecia saber que o garoto não conhecia absolutamente nada da história e, antes que alguma das irmãs o interrogasse, ela começou a contá-la, provando assim que de fato era a mais bondosa das três. — Que bom que você sabe essa história, menino — disse ela, piscando para Tibor. — Éramos em sete irmãs quando aquela coisa horrível nos perseguiu.

— Eram sete Marias? — perguntou Pedro.

— Sim. Éramos sete. Mas é claro que seu amigo aqui sabe muito bem disso, não é? — E ela piscou para Tibor.

— É. Sei, sim. Eram sete irmãs. Todas elas chamadas Maria — ele fingiu explicar para Pedro.

— Pois é. O menino Crispim era muito malvado com a mãe — continuou a estrela.

— Minha nossa! Que menino mais ranheta! — exclamou a idosa de cinza, referindo-se ao tal Crispim. E Tibor percebeu que Crispim era, na realidade, uma criança endiabrada.

— Um dia, ele fez algo terrível contra a mãe. Um mal imperdoável — contou Maria, brincando com a renda cor de creme que lhe cobria os ombros. — E acabou sendo vítima de uma maldição.

— Uma maldição dos diabos, viu? — comentou a de cinza.

— Bem feito pra ele! Transformou-se numa criatura do mundo das águas. O Cabeça de Cuia — anunciou a menos simpática.

— Cabeça de Cuia? — repetiu Tibor. Sátir deu-lhe um safanão para que o irmão não desse na vista que não conhecia a história. — Isso mesmo. Cabeça de Cuia — disse ele, procurando disfarçar.

— Pra quebrar a maldição, ele precisaria devorar sete Marias — revelou a velhinha de vestido cinza, no mesmo tom dos seus cabelos.

Tibor, Sátir, Rurique e Pedro levaram as mãos à boca, abismados.

— Devorar? Quer dizer... Do mesmo jeito que a Comadre? — perguntou Rurique.

— Não, não. Talvez do mesmo jeito que o Lobisomem — explicou a de verde, como se quisesse provocá-los.

Rurique assentiu, sem graça. Tibor não sabia se as três Marias tinham conhecimento do lado licantropo de Rurique ou se o comentário fora apenas uma coincidência. Lembrou-se, porém, de que João Pestana lhe dissera que poderiam encontrar uma pista para a cura do amigo ali, naquela casa.

— E onde meu bisavô entra nessa história? — perguntou Sátir.

As Marias de cinza e de verde, ao ouvirem a pergunta, olharam confusas para os convidados. A irmã de vestido creme ficou lívida.

— Eu não contei essa parte da história para ela! — emendou Tibor, tentando salvar a situação. — Mas é claro que sabemos quanto o Curupira foi importante — e virando-se para a irmã, perguntou: — Não é mesmo, Sátir?

— Pois é. Foi, sim — interviu a mais gentil das três, mudando o rumo da conversa. — O Curupira sempre foi um ser fantástico muito poderoso. O monstro Crispim já tinha levado quatro de nós. Antes que pudesse concluir sua tarefa para acabar com a maldição, seu bisavô nos transformou em estrelas. Assim, pudemos ficar longe de problemas e escapar, até que a maldição consumisse o Cabeça de Cuia.

— Sabe — disse a senhorinha de cinza, reflexiva —, foi bom nos tornarmos estrelas. Lamentamos a morte das nossas irmãs, mas nem por isso deixamos de irradiar o nosso brilho para todos. Acho que foi isso, na verdade, que nos permitiu sobreviver.

Por alguns instantes, as três ficaram em silêncio, pensando no que a irmã havia dito.

— Crispim não existe mais — continuou a Maria de vestido creme —, mas nós continuamos nossa missão de brilhar para todos. Lá de cima. E é *só* em retribuição ao favor que o Curupira nos fez que vamos ajudar você, jovem Lobato.

TOC! TOC! TOC!

Alguém bateu na porta.

— Ele chegou! — falou a velhota de rendinhas cinzas, olhando pela janela. — Já está aqui — anunciou a todos na sala.

— Nossa! Mas que rapidez! — comentou a de verde, escancarando a porta. — João Pestana, seja bem-vindo!

E Tibor o viu. Parado na soleira, estava um homem de terno preto, com uma calça e um paletó que pareciam ter encolhido, deixando seus pulsos e canelas de fora.

— Como vão, Marias? — saudou ele, inclinando a cabeça. — O garoto já chegou, suponho. Não temos muito tempo. É preciso começar agora!

29

URTIGAS VERMELHAS

O homem teve de baixar a cabeça para entrar na sala. Não que o teto fosse muito baixo, o homem é que tinha pernas muito longas. Tibor e os outros o fitaram como se ele fosse de outro mundo. E era. Seu rosto não parecia uma face humana. Seus olhos eram mais afastados do que o normal e seu nariz, mais achatado. Parecia só ter assumido essa forma para se misturar com os humanos sem destoar muito deles. Mas com aquela aparência, isso era quase impossível!

João estava com pressa. Disse que tinha um reino todo para guardar e, enquanto estava ali, não tinha ninguém para tomar conta dos seus domínios. Só queria ficar ali pelo tempo necessário para cumprir o pedido do seu amigo, até então misterioso.

As Marias levaram Tibor até o quarto e lhe ofereceram uma das três camas. Sátir, Rurique e Pedro foram atrás e ficaram quietos num canto do cômodo, assistindo tudo.

— Por que esse é um espaço neutro? — quis saber Tibor, procurando não ficar muito nervoso. Estava prestes a receber os últimos grãos de sonho que Pestana havia recolhido. Os grãos que lhe revelariam algo importante.

— Já reparou como se comporta uma luzinha na escuridão? — perguntou-lhe João. — A mais ínfima das luzes, em meio a uma profunda escuridão, ainda assim brilha — explicou ele. — Estamos aqui, na casa de três estrelas. Por mais que o mundo esteja um breu total lá fora, aqui é de onde emana a luz. Não existe escuridão que alcance o coração de uma fonte de luz. — Ele sorriu e, por mais que o sorriso não parecesse humano, Tibor sentiu-se reconfortado.

— Estamos prontas! — disseram as três Marias, juntas.

— E você? — O Senhor dos Sonhos voltou-se para o menino. — Está pronto?

Por mais que se sentisse inseguro, Tibor resolveu dar uma de Sátir e arriscar uma piadinha sem graça:

— Claro! Faço isso praticamente todo dia!

— Ótimo! — falou João Pestana, ignorando o gracejo de Tibor. Então colocou a mão comprida e branquela sobre os olhos do menino e, no mesmo instante, Tibor já parecia estar longe dali.

Era uma noite escura.

Ele sentiu frio e medo. Fazia tempo que não tinha aquele tipo de sonho de Pestana. E como aqueles seriam importantes, já começou a ficar ansioso, imaginando com que se depararia.

— Não tema, jovem Lobato — encorajou-o a voz de João, dentro da sua cabeça. — Você está aí, mas também está aqui, na casa das estrelas, no berço da luz.

E o menino abriu os olhos. Viu-se na clareira de uma floresta, como aquela em que a grávida Catirina trouxera o boi Bumba de volta à vida. Tibor percebeu uma sombra em pé, bem no centro da clareira. Aproximou-se devagar, ciente de que o vulto que estava ali não poderia vê-lo nem saber que estivera ali. Como das outras vezes, o menino revisitava fragmentos de memórias ou desejos antigos de outras pessoas.

A sombra tomou forma. Era uma mulher. Já a vira antes por duas vezes. Era a esposa do fazendeiro. A mulher que pedira a Catirina para lhe ensinar o ritual que ressuscitara o boi.

Estava parada no lugar, murmurando palavras incompreensíveis. Tibor chegou mais perto. Seus murmúrios se tornaram mais audíveis. Ainda assim, não podia discernir uma palavra, mas notou uma certa semelhança com os dizeres proferidos pela Cuca em seus rituais macabros.

— Mais uma vez aqui, Ana Jansen? — disse uma voz que pareceu uma navalha riscando o ar. Não era a mulher que falara, e sim outra voz falando com ela.

— Sim, mais uma vez estou aqui — respondeu ela, para o nada. E Tibor continuou atento.

— Ainda querendo me vencer? — tornou a dizer a voz, que causava em Tibor uma sensação ruim, como se lhe invadisse os pensamentos e despertasse todos os seus medos. Até os mais íntimos e profundos.

A mulher balançou a cabeça à pergunta do Nada.

— Não quero vencer. Só quero que não me encontre, quando vier me buscar — falou a mulher.

— Ana Jansen! — chamou a voz da Ceifadora. — Já vi criaturas insolentes, mas você talvez seja a maior delas.

— Diga-me o que preciso fazer para prolongar o meu tempo aqui neste mundo — pediu a mulher chamada Ana. — Não posso morrer! Não quero!

— Não existe maneira de prolongar a vida, mulher. O tempo de todos, tanto aqui quanto no mundo das águas, é tão curto quanto o pavio de uma vela — explicou o Nada. — E eu sei que a sua vela é apenas um cotoco entre as muitas velas da minha casa.

— Diga o que eu preciso fazer. Faço qualquer coisa — insistiu ela.

— Qualquer coisa?

— Sim, qualquer coisa.

Um som vindo da floresta chamou a atenção de Tibor. Uma figura de capuz negro surgiu em meio às árvores e andou até o centro da clareira. Só parou quando ficou na frente de Ana Jansen.

— Faça-me uma mortalha de urtigas vermelhas — sibilou a voz por debaixo do capuz. — Não quero qualquer urtiga. Precisa ser urtiga brava, regada com sangue de cabra.

Tibor ficara perplexo. A cigana Moura fizera exatamente aquilo. Drenara o sangue das cabras dos Benson para regar as urtigas que cresciam do outro lado da cerca do cafezal.

— Em troca do que me pede — disse a figura de capuz para Ana —, você terá que deixar um dos nossos passar, do Além para este mundo. Feito? — quis saber a figura encapuzada.

Enquanto a mulher ponderava, o canto triste de um urutau ecoou na floresta.

— Feito — respondeu ela, decidida.

A figura pousou uma das mãos na barriga da mulher. Uma rajada de vento desmanchou o capuz no ar. Ana Jansen voltou a ficar sozinha na clareira.

Quem era aquela tal de Ana Jansen? E a figura de capuz? Ela dissera que a vida de todos tinha o tempo do pavio de uma vela. E que na sua casa havia uma porção de velas...

Antes que Tibor pudesse pensar mais a respeito, o cenário à sua volta mudou. Agora ele estava numa casa antiga. Mais precisamente num quarto. Um quarto em que já estivera antes, no sonho em que o fazendeiro gritava com os dois escravos.

Os móveis eram da época colonial. Poltronas e camas pata de leão e um assoalho de madeira antigo compunham o ambiente. As janelas altas eram cobertas por pesadas cortinas. Num canto do quarto, havia uma penteadeira. E sentada em frente ao espelho, Ana penteava os cabelos.

Tibor se aproximou da mulher e não viu o seu próprio reflexo no espelho. Sabia que ele não estava ali de verdade. Observou o rosto de Ana e notou em seu semblante uma malevolência que dava medo. Ela era uma mulher capaz de qualquer coisa para conseguir o que queria. Fizera um acordo com algo perigoso naquela clareira. Algo que fazia parte de outro mundo.

— Mandou me chamar, senhora? — perguntou Catirina, da porta do quarto. — Tibor assustou-se ao ver a mulher. Não estava mais grávida e seus braços tinham machucados. Havia bolhas e queimaduras até acima dos cotovelos.

— Como está minha mortalha de urtigas vermelhas? Pronta?

— Quase, patroa — respondeu a escrava.

Foi então que Tibor notou que os ferimentos de Catirina eram bem parecidos com as queimaduras de urtiga que ele e a irmã tinham sofrido. A diferença era que os de Catirina eram bem mais graves.

Ana se levantou da penteadeira e Tibor se espantou mais uma vez. A barriga da mulher estava enorme. Agora, era ela quem estava grávida e já parecia prestes a dar à luz.

— Apresse-se, mulher! — mandou Ana. — Há uma vida em jogo aqui.

Nesse momento, tudo mudou novamente. Tibor foi carregado daquele quarto para outro cenário. Agora estava em frente a uma casa de estilo colonial muito imponente e, de certa forma, familiar. A casa era um grande bloco retangular, com portas e janelas de madeira de lei.

Da casa se aproximava uma luxuosa carruagem, puxada por quatro cavalos. Era do tipo berlinda, em que dois varais laterais mantinham a estabilidade na cabine, evitando que balançasse ao transitar pelas ruelas esburacadas. O coche era negro, assim como os cavalos. Logo que estacionou na frente da casa, crianças e adultos foram recebê-la. Tibor percebeu que eram de classes sociais bem diferentes. Os de pele branca estavam muito bem-vestidos, enquanto os de pele negra vestiam farrapos e pareciam desnutridos.

Um menino de uns 16 anos e uma menininha de uns 5 anos, ambos de pele escura, aproximaram-se da carruagem com os olhos cheios de curiosidade, para saber quem sairia de lá.

Assim que a portinhola da cabine se abriu, Ana Jansen apareceu, toda vestida de preto. Olhou enojada para o jovem e a menina.

— Tirem essas crianças daqui! — ordenou ela. — Não quero minha filha perto dos filhos dos escravos.

Sentindo-se indignado com a atitude da mulher, Tibor viu Catirina, agora muitos anos mais velha, passar por ele e ir até as duas crianças.

— Mirta, volte para a senzala e vá pra junto da sua mãe — mandou a mulher mais velha. Depois voltou-se para o menino. — Negrinho, meu filho — ralhou ela, carregando-o dali pelo braço —, quantas vezes já disse para ficar longe da patroa e da filha dela? Vá pastorear os cavalos, anda!

Tibor ficou chocado ao perceber que conhecia aquele menino. Era o Negrinho do Pastoreio! O filho de Catirina! Animou-se ao vê-lo. Mas logo pensou no que o Negrinho lhe dissera quando o encontrara na mata. Que sofrera uma morte horrível. O que será que aconteceria a ele?

Pela quarta vez, o cenário mudou. Tibor não teve nem tempo de ver a tal filha de Ana sair da carruagem. Ficou tão entretido com a aparição do Negrinho que não viu mais nada relacionado àquela mulher asquerosa.

Mas o sonho ainda não havia terminado. Viu-se de volta à clareira na floresta. Era noite novamente e Ana Jansen estava lá, agora aparentando mais idade.

— O que quer desta vez? — quis saber a figura de capuz.

Ana parecia nervosa.

— Você não cumpriu o prometido! — acusou ela. — Eu ainda estou morrendo — e Ana tossiu duas vezes. De onde estava, Tibor pôde ver um filete de sangue lhe escorrer pelo queixo.

— Você não cumpriu com o combinado, Ana Jansen! — acusou a voz.

— Eu fiz a mortalha de urtigas e deixei um de vocês passar para o lado de cá.

— Ah, é mesmo? — questionou a voz, com profunda ironia. — E foi você mesmo que fez a mortalha? Costurou folha por folha com suas próprias mãos? Ora, então por que será que tudo deu errado?

Ana se calou. Teve que engolir o seu orgulho e baixar a cabeça. Afinal, Catirina costurara a mortalha e não ela.

— Me dê uma nova chance! Me deixe tentar mais uma vez.

— Por que eu deveria, Ana? E por que tem tanto medo de mim? — perguntou a voz enregelante. — Eu não mordo. Só levo você para dar uma volta na minha carruagem...

— Me dê mais uma chance. Eu imploro.

Um silêncio reinou na clareira e Tibor teve a impressão de que a entidade havia partido, deixando Ana ali sozinha. Só percebeu que estava enganado quando um arrepio percorreu sua espinha ao ouvir novamente a voz.

— Transforme a natureza de um amuleto de poder — disse a voz. — Mude a fonte da sua energia.

— Que tipo de amuleto? — quis saber ela.

— Qualquer um. Pode ser uma pedra de Carbúnculo, um Muiraquitã, um Aguiri. Só o que importa é que seja poderoso — falou o ser encapuzado. — Mude a energia dele e, claro, deixe mais um de nós passar para o seu mundo.

Ela assentiu.

— Feito.

Tibor se assustou quando um trovão cortou os céus. Virou-se rápido e percebeu que estava de volta ao quarto de Ana. Viu que ela estava deitada na cama, enquanto algumas mulheres negras a ajudavam com alguma coisa. Reparou que uma delas pegou algo nos braços, evitando olhar para o que segurava. Depois o entregou à patroa. Tibor se aproximou. Queria saber do que se tratava.

Então ele viu. E teve certeza de que, se estivesse ali de verdade, seu coração teria parado de bater, tamanho o choque. Ana segurava um bebê no colo. Mas os pés da criança eram enormes e compridos.

Aquele recém-nascido viria a ser um dia sua tia-avó, a Pisadeira. Essa constatação fez Tibor concluir que a primeira criança gerada por Ana, e que viera do Além para este mundo, era a Cuca.

Ana Jansen era a mãe das duas terríveis bruxas.

30

A PRIMEIRA VÍTIMA

Tibor sentiu uma leve vertigem ao acordar. Abriu os olhos e viu que estava de volta ao quarto das Marias. Uma forte ânsia de vômito quase o fez pôr pra fora o minguado conteúdo do seu estômago, mas ele conseguiu se controlar.

— Muito bem, garoto! — congratulou-o Pestana. — Sonhos ruins não são a minha especialidade, mas você se saiu muito bem.

— Minha cabeça está girando — reclamou. Tentou se levantar e constatou que era impossível.

— É claro! Recebeu uma dose cavalar de informação. Não poderia sair ileso. Mas logo estará pronto para mais uma sessão. Agora, descanse! Ocupe-se dos seus amigos. Muito em breve trarei os últimos grãos.

O homem ficou de pé e sua cabeça pareceu ir às alturas, tamanha a sua estatura. Despediu-se de Tibor e saiu do quarto com as canelas de fora. Sátir e os meninos foram até a beira da cama e notaram que os lençóis de Tibor estavam encharcados de suor.

A mais simpática das Marias entrou no quarto, com seus olhinhos de conta brilhando. Parecia orgulhosa do garoto. Trazia nas mãos copos e uma jarra cheia de suco.

— Bebam. Acabei de fazer — disse ela, com o mesmo vestido creme, combinando com os cabelos brancos presos num coque. — É suco de carambola. Adoramos essa fruta.

— Por que parece uma estrela? — arriscou Pedro.

— Exato! — Então a velhinha se voltou para Tibor. — Aprenda o que precisa aprender, Tibor.

O menino já ouvira aquela recomendação antes. O Saci lhe dissera uma coisa parecida, quando estavam encarcerados no covil da Cuca.

Sátir ficou preocupada com a palidez do irmão.

— Não se preocupe, estou bem, maninha — ele a tranquilizou, ao ver sua testa franzida. — Quero contar a vocês tudo que vi. Podemos achar respostas juntos. — Ele tentou se levantar, mas o resultado foi o mesmo. Não conseguiu. — Mas primeiro eu acho que preciso descansar — disse, com os olhos quase se fechando.

Nem chegou a provar o suco de carambola.

Tibor sentou-se na cama assustado. Acordava de um sono profundo e se sentia meio desorientado. Por um breve instante, esqueceu-se de onde estava. Levou alguns minutos para reconhecer o quarto das Marias.

Viu pela janelinha que chovia forte lá fora. Ficou ali deitado, ouvindo os pingos d'água lavando o mundo. Gostava de ouvir a chuva. Depois saiu da cama e foi até a portinhola que dava acesso à sala. Abriu-a e a irmã veio correndo abraçá-lo.

— Até que enfim, maninho!

Pedro e Rurique também vieram recebê-lo com uma expressão de alegria.

— O que houve? Perdi alguma coisa? — quis saber. Não entendia o motivo de tanto alvoroço.

— Você dormiu por três dias! Não houve quem conseguisse te acordar.

Tibor arregalou os olhos. Quanta coisa não devia ter acontecido lá fora, no combate contra a bruxa e seus seguidores! Será que a avó estava bem? E os pais de Rurique? E a mãe de Pedro?

— Assim que você apagou, João Pestana disse que dormiria muito mais do que o normal. E que isso seria necessário — explicou a menina.

— Bom, já que a donzela acordou, poderia nos dizer tudo o que viu? — perguntou Pedro. — Afinal, há uma batalha lá fora e minha mãe está no meio dela.

— Venha, sente-se aqui — disse a Maria de cinza. — Não há tempo a perder.

As três Marias se espremeram um pouco no sofá, abrindo espaço para que Tibor se sentasse. Mas ele preferiu continuar de pé. Estava muito agitado para ficar quieto num só lugar.

Rurique, Sátir e Pedro sentaram-se nas três cadeiras da mesa de jantar e Tibor começou a contar os sonhos malucos que tivera. Andando para lá e para cá, porque, segundo ele, aquilo o ajudava a pensar.

Depois de ouvirem os relatos de Tibor, começaram a tecer teorias sobre os significados e implicações dos sonhos.

— Ana Jansen, que é a mãe da Cuca e da Pisadeira, queria driblar a morte — explicou Tibor. — Estava doente, mas não queria morrer. Portanto, aquela figura de capuz com quem conversava seria a Morte? A própria Morte? — perguntou para si mesmo.

— É uma possibilidade — disse uma das Marias, sentada na ponta do sofá.

— É, talvez seja, sim — concordou a Maria do meio.

As três seguiam o menino com a cabeça, enquanto ele andava de um lado para o outro na sala diminuta.

— Sendo a Morte ou não, me lembro dela dizendo que a vida dura tanto quanto o pavio de uma vela e que a casa dela estava cheia de velas — contou ele. — Isso teria a ver com a vela que a Cuca estava procurando? — Rurique deu de ombros, sem nem parar para pensar. — A Moura está morta, inclusive, por tê-la traído e escondido a tal vela.

— Será que a vela que a Cuca encontrou simboliza a vida de alguém? — arriscou Pedro.

— Taí — falou outra Maria. — Essa também é uma possibilidade.

— Quando estávamos no covil da Cuca — Tibor olhou para Rurique —, escutamos a bruxa conversando com algum tipo de entidade. Seria a mesma com que Ana Jansen conversou no sonho?

— E o que foi que a Cuca disse para essa entidade? — quis saber a irmã.

— Disse que suas urtigas já estavam prontas, que já tinha um amuleto negro e também um inocente — lembrou-se Tibor. — Segundo ela, ainda faltava a vela.

— Que não falta mais — complementou Sátir. — O que será que ela pretende com tudo isso nas mãos?

— Tentar vencer a morte, assim como a mãe? — arriscou Tibor.

— Será possível que essa tal de Ana Jansen ainda esteja viva? — perguntou Pedro.

— Se fez o ritual da maneira correta, acredito que sim — supôs Tibor. — Mas ela tomou a maior bronca da criatura com que falava. Parece que tinha de ter feito a tal da mortalha com as próprias mãos. Como ela pediu pra Catirina, isso deve ter anulado o efeito do ritual.

— Por isso ela continuou doente — presumiu Pedro.

— Exatamente! — falou Rurique, só por dizer. Era nítido, para todos na saleta, que o menino já tinha se perdido na história.

— Rurique — chamou a Maria de vestido cinza, com sua voz esganiçada. — Por que não vai até a cozinha buscar um pouco de suco de carambola? — Aqui o que não falta é suco de carambola! — disse ela, fazendo graça. — Enquanto isso, vou acender um incenso de aniz-estrelado para desanuviar as ideias.

— Bem — continuou Tibor —, Ana pelo menos cumpriu a outra parte do combinado. Deixou alguém do Além passar para este mundo. Ficou grávida quando a Morte tocou sua barriga. E teve a primeira filha.

— A Cuca — completou a Maria de cinza, enquanto acendia o incenso.

— E o Muiraquitã negro que está com a Cuca? — quis saber Sátir. — Onde ele entra nessa história?

— Acho que, como o primeiro ritual não surtiu efeito, porque ela não teceu a mortalha com as próprias mãos, Ana tentou uma segunda vez. E isso, de acordo com a entidade, exigia uma nova tarefa: transformar a energia original de um amuleto de poder.

Todos ficaram em silêncio por um minuto. Só se ouvia na sala o tilintar dos copos, enquanto Rurique servia o suco de carambola.

— A Cuca fez exatamente isso quando conjurou a segunda alma do boi Bumba e aprisionou-a no Muiraquitã — concluiu Tibor. — Mudou a energia do amuleto de jade.

— Então, será que foi assim que ela conseguiu controlar o Boitatá para fazer o que fez com nossos pais? — Sátir pensou alto e os irmãos se encararam. Os dois divergiam de opinião com relação ao Boitatá.

— E sobre a época em que tudo aconteceu? — comentou Pedro, querendo mudar de assunto ao perceber o instante de tensão entre a namorada e o amigo. — Você disse que foi na época dos escravos. Então a Cuca e a Pisadeira têm mais de cem anos de idade! — assombrou-se.

Rurique levantou a cabeça. Não tinha feito as contas antes e se espantou com a notícia.

— Então, Dona Gailde também tem? — disse ele, fazendo pela primeira vez um comentário relevante.

Tibor tinha evitado pensar naquilo. Se a avó era irmã da Cuca e da Pisadeira, isso queria dizer que Ana Jansen era sua bisavó? E onde entrava o Curupira naquela história toda?

Ele ainda ficara encucado com a aparição do amigo Negrinho e também com a familiaridade que sentia com relação à casa de Ana Jansen.

Essas eram algumas das perguntas que davam voltas na cabeça de todos. Não havia mais espaço para as piadinhas sem graça de Sátir, nem para os comentários sem nexo de Rurique, nem para a esperteza de Pedro e os gracejos e cochichos das três Marias. Todos quedaram em silêncio, tentando encaixar as peças daquele enorme quebra-cabeça.

Era a última quarta-feira do mês de março quando alguém bateu na porta das Marias. Era João Pestana novamente, trazendo mais uma rodada de sonhos. Todos comemoraram, ansiosos para preencher as lacunas da história.

Tibor ajeitou-se na cama, como da última vez.

— Esses são os últimos grãos que tenho para mostrar, Tibor. Assim que terminarmos, talvez não nos vejamos mais — disse Pestana. — Terei cumprido a minha promessa. Em breve você encontrará o amigo que me pediu para lhe mostrar esses sonhos. É só confiar no aviso da sua intuição. — Será que João Pestana também era responsável pelos avisos que às vezes sentia no peito? — Preparado? — quis saber o Senhor dos Sonhos, debruçando-se sobre ele.

— É claro que não! — brincou Tibor, sabendo que João Pestana não acharia graça...

E ali estava ele, de volta à mesma casa. Estava numa sala ampla, onde havia uma lareira acesa.

Tibor logo a viu. Ana Jansen estava sentada numa enorme poltrona com patas de leão. Ao seu lado, uma porção de lencinhos de cambraia, como os que sempre carregava. Todos manchados de sangue.

Suas rugas agora eram bem evidentes à luz do fogo. Ela parecia preocupada.

— Você tem certeza do que está me dizendo, Merilde? — perguntou Ana.

Tibor virou-se para procurar com quem ela falara. Surpreendeu-se ao se deparar com uma menina de uns 7 ou 8 anos de idade. Logo viu que não era uma criança comum. A menina tinha cabelos pretos e esgrouvinhados, e olhos completamente escuros; não era possível ver a parte branca dos olhos. Era como se tivessem enfiado uma bola de gude preta das grandes, boticão, em suas órbitas.

— Tenho sim, mãe. — E, assim que a menina abriu a boca, Tibor soube que estava diante da Cuca. Os maxilares eram desarticulados, o que fazia sua boca abrir muito mais do que o normal quando falava. “Ela com certeza conseguiria botar um filhote de gato inteiro ali dentro”, pensou Tibor, e ainda sobraria espaço. — Foi o Negrinho! — continuou ela. Tibor gelou, suspeitando que a menina acusava o Negrinho do Pastoreio de alguma coisa grave. — Eu vi com meus próprios olhos. Foi o filho de Catirina que soltou os cavalos da sua carruagem, mãe.

— Criado! — chamou Ana. Prontamente, um homem de pele escura como a dos irmãos Queirós apareceu na sala. — Quero que açoite o filho de Catirina pelo sumiço dos meus cavalos.

— Sim, senhora — respondeu o homem, já se retirando.

— Volte aqui, escravo. Ainda não terminei! — vociferou ela.

Tibor percebeu que Ana Jansen estava irritada, mas não era com os cavalos a sua maior preocupação. Estava cismada com outra coisa. Mas o menino sabia que ela descontaria sua raiva em alguém.

— Há um formigueiro, com formigas carnívoras, aos pés da quaresmeira aqui da fazenda. — Ela fez uma pausa, como se arquitetasse um plano perverso. — Depois de açoitarem o Negrinho, quero que o amarrem na árvore, em cima desse formigueiro.

— Não! — gritou Tibor. Mas ninguém o escutou. Por um momento, esqueceu que estava dentro de um sonho. Que aquilo já tinha acontecido havia mais de cem anos.

Viu o homem se retirar para cumprir sua triste tarefa. Chicotear o menino. Aquilo era horrível. Tibor queria intervir, mas não podia. Estava ali só para observar. Sabia o que viria depois. O Negrinho seria uma vítima fatal daqueles tempos, em que a cor da pele determinava o destino das pessoas.

Lembrou-se de Humbertolomeu, o boto-cor-de-rosa que se transformava em ser humano todas as manhãs, na quaresma. Na ocasião, Humbertolomeu dissera que era uma maldição estar em pele humana. Que os seres humanos faziam coisas terríveis com a sua própria espécie. Tibor sentia agora aquela mesma frustração do boto. Ao ouvir a sentença que acabaria com a vida do Negrinho, teve vergonha de fazer parte da espécie humana. Como uma pessoa podia tratar outra de forma tão vil? Para Tibor, aquilo era inconcebível.

Ouviu atrás de si a risada da menina que um dia seria uma terrível bruxa. Ao virar-se, percebeu que ela escondia algo nas mãos. Era um pino de ferro. O pino tirado da carruagem da mãe e que prendia os cavalos à carruagem. O Negrinho pagaria por algo que não tinha feito. A Cuca preparara uma armadilha para ele e agora abria um grande sorriso, que fazia o seu queixo solto encostar na base do pescoço. Ela saiu da sala, satisfeita, para um saguão iluminado por um lustre cheio de velas. O Negrinho fora sua primeira vítima.

Tibor não se sentia bem. Queria parar de sonhar. Queria dar um soco naquela boca desconjuntada da sua tia-avó. Entendia agora por que tanta coisa ruim aconteceria por causa daquela monstrenga, no futuro. Porque ela era ruim desde pequena. Não era uma criança normal. Ela e a Pisadeira tinham vindo de um mundo sombrio, no Além. Eram frutos de um acordo com uma entidade demoníaca. Eram apenas moedas de troca num ritual cujo propósito era driblar a morte.

Mas o sonho ainda não acabara...

Tibor olhou ao redor e lá estava ele na clareira novamente.

— Agora já chega de joguinhos! — reclamou Ana para a figura sombria. — Eu não consegui fazer a pedra de Carbúnculo mudar sua natureza porque fui enganada. Me ofereceram uma pedra falsa. Portanto, a minha próxima tentativa precisa funcionar. — Ela falava de maneira agressiva. Como um animal acuado, prestes a atacar. — Eu estou aqui pra dizer que fiz o que me pediu. Como terceira tarefa, já que a alteração da pedra não deu certo, dei cabo de um inocente!

As pernas de Tibor fraquejaram. Ou teve a sensação de que fraquejaram, porque seu corpo físico estava deitado na cama. O Negrinho fazia parte do ritual! Também era uma moeda de troca, para que Ana conseguisse alcançar seus objetivos sombrios.

— Então, você tem todo o direito de adentrar a minha casa — falou a voz gelada.

No instante seguinte, uma casa fantasmagórica surgiu na clareira. Era tão grande que ocupava todo o espaço aberto na floresta.

— O que é isso? — quis saber Ana, surpresa.

— Bem-vinda à casa da Morte! — disse a voz.

A mulher andava pela relva, mas ao seu redor havia paredes translúcidas, como se, ao mesmo tempo, caminhasse por um grande salão. Tibor já tinha visto aquele salão antes. A Cuca o conjurara dentro da caverna. Numa das paredes, havia uma infinidade de prateleiras cheias de velas de tamanhos variados. Velas grandes, pequenas, cotocos... Ana Jansen andava, maravilhada, pela casa-fantasma, que se materializara ao seu redor.

— Sabe o que deve fazer, não sabe? — perguntou a voz. Mas Ana balançou a cabeça, dizendo que não. E então a Morte explicou: — Ache a sua vela.

Tibor viu Ana encontrar uma vela que estava bem no fim. Já quase não tinha cera para queimar e seu pavio era bem curto.

— Agora, ache a minha! — ordenou a voz. E Ana foi até uma espécie de caixa de vidro que ficava em cima de um pedestal, bem no centro do salão. Ali havia uma vela de cera preta, cuja chama era branca. — Agora troque as duas de lugar — disse-lhe a entidade. — Coloque a sua vela no lugar da vela da Morte! — E Ana assim o fez.

A casa no mesmo instante desapareceu. Ana caiu de joelhos, enfraquecida. Ofegava como se tivesse corrido uma maratona. Estava de volta à clareira. Mas não estava sozinha. A figura de capuz estava ao seu lado.

— Acabou? — perguntou Ana, para a silhueta escura, apoiando os joelhos e a palma das mãos no chão.

— Ainda terá de deixar um de nós passar — sentenciou a Morte.

— Feito.

— Parabéns, Ana Jansen! — congratulou-a o ser encapuzado. — Você agora é a dona da minha carruagem. Eis a nova Senhora da Morte!

31

CORPO FECHADO

Tibor acordou três dias depois, chocado com tudo que tinha visto. A maldade humana e o nível ao qual ela podia chegar eram inacreditáveis! Agora sabia que Ana Jansen era uma mulher perversa, capaz de cometer atrocidades para conseguir o que queria. Como consequência, gerara dois monstros: a Cuca e a Pisadeira.

A Cuca, assim como a mãe, tentava a todo custo realizar um ritual para vencer a morte. Mas por quê? Estaria doente também? Iria morrer logo? Tibor achava que até seria bom. Acabaria com todo o mundaréu de problemas que ela causara.

Ele se levantou da cama rápido, ainda zonzo, com pressa para deixar a casa das Marias e voltar para Membira. Mas não conseguiu evitar: desabou no chão, alarmando a todos que estavam na sala com o barulho da sua queda.

Pedro e Rurique o ajudaram a chegar à sala e a se recostar no sofá. Enquanto se recuperava, contou os sonhos aos amigos. Todos ficaram chocados com o grau de maldade da Cuca e da mãe dela. E lamentaram muito pelo Negrinho.

Ficaram aturdidos, também, ao saber que Ana Jansen se tornara a Senhora da Morte.

— Lembra o que nos disse o coveiro do cemitério onde Dona Arlinda foi enterrada, maninho? Sobre a carruagem da Morte? — relembrou Sátir. — Ele disse que é uma carruagem que sai, todas as noites, recolhendo os mortos do dia.

— Credo! — exclamou Rurique.

— Então... — refletiu Tibor —, será que era da carruagem da Morte que o fantasma de Dona Arlinda falava, quando apareceu na sala do sítio?

Sátir pôs-se de pé e começou a andar de um lado para o outro, igualzinha ao irmão três dias antes.

— E o que foi que o fantasma dessa senhora falou? — perguntou a Maria de vestido verde-água, com interesse.

— Dona Arlinda repetia: "Ela não veio, ela não veio" — contou a irmã de Tibor.

— Cruz-credo! — exclamou Rurique, outra vez.

— Então, ela falava da carruagem? Ou será que falava da Morte? — Pedro tentava entender.

— Acho que das duas coisas — especulou, Tibor. — Os mortos não têm, de fato, ido embora. Ao que parece, assim que Ana Jansen se colocou no lugar da Morte, a carruagem parou de coletar os mortos.

— Mas ela pode fazer isso? — quis saber Sátir. — Quero dizer, todos os dias pessoas morrem, não é? — ela disse, olhando para todos. — E aí, o que acontece agora? Ninguém vai mais para o Além?

— Se ela pode fazer isso, eu não sei — disse Tibor. — Mas pense nos trasgos, Sátir. Eles nunca foram embora, não é mesmo? E Dona Arlinda, pelo jeito, também não.

— A procissão de fantasmas que vimos em Guará... — acrescentou Pedro, aumentando a lista de almas penadas.

Rurique, enquanto isso, acompanhava a conversa com os olhos, tentando assimilar o que os amigos diziam.

— O Saci e a Naara disseram que tudo que morre, seja aqui ou no mundo das águas, vai para o Além — lembrou Tibor. — A Carruagem não está mais recolhendo os mortos. Portanto, as almas não estão mais indo embora. — O jovem Lobato tentou mais uma vez se levantar, mas ainda estava fraco. — Que droga! — reclamou. — Precisamos partir.

— Acalme-se, garoto! — pediu a Maria de babadinhos cinzentos. — Você precisa se recuperar dos sonhos de Pestana. Foi uma das recomendações que ele nos deixou antes de ir embora.

— Não entendem? Há uma guerra sendo travada lá fora, enquanto estamos todos sentados aqui! — exasperou-se ele.

— Sempre há uma guerra sendo travada lá fora, querido. E sempre haverá — filosofou a senhora de verde. — Esteja você pronto ou não.

Mas é claro que é melhor que esteja pronto, se quer mesmo fazer alguma diferença.

Foi então que Tibor se lembrou de um detalhe.

— Me ocorreu agora — começou ele — que Ana Jansen ficou fraca ao voltar da casa da Morte. Não conseguia nem ficar de pé.

— A Cuca ficou assim também quando fez o ritual na caverna — comentou Rurique. — Estava tão fraca que precisou ser carregada. Foi aí que atacamos, não foi, Tibor?

— Talvez seja por isso que havia tantos seguidores ali com ela na caverna — supôs Pedro. — Deviam estar ali para protegê-la; ela devia saber que ficaria indefesa depois do ritual. E, como eles falharam, ela tirou a vida deles. Não serviam mais pra nada.

Aquela hipótese tinha fundamento.

— Então, talvez o exército com que ela tem assolado todas as vilas não seja um exército feito para o ataque — concluiu Sátir. — Mas sim para a defesa!

— Faz sentido! — disseram juntas as três Marias.

Depois de horas tecendo conjecturas, Tibor já se se sentia mais recuperado. Ele e os outros então se despediram das Marias e agradeceram tudo que tinham feito por eles.

— Vocês vão voltar agora para o mundo real... — disse uma delas.

— ... e ele às vezes fica muito sombrio — complementou outra das Marias.

— Mas nunca se esqueçam de olhar para o céu. Estaremos lá brilhando por todos vocês. Onde houver um pontinho de luz que seja, a escuridão nunca será completa — finalizou a Maria mais simpática.

Antes que pudessem partir, as estrelas fizeram questão de que não levassem Tapioca. Alegaram que o cachorro tinha sido escolhido para cumprir a missão de guiá-los até a casa delas e, como tinha cumprido a tarefa, deveria voltar a integrar sua matilha de 21 cães. Eram sete para cada uma delas.

— E guerra não é lugar pra cachorro — argumentou a de verde, com o queixo em riste.

E, assim, tiveram de deixar Tapioca para trás. Pedro ficou tristonho, mas aceitou o argumento das Marias. Os quatro amigos já saíam do vale pelo campo de girassóis, quando Tibor estacou no lugar, como se lembrasse alguma coisa, e voltou correndo.

— Esperem! — pediu ele, para as senhoras que brincavam com seus cães. — Pestana me disse que vocês poderiam saber algo sobre a maldição do Lobisomem.

— Puxa! Achei que nunca perguntaria — disse uma delas.

Rurique e os outros voltaram até onde Tibor estava, também interessados no que as velhinhas tinham a dizer.

— O Curupira uma vez criou, junto com Sacireno Pereira, uma simpatia para curar a licantropia. — Todos os quatro apuraram os ouvidos para escutar o que a senhora de cinza iria revelar. — Eles deram a receita para o pai de um menino amaldiçoado pelo legado do lobo.

— Alfredo Málabu, o prefeito maluco! — adivinhou Rurique.

— E vocês sabem como é essa simpatia? — quis saber Tibor.

— Lembro-me de tê-la visto uma vez... Tinha um desenho esquisito de uma lua. — Então ela se voltou para as irmãs e cochichou. — O desenho é, na verdade, bem ruinzinho. Mas como se pode esperar uma boa coordenação motora de um rapaz que tem os pés para trás, não é?

— Tibor — chamou Pedro, boquiaberto. — Esse desenho...

— O que tem ele?

— Acho que ele está na parede da minha casa!

Tibor se lembrou do quadro na parede da casa dos Malasartes, com uma lua desenhada num papel amarelado. Pedro dissera que o pai o guardava até que o antigo dono fosse buscar.

A menção da casa de Pedro fez Tibor se lembrar de um detalhe visto num dos seus sonhos: Cuca, quando criança, saindo da sala onde acabara de incriminar o Negrinho e se dirigindo para um saguão onde havia um enorme lustre de velas.

O lustre da casa de Ana Jansen era exatamente o mesmo que ficava no saguão da casa de Pedro!

— É a mesma casa! — gritou ele.

— Você está bem, menino? — perguntou a voz esganiçada de uma das Marias. — Não quer entrar e descansar um pouco mais?

— A mesma casa? — repetiu Pedro, surpreso.

— Ana Jansen morava onde você mora! Aquela era a casa dela! — constatou Tibor.

— Uau! — exclamou Pedro. — Provavelmente os Málabu a compraram deles, então — disse o menino com as mãos na cintura.

E todos olharam para Pedro. Agora havia um nó bem apertado no cérebro de cada um.

— Os Málabu? Espera aí. O que quer dizer? — perguntou Tibor, lembrando que Sacireno havia dito que a cura de Rurique estava na casa dos Málabu.

— Ora, meu pai comprou aquela casa por uma pechincha! Minha mãe conta que ele se gabava muito disso. Ela falou que a casa era do último prefeito da região. Disse que ele ficou biruta e vendeu tudo. Foi assim que conseguimos comprar um casão daqueles. — O queixo de Tibor, Sátir e Rurique estava quase tão caído quanto o da Cuca. — O que foi? — espantou-se Pedro ao ver os amigos olhando para ele daquele jeito. — Não acharam que aquele "M" no brasão da porta da minha casa era de Malasartes, não é? Foi uma tremenda coincidência e era disso que o meu pai mais se gabava. Na verdade, o M é de Málabu.

Mais do que nunca, precisavam ir para Membira. A Cuca estava lá e a cura para Rurique também. Agora sabiam que Antenor e os outros estavam perdendo tempo com o exército da tia-avó. Aquele exército não tinha sido formado para atacar, mas para defender. Tanto Ana Jansen quanto a Cuca perceberam que, depois de entrar na casa das velas, ficavam muito vulneráveis e precisavam se defender de possíveis ataques.

Enquanto corriam, Sátir ainda debochou do nome verdadeiro da Cuca. Merilde! Disse que era um nome muito feio e que Cuca era até melhor. O irmão achou que o deboche vinha em boa hora. Se conseguiam caçoar do nome da bruxa, era sinal de que estavam mais fortes e já não a temiam tanto.

— Pestana disse às Marias que alguém da confiança dele vai nos encontrar no meio do caminho, com uma informação importante — contou Tibor, enquanto andavam. — Só não souberam dizer quem é.

— Mais charadas desse Senhor dos Sonhos? Ele está de brincadeira, né? Poxa, não podia ser um pouquinho mais direto? — desabafou Rurique.

Tibor teve que concordar com o amigo. Pestana ajudara, e muito, mas bem que podia ser um pouquinho menos enigmático...

Foram horas a fio, seguindo o caminho indicado pelas três Marias. Já não tinham mais certeza se seguiam pela trilha certa. O jeito era continuar. A noite do dia 1º de abril chegou e puderam ver as três brilhando no céu. Rurique até lhes mandou um tchauzinho.

Pararam um pouco para descansar e comer algumas frutas que as Marias tinham enviado num pote em formato de estrela. Num dado momento, viram um homem caminhando na direção deles.

— Tibor! Sátir! Pedro! Estava procurando vocês! — disse o homem, ao vê-los.

Era Vlado Queirós.

— Como nos encontrou? — quis saber Sátir.

— Só segui a minha intuição. Algo me disse que eu deveria seguir por este caminho.

E os meninos puderam ver ali o trabalho ligeiro de João Pestana.

Além do mais, Vlado vinha com informações novas e ninguém duvidou de que ele era mesmo o homem de confiança que Pestana mencionara.

— Se querem evitar a grande batalha no muro de Membira, sei de uma maneira — disse Vlado, depois de Tibor lhe contar que um dos seus planos era driblar o exército que protegia a Cuca e atacá-la quando ela estivesse mais vulnerável.

— Lembram da mina abandonada de Guará? — Os quatro assentiram juntos, como se fossem quatro Marias. — Como viram, a mina tem várias ramificações — continuou ele. — Eu segui a Moura por uma delas. Queria dar um jeito de encontrar o meu... — Ele parou de falar de repente, arrependendo-se do que ia dizer. — ... uma pessoa. Assunto pessoal. — Mas Tibor sabia que ele falava do irmão, Astor. — Pois bem, segui a Moura e não imaginei que veria o que vi.

— E o que foi que você viu? — inquiriu Sátir.

— A Moura seguiu por um caminho que acabava dentro de Membira. Se seguirem por essa passagem subterrânea, vão sair numa lápide do cemitério de Membira.

— E o que ela foi fazer lá, no cemitério? — questionou Pedro, desconfiado.

— Eu a vi discutindo com um ser fantástico que assombra aquelas regiões.

— Só pode ser o Corpo Seco! — concluiu Malasartes Júnior.

— Isso mesmo — confirmou Vlado. — Ela tomou algo que a assombração guardava. Disse que era hora de pegar de volta.

— A vela! — chutou Sátir. — A Moura queria mudar a vela de lugar. Talvez a Cuca já tivesse descoberto o esconderijo dela — arriscou a menina.

Vlado ficou surpreso com o tanto que os garotos já sabiam. Da última vez, procuravam por Rurique e não tinham pista alguma.

O dono do bar em Guará concordou em ajudá-los a evitar o exército da Cuca, mostrando como chegar ao cemitério de Membira pela passagem secreta, dentro da mina.

Mas, num dado momento, ele chamou Tibor num canto.

—Ei, Tibor — ele evitava olhar para Rurique —, amanhã começa a última semana da quaresma. E vai ser lua cheia — comentou preocupado. — Me lembro muito bem do pequeno estrago que seu amigo aqui fez no meu bar.

— Ei! Eu tô escutando vocês, viu? — gritou Rurique, de longe. — Não esqueçam que tenho audição de lobo!

Sátir e Pedro, que caminhavam de mãos dadas, sorriram ao ouvir Rurique.

— Ah! Não se preocupem — disse o menino, tirando um frasquinho do bolso e balançando-o no ar. — Dona Gailde pensou em tudo. Me deu um destes pouco antes de eu deixar o comboio de Antenor.

E Tibor explicou a Vlado que antes precisavam passar na casa de Pedro, porque talvez a cura definitiva do amigo estivesse lá.

Resolveram passar a noite ali mesmo. A lua já ia alta no céu e o frio era cortante. Sentaram-se todos juntos e acenderam uma pequena fogueira. Tinham receio de serem vistos, mas a temperatura baixava cada vez mais, não lhes dando alternativa.

Sátir, Rurique e Pedro adormeceram. Tibor não conseguiu dormir. A última vez que deitara a cabeça num travesseiro, tinha dormido por três dias seguidos. Agora não conseguia pregar o olho. Esgotara sua cota de sono.

Vlado estava recostado a uma árvore, acordado assim como ele.

— Eu acho que sei por que você luta essa guerra — começou Tibor.

Vlado o observou pensativo.

— Pelo mesmo motivo que todos aqui, não? Sobrevivência.

— Conheci o seu irmão — desferiu Tibor, sem aviso.

— Você viu Astor? E como ele está? Está bem? — quis saber Queirós.

Sem saber como dar a notícia com delicadeza, Tibor foi sucinto:

— Ele morreu. Sinto muito. Era um seguidor da Cuca.

Vlado olhou para Tibor, chocado. A notícia fora um baque. Depois recostou a cabeça no tronco e fechou os olhos.

— Eu tentei tirá-lo dessa — contou o dono do bar com tristeza. — Mas ele não me escutou.

Os dois ficaram em silêncio por um tempo. Na mata, também nada se ouvia. Nem os pássaros noturnos piavam. Por duas vezes, Tibor teve a impressão de que estavam sendo vigiados, mas achou que era a sua imaginação.

— Sabe, Tibor — começou Queirós. — Às vezes cometemos erros. Mas isso não significa que não possamos mudar, não é mesmo?

O menino apenas assentiu.

— Lembra quando eu disse que segui o Lobisomem pela trilha em que levei vocês? Só não atirei no lobo, seu amigo, porque não tive chance. — Ele fez uma pausa. — Na verdade, eu acho que não conseguiria atirar, nem que tivesse chance... E isso porque...

E o homem parou de falar. Parecia prestes a dizer algo revelador.

— Eu nem sei como contar isso, garoto. Mas é algo que preciso dizer. Não me sinto bem estando aqui ao seu lado e da sua irmã, já que todos devemos muito ao Curupira...

Tibor se ajeitou no lugar. Algo no rumo da conversa não o deixava confortável.

— No dia em que as duas bruxas envenenaram o Curupira, três caçadores haviam acabado de tomar uma lição do seu bisavô. Ficaram perdidos na floresta — contou Queirós. — Eles caçavam onças para vender a pele no mercado negro.

Tibor já ouvira aquela história. Sua avó lhe contara, logo após sua primeira quaresma no sítio.

— O Curupira caiu na frente desses caçadores e eles o mataram com suas espingardas — completou Tibor. — É, eu conheço a história.

Vlado fitou-o, como se pedisse perdão com os olhos, e foi então que o menino percebeu. Levantou-se depressa.

— Quem é você, afinal? — indagou, alarmado.

— Eu e meu irmão fazíamos parte desse trio de caçadores — revelou Queirós.

— Você matou meu bisavô?! — gritou Tibor, acordando os outros. — Mas que droga é essa? — o menino tentava conter sua ira. Mais um traidor? Como confiar em alguém? Voltou-se para Vlado, furioso — O seu irmão, antes de morrer, disse que eu devia tomar cuidado com os meus aliados. Que você não era melhor do que ele. E ele tinha razão.

— Tibor, não foi bem assim. Não fui eu que puxei o gatilho.

— Você, o Boitatá, o Saci, a Moura, todos vocês são grandes traidores. Ao menos seu irmão fez a coisa certa. Não fingiu ser meu amigo.

Os dois se encararam, nervosos.

— Tibor — tentou Vlado —, o Curupira não...

— Não fale do meu bisavô! — Tibor, num ímpeto, avançou sobre Vlado, que num golpe só derrubou o menino de borco no chão, para se defender.

— Parem! Parem já com isso! — gritou Sátir, intervindo. Os três amigos se puseram de pé. — O que está fazendo, maninho? — questionou ela.

— Me escute, Tibor! — pediu Vlado.

— Não tenho mais nada pra escutar. Se manda daqui. A gente encontra o caminho sem você!

— Não! — gritou Sátir para o irmão. — Não vamos fazer isso, Tibor.

— Sátir, ele foi um dos caçadores que...

— Eu escutei muito bem o que ele disse — cortou ela. — Mas acha mesmo que João Pestana o colocaria em nosso caminho se não fosse um aliado? Você não disse que Pestana lê pensamentos? Ele saberia se Vlado não fosse confiável.

Tibor não conseguia se acalmar. Estava farto de tantas traições.

— Você quer o Queirós como aliado, Sátir? Tudo bem! Não preciso de você também. É tão traidora quanto ele, se pensa assim.

— O que está dizendo, Tibor? — ralhou Rurique.

— Não disse que queria ter uma vida normal? É a sua chance — lançou Tibor, ainda se dirigindo à irmã. — Quer conjurar o Boitatá, que assassinou nossos pais. Agora não quer que Vlado vá embora, mesmo tendo confessado que era um dos caçadores que assassinou o nosso bisavô! — gritou o menino. Parecia que era o velho Tibor que estava ali de volta. O menino irritadiço do ano anterior.

— Me parece que há muita coisa que a gente não sabe, maninho — ponderou Sátir.

Pedro se aproximou da namorada, para lhe dar apoio. Rurique não se moveu. Não queria magoar nenhum dos dois irmãos.

— Pois fiquem aí! Não preciso mesmo de nenhum de vocês! — Tibor se virou para partir sozinho.

De repente, ouviram um sopro e um zunido.

Alguma coisa atingiu Tibor em cheio, no pescoço. Uma pequena seta, que se enterrou na sua pele. O menino desabou no chão, mas ainda ouviu a irmã gritar e alguns homens surgirem do nada. Seguidores da Cuca. Deviam estar vigiando, escolhendo o melhor momento para atacar.

Tibor não conseguia mais se mover. O dardo que o atingira no pescoço causava uma sonolência irresistível. Em poucos segundos, seu mundo inteiro se apagou.

Escuro.

Onde ele estaria? Em mais um sonho de João Pestana? Não podia ser. O Senhor dos Sonhos dissera que já tinha lhe mostrado o que era preciso.

Então teria morrido? Antes de cair, vira a irmã e os amigos, inclusive Vlado, lutando contra inimigos. Arrependeu-se de brigar com a irmã. Mas não conseguia compactuar com quem tinha feito mal à sua família. O Boitatá, Queirós... A irmã, no entanto, via as coisas de outra forma. Assim como a avó. Será que ele deveria ser mais maleável?

Nesse instante, Tibor escutou uma cantiga que lhe chamou a atenção. Ela parecia ter sido feita para ele...

Se ocê qué sabê de ocê,
ocê sussega que eu vim pra ti contá.
Ocê é feito da lua. Do brilho da noite escura.

Ocê é pedra.

Pedra de ilumiá.

Se ocê qué sabê de ocê, Êh-Êh

se achegue mais perto pra me escutá!

Ocê é filho da mata.

Feito vento que vaga.

Mora no canto das Iaras. Na dança do cateretê.

Ocê protege, mesmo sem sabê.

Ocê diságua, faz amanhecê.

Escuta eu.

Escuta a voz de Sacireno, menino besta!

Ocê tem alma de criança. Aí ocê é tudo.

Tudo que se pode sê.

Vai! Acende o candiêro.

Levanta fogo e ilumina esse terrêro.[1]

Um arrepio percorreu o corpo de Tibor dos pés a cabeça, em meio à escuridão. A melodia e a mensagem que ela trazia lhe injetaram ânimo. Um rosto se agigantou diante dele. Trazia, na boca, um cachimbo talhado na madeira.

— Sacireno Pereira? — espantou-se o menino.

---

[1] Texto adaptado da poesia de Paulinho Daflin.

— Êh-êh! Menino besta! Fica quieto que ocê foi envenenado — disse Sacireno, naquele imenso breu.

Como ele podia estar ali? O Saci estava morto! Sua alma tinha sido engolida pela Bernúncia. Era uma prova de que aquele dardo no pescoço tinha sido fatal?

— Não, ocê num morreu... ainda!

Tibor, de repente, se viu deitado numa cabana de bambu. Era bem parecida com o lugar onde Sacireno Pereira ficava, quando morava no Oitavo Vilarejo. A cabana do xamã.

— O que vai fazer?

— Shhhh — fez ele com o indicador sobre os lábios. — Vou fechá o corpo docê, vô, sim.

— Fechar meu corpo?

— Ocê tá pra enfrentá a Cuca, menino besta. Ocê tem qui tá preparado. Às vezes a gente tem que perdê pra ganhá. Lembra disso!

O Saci colocou o dedo na testa do garoto, mantendo os olhos vermelhos fechados.

— Beba! — disse ele, ajudando Tibor a se sentar e servindo-lhe uma cuia com um chá espesso. O chá tinha cor e também gosto de terra. O menino bebeu o conteúdo da cuia até o fim. Não teve forças para recusar.

— Sabe o qui é sacrifício de verdade? — perguntou o Saci. — É ter coragem pra fazê o qui é preciso. Pelos seus amigo, pela sua famía e pelo futuro.

O menino não entendeu aonde Sacireno queria chegar. Depois, o Saci pegou um sapo bem verde, que estava num dos bambus da estrutura da cabana. Passou um graveto sobre as costas do anfíbio, melecando-o com uma secreção das costas do sapo. Levou o graveto até o braço direito do menino e encostou na pele dele, em cima de um machucado aberto. Tibor sentiu algo novo correr em suas veias.

— O que é isso? — perguntou o menino.

— É proteção da mata. Êh-êh! — respondeu ele.

Por fim, pitou seu cachimbo e soprou a fumaça no rosto do menino, enevoando a sua visão por completo.

— Acorda, menino besta!

32

MEMBIRA

Uma corrente elétrica transpassou seu corpo todo. Tibor saltou do chão e se deparou com os amigos ainda ali ao seu lado. Um amontoado de gente estava desacordado aos pés de uma quaresmeira. Eram os seguidores que os tinham atacado.

— Está melhor? — perguntou Vlado.

— Ele te curou, maninho! — exclamou Sátir. E por um instante Tibor achou que a irmã também vira Sacireno. Logo depois percebeu que ela se referia a Vlado.

— Desculpa, pessoal — pediu o menino, crispando os lábios. — Não sei o que deu em mim. — Obrigado por me protegerem.

— Só isso não vale — falou Rurique. — Quero ouvir você dizendo que precisa de nós.

E Tibor não riu. Olhou nos olhos de cada um deles e disse:

— Eu preciso de vocês!

A manhã da última semana da quaresma estava ainda mais fria. Eles continuaram seguindo Queirós. Todos evitavam comentar sobre a discussão da madrugada e dos seguidores que os atacaram. Parecia que tinham aceitado as desculpas de Tibor e considerado tudo um grande mal-entendido. Tibor resolveu não comentar o que tinha acontecido enquanto dormia sob o efeito do dardo. Sabia que não se tratava de alucinação, pois se sentia diferente.

Chegaram, enfim, a um buraco no chão. Arbustos escondiam a abertura tão bem que, se Vlado não a apontasse, passaria despercebida.

— Mais uma das antigas entradas da mina — anunciou ele. — É por aqui que vamos nos desviar do muro e passar por todo o cerco.

— Como sabe que não estarão nos esperando do lado de lá? — perguntou Pedro.

— Não sei! — respondeu Vlado.

Foi uma boa caminhada pelo túnel. Ficaram felizes por Rurique ter encontrado a sua lanterna. As pilhas das lanternas de Tibor e de Pedro tinham acabado e Vlado e Sátir haviam perdido as suas, no confronto com os homens da Cuca.

Num determinado ponto da mina, chegaram a uma ramificação maior, onde começavam vários pequenos túneis.

— Ouviram isso? — perguntou Rurique. E todos apuraram os ouvidos.

Em algum lugar no fundo de um dos túneis, alguém clamava: "Onde está a vela? A vela..."

— É o Corpo Seco! — arriscou Pedro. — Acho melhor a gente sair logo daqui antes que ele nos encontre.

Mesmo apressando o passo, ainda andaram um bom tempo guiados pelo facho da lanterna de Rurique. Então ouviram um barulho. Sons de batalha. Algo rebombava e fazia o chão tremer.

— Parecem passos. Passos de gigante — comentou Sátir.

No fim do túnel, chegaram a um beco sem saída. Vlado forçou o teto para cima. Algo cedeu. Um filete de luz do sol se infiltrou por uma fresta. Viram que Queirós levantava um tampo de mármore.

— Estamos numa sepultura? — perguntou Tibor.

— Cruz-credo! — exclamou Rurique.

Enfiaram a cabeça pela abertura e se viram rodeados por uma cidade de lápides. Aquele era o maior dos cemitérios, portanto, o mar de mausoléus se estendia a perder de vista. Tibor lembrou-se de quando ele e Pedro tinham cortado caminho por ali, para chegar ao sítio. A casa do amigo não ficava muito longe.

— Não vejo ninguém no cemitério. Acho que podemos sair — falou Vlado. — Pedro, onde fica a sua casa?

— É só me seguirem. — O menino saltou do buraco para a luz do dia.

Seguiram Pedro, procurando se esconder atrás das lápides, alertas a qualquer movimento. Mas não viram ninguém. A entrada pela cova do Corpo Seco tinha sido mesmo uma ótima ideia.

— Bença, pai! — disse Pedro a esmo.

— Por que fez isso? — quis saber a namorada.

— Essa é a parte velha do cemitério. Meu pai está enterrado em algum lugar por aqui, mas nunca soube qual é lápide dele.

Percorreram toda a extensão da necrópole até alcançarem os portões. Ainda abaixados atrás do muro do cemitério, espiaram as condições do lugar.

— O que foi que fizeram com a minha vila?! — questionou Pedro.

As casas estavam, em sua maioria, destruídas. Todas com as portas abertas, móveis e outros objetos quebrados e espalhados pela rua.

— Parece que estavam procurando alguma coisa — comentou Vlado.

— Era a vela, tenho certeza — afirmou Tibor. — A Moura devia ter percebido que o cerco estava se fechando, que a Cuca já suspeitava que a sua vela estava em Membira, e decidiu mudá-la de lugar. Só que antes de conseguir, foi descoberta e morta.

Um grupo de seguidores da Cuca passou pela rua. Tiveram que se encolher atrás do muro até que passassem. Quando o grupo dobrou a esquina, Pedro explicou como chegariam à sua casa. Checaram o entorno e, um por um, saíram do cemitério e correram para o outro lado da rua. Assim que todos atravessaram, foram andando sorrateiramente, de muro em muro, atravessando os quintais das casas, até se depararem com os portões pretos do palacete em que Pedro morava. Nos portões, os brasões com a letra "M" em destaque.

Pularam um dos janelões e entraram na sala.

— Filhos da mãe! — xingou Pedro, baixinho. A sala estava virada do avesso. Os móveis, estraçalhados. Num canto da sala, o chão estava queimado e preto de fuligem. — Não acredito! Os caras acenderam uma fogueira aqui na sala? Poxa vida! Não podiam ter usado a lareira?

Tibor olhou para a lareira. Exatamente ali vira Ana Jansen sentada, cem anos antes, prestes a condenar o Negrinho à morte. Saíram da sala e foram para o saguão. A cada passo que davam, o barulho de vidro triturado sob os pés ecoava pela casa. Era impossível andar em silêncio. O lustre que Tibor vira na mesma casa, cem anos antes, agora adaptado para a luz elétrica, tinha sido arrancado do teto e jazia, todo torto, no chão. Os olhos verde-folha do menino foram logo para a parede onde costumava ficar o quadro com o desenho de lua.

— Cadê o quadro? — quis saber Tibor. Pedro deu de ombros.

Um barulho vindo do andar de cima chamou a atenção deles. Vlado pegou alguns pedaços de pau, entre os destroços espalhados pela casa, e deu a cada um deles, para que usassem como porrete. Ao subir a escada em curva, escutaram vozes no andar de cima.

— ... parece que está difícil controlar a Vila Serena. A Cuca não quis mandar muita gente pra lá. O que ela iria querer com uma vila de pescadores, não é mesmo?

— Pois é. Parece que uma sereia tem afogado qualquer um que tente entrar no vilarejo.

— É a Naara! Um demônio das águas que acha que pode ficar interferindo nas coisas deste mundo.

— Ela que se ponha no seu lugar ou faremos um churrasco de peixe! Hehehe!

A conversa dos partidários da bruxa vinha do quarto de Dona Lívia. Vlado entrou primeiro e acertou-os com o porrete antes mesmo que pudessem vê-lo. Quando Tibor entrou, os dois homens barbados e malcheirosos estavam largados no chão, como se dormissem um sono tranquilo. Tibor percebeu que aquele era o quarto onde vira Ana Jansen dar à luz a Pisadeira.

Pedro tinha ficado no corredor e agora olhava, inconsolável, para uma parede. Ali ficava uma tapeçaria com uma imagem dele e dos pais. Mas agora grande parte dela estava rasgada e o rosto dos membros da família, desfigurado.

— É esta aqui a tal cura para a minha maldição? — perguntou Rurique, pegando, de dentro de uma moldura quebrada no chão, um papel velho e amarelado. — Isso deveria ser o desenho de uma lua? Parece mais um sol.

Todos se aproximaram para ver o desenho que um dia o Saci e o Curupira fizeram para Alfredo Málabu curar o filho.

— Olhando o desenho assim — disse ele, com o papel na altura do rosto —, parece uma lua. — Mas, se a gente virar desse jeito — e deixou o desenho de ponta-cabeça —, parece mais um sol.

— Olhe atrás! — sugeriu Sátir.

Ao virar o papel ao contrário, ele viu uma inscrição. Parecia feita havia muito tempo, pois a tinta estava desbotada. Era uma seta voltada para baixo, apontando para a palavra "lobo". Mais abaixo havia um número.

— Isso é um sete? — quis saber Pedro.

— Acho que sim — respondeu Tibor.

Ao lado do número sete, havia o desenho de um quadrado torto. Mais abaixo, a palavra "Membira" e outra seta, desta vez apontando para a lateral do papel.

— O que isso quer dizer? Não vejo receita de cura nenhuma — reclamou Rurique, decepcionado.

— Me dá isso aqui — mandou Sátir. A menina analisou o papel por alguns minutos, depois disse: — Se seguirmos as setas, virando o papel, me parece que passamos da lua cheia para o sol, vejam! — E ela lhes mostrou a lua. Depois, virou o papel, mostrando o verso com as informações. Seguiu a seta apontando para a lateral do papel e, ao girar o desenho na direção da seta, a lua foi substituída pelo sol.

— A madrugada, talvez? Da lua cheia para o amanhecer? — chutou Vlado.

— Uau! É uma charada! — animou-se Pedro, mesmo depois da tristeza de ver sua casa arruinada. — Tá, seguindo a seta voltada para baixo, temos o lobo.

— Que sou eu — disse Rurique, apontando para o próprio peito. — Transformado, é lógico!

— E, logo abaixo, temos um sete com um quadrado ao lado. O que seria esse quadrado? — perguntou Sátir, irritada com o enigma.

— Alfredo Málabu foi afastado da política por vários motivos — explicou Vlado. — Uma de suas últimas maluquices foi dividir a cidade em sete vilas. Talvez o sete tenha algo a ver com isso.

— Ei! E se isso aqui não for um quadrado? — comentou Tibor. — Minha avó disse que, além das sete vilas, ele estava construindo cemitérios. E se for uma lápide?

— É! Parece uma lápide — analisou Rurique, coçando o queixo.

— Tá, então temos a noite de lua cheia até o amanhecer. O lobo. Logo abaixo, sete lápides. E por fim, Membira — revisou Sátir. — O que este vilarejo tem a ver com isso?

— Bom, esta casa era dele. Ele morava aqui, certo? — comentou Pedro. — Mas por que o Saci e o Curupira escreveriam o nome do vilarejo no papel? Seria uma sugestão de nome para a vila?

— Membira — lembrou Vlado —, na língua dos índios, significa "filho".

Um arrepio percorreu a espinha de cada um deles.

— Era o resultado final! — concluiu Sátir. Mas ao ver que ninguém dava mostras de ter entendido o mistério, ela explicou melhor: — Alfredo queria o filho de volta e a simpatia que o Saci e o Curupira criaram termina com a palavra "filho", o propósito da simpatia.

— Ainda não entendi — queixou-se Rurique. — O que temos que fazer? Eu não sou o filho dele. Era João Málabu, não era?

— Acho que saquei! — exclamou Tibor. — Alfredo dividiu a cidade em sete vilas. E tentou construir um cemitério em cada uma delas. Provavelmente cada distrito devia ter o seu próprio cemitério. Talvez Alfredo tivesse que levar o lobo em cada um dos sete cemitérios, durante a noite de lua cheia, antes do nascer do sol. Assim, ele teria o filho de volta. Curado. — A sagacidade de Tibor fez todos erguerem as sobrancelhas, admirados. — Alfredo, afinal, não era um prefeito tão maluco assim, não é verdade?

Então era isso que precisavam fazer? Tinham desvendado a simpatia?

— Mas a Vila do Meio não tem cemitério — lembrou Sátir. — Alfredo deve ter morrido antes de construir um por lá.

E Tibor quase não se aguentou em si, ao desvendar o mistério.

— João Málabu tinha acabado de morder Rurique quando se jogou, com a Pisadeira, daquela pedreira, no ano passado. Ele sabia que Rurique viraria Lobisomem — falou o menino, extasiado. — Antes de morrer, ele me fez um pedido. Queria ser enterrado na Vila do Meio. Disse que isso era vital para Rurique.

E todos ficaram pasmos, olhando para Tibor como se ele tivesse acabado de inventar a lâmpada.

33

A CASA DAS VELAS

Ouviram um tumulto no andar de baixo e perceberam que a casa tinha sido invadida por mais seguidores da Cuca. Antes que se dessem por si, Vlado arrancou os porretes das mãos deles e jogou todos pela janela.

— Mas o que... — exclamou Sátir com as mãos vazias. Vlado apenas colocou o dedo sobre os lábios, pedindo silêncio.

— Estamos aqui em cima! — gritou Queirós. Os meninos não sabiam o que pensar.

Segundos depois, vinte seguidores da Cuca irromperam no enorme quarto.

— Ora, se não é o Queirós! — exclamou um deles.

— Eu peguei os meninos. Consegui trazê-los até aqui — anunciou Vlado, diante do olhar estarrecido dos garotos.

Os homens não perderam tempo. Trataram de amarrar as mãos dos quatro.

— O que você está fazendo? — perguntou Sátir a Vlado, mal podendo acreditar que o dono do bar estava mancomunado com os seguidores da Cuca.

— Seu traidor! Eu sabia! — rugiu Tibor.

— Ah, seu bosta! — xingou Pedro. — A gente confiou em você!

— Calados, seus moleques! — mandou um deles. — Vamos levar vocês direto para a Cuca. Ela vai dizer o que fazer com vocês.

— Espere um pouco aí! — cortou um deles, voltando-se para Vlado. — Você não fazia parte do grupo da caverna? Por que não está morto como os outros?

— Ela me deixou vivo por algum motivo, não foi? Talvez seja para que eu possa me redimir. — E Vlado trocou um breve olhar com os meninos. — Eu mesmo vou levá-los, se não se incomodam — falou Vlado. E só então os meninos entenderam que Queirós estava se passando pelo falecido irmão, Astor, para fazê-los chegar justamente aonde queriam: ao esconderijo da bruxa.

— Deixe o homem tentar ganhar uns trocados — comentou outro deles. — Vai ver que a Cuca deixou ele vivo por isso mesmo — e abriu passagem para Vlado. — Faça as honras, Queirós. — Vlado não perdeu tempo. Empurrou Tibor para fora do quarto e o fez caminhar até a porta da frente. Os outros garotos os seguiram, todos de mãos amarradas, para fora da casa de Malasartes.

Atravessaram as ruas de Membira debaixo do sol quente e passaram próximo a uma das portarias do grande muro. Havia uma guerra acontecendo do outro lado. Ouviram gritos. Não só humanos, mas de criaturas que eles não conseguiam identificar. Por cima do muro que dividia Membira do restante das vilas, vez ou outra podiam ver o cocuruto de um monstro, pois alguns gigantes eram mais altos que o próprio muro.

Tibor e os outros tinham acertado em suas suspeitas sobre o exército da bruxa. A função dele era mesmo defender os arredores do lugar onde a Cuca estava. O muro fora uma ótima forma de conseguir isso. Ela tinha invadido a vila, expulsado os moradores e se apossado do lugar, tornando-o, assim, a sua fortaleza. Não fora mesmo uma boa ideia construí-lo. O feitiço se virara contra o feiticeiro.

Uma árvore apareceu por cima do muro e os meninos viram que ela estava sendo usada, por um dos gigantes, como um grande porrete. Os gritos de desespero e dor se misturavam com o estrondo dos golpes. As criaturas da Cuca deviam estar fazendo horrores no terreno que circundava Membira. Pareciam dez vezes mais poderosas que o minguado exército de sobreviventes liderados por Antenor.

Tibor pensou no terror que fora enfrentar a Comadre e imaginou que o caos devia estar mil vezes pior do lado de fora do muro, onde justamente deixara sua avó. O pensamento lhe deu náuseas. Por outro lado, eles não se encontravam em situação melhor. Estavam sendo levados para o cérebro diabólico que engendrara tudo aquilo.

Caminharam até uma praça e viram um grande buraco aberto no chão. Ao redor do buraco, havia um círculo desenhado com pó vermelho.

Perto dali, num cercado de ferro, estavam as pessoas capturadas pelos aliados da bruxa.

— Mãe! — gritou Pedro, ao ver Dona Lívia entre os prisioneiros.

Dois monstros gigantescos estavam de guarda. Tibor imaginou que fossem Gorjalas, pelo tamanho e pela força. Mas essas aberrações tinham dois olhos em vez de um e uma boca sem lábios que ficava eternamente aberta.

— Devem ser os Bradadores — sussurrou Sátir para o irmão.

— Cuca! — chamou um dos mercenários que os capturara. — Trouxemos uma surpresa para a senhora.

Tibor viu a mulher de preto à beira do grande buraco, no meio da praça. Ela parecia meio fora de lugar em plena luz do dia.

— Um desertor aqui veio se redimir e acabou trazendo presentes preciosos. — Ele apontou para Queirós e seus prisioneiros.

A mulher de preto se adiantou. Em vez de andar, ela parecia deslizar pelo chão. Vlado abaixou a cabeça, fazendo uma reverência para a Cuca. Tibor sentiu a aproximação da bruxa. Uma aura de maldade e perversão emanava dela.

Ela estudou os prisioneiros, com o rosto encoberto pelo capuz preto mesmo debaixo do sol forte. Tibor conseguiu ver apenas o queixo saliente e desarticulado. Ela passou por todos eles e parou diante de Queirós.

— Uma coisa podre é sempre uma coisa podre! — disse ela, segurando-o de súbito pelo pescoço. Foi tão veloz que ninguém previu: num só golpe, a bruxa arremessou Vlado Queirós dentro da cratera no meio da praça.

— Não!!! — gritaram os amigos. Tinham entendido o plano do homem, que parecia ter desejado, de alguma forma, se redimir da morte do Curupira.

A Cuca nem dera mostras de ter distinguido o irmão. Vlado ou Astor, para ela não fazia diferença. Não se importava com ele nem com nenhum dos seus seguidores. O buraco em que Queirós fora jogado era tão profundo que ninguém sabia o que havia lá embaixo. Só perceberam que não escutaram nenhum baque indicando que o corpo chegara ao fundo.

— Levem esse para longe daqui! — ordenou ela, fazendo um gesto de desdém na direção de Rurique, com a mão enrugada e os dedos tortos. — Não quero mais problema com o lobo. Sabem para onde levá-lo! — E Rurique foi conduzido para longe deles. — Prendam o resto com os outros. Menos este aqui... — e ela parou diante de Tibor.

O menino sentiu a respiração pesada da bruxa e imaginou que todos os seus dentes deviam estar pobres. O cheiro que sua boca exalava da era pútrido.

— Olá, *Tibor*! — disse ela com ironia. Sua voz era um misto do timbre da Comadre Fulozinha com o som de longas unhas arranhando um quadro-negro. — É esse o seu nome, não é? — Ela acariciou os cabelos do menino e ele percebeu que a mão dela era fria e pegajosa. Seus fios grudavam na palma e nos dedos da bruxa. Tibor se sentiu enojado. — Com você aqui, tenho tudo que preciso.

— Você vai pagar por tudo que tem feito, Merilde! — jurou o menino. Ao dizer o nome verdadeiro da bruxa, Tibor notou que ela se deteve por um instante, como se estivesse surpresa. O menino aproveitou para olhar seu rosto por debaixo do capuz. Viu dois olhinhos negros e brilhantes o fitarem das sombras. — Eu vou fazer você pagar! — ameaçou ele, encarando-a.

A bruxa, então, puxou o capuz para trás, só o suficiente para que ele pudesse ver seu rosto. E o que ele viu foi horrendo...

Uma velha com as faces crivadas de rugas. A pele parecia solta e balançava conforme ela se movia. Era como se ela vestisse uma pele maior do que o seu tamanho. E era possível ver os ossos por trás da pele, aparecendo onde deveriam haver olheiras. As pupilas negras, que mais pareciam um universo de sombras, analisavam o menino como se ele fosse um rato que devia ser engolido ou esmagado. Ela virou-se para outro homem e ordenou:

— Prenda este moleque intrometido no tronco. Ele vai servir! — E quando a boca gigante da Cuca subiu e desceu como uma grande comporta, Tibor pôde ver de perto o maxilar descolado e as arcadas dentárias soltas e desarticuladas. Imaginou-a quando criança e não duvidou que se alimentava mesmo de filhotes de gato, inteiros e vivos!

— Me leve no lugar dele! — gritou Sátir, desesperada.

A bruxa ignorou a menina e seu irmão foi carregado e amarrado a uma tora fincada no chão, diante da grande fenda. Estava preso a um tronco bem parecido com aquele em que Sacireno fora amarrado e oferecido em sacrifício. E Tibor sabia que o mesmo aconteceria a ele.

Tibor suava muito e sua cabeça latejava com o calor. Já fazia horas que estava sob os raios que feriam sua pele. Não conseguia soltar os nós que apertavam seus braços e o prendiam ao tronco. Os homens o haviam amarrado de um jeito que não conseguia achar uma posição confortável. O tronco era cheio de farpas e muitas delas espetavam o seu corpo. Tibor olhou para os prisioneiros no cercado de ferro e, além dos amigos e de Dona Lívia, conseguiu enxergar mais duas pessoas que conhecia: Josepe e Antenor.

Como será que o pessoal do lado de fora do muro estava se virando sem Antenor?, pensou. O homem era o símbolo da resistência. No entanto, estava ali no interior de Membira, preso atrás dos muros que ajudara a construir.

Por muito tempo, não houve movimentação por parte dos soldados da bruxa. A Cuca estava parada diante da outra extremidade do grande buraco, com as mãos estendidas. Parecia um totem, venerado por todos os seus partidários. O menino sabia que ela murmurava uma porção de feitiços.

Foi só quando o sol se escondeu no horizonte é que as coisas, de fato, começaram a acontecer.

A bruxa deixou sua posição e começou a distribuir ordens para os seus seguidores. Tibor estava esgotado e com o corpo todo dolorido. Pensou em Vlado e em tudo o que o homem fizera por eles. Arrependeu-se de ter gritado com ele na floresta. Ouviu-o de fato dizer que não havia puxado o gatilho contra seu bisavô por não ter coragem e, desde então, deixara de ser caçador. No entanto, Tibor não quis escutá-lo e preferiu despejar sobre ele sua fúria, assim como Ana Jansen fizera com o Negrinho. O amigo Queirós, que deixara de ser caçador para cuidar de um bar e fazer manteiga caseira, morrera sem nunca ter sido partidário da bruxa.

Tibor comemorou, interiormente, a chegada da noite. Olhou para o céu e nuvens densas cobriam as estrelas. Não conseguiu enxergar as três Marias. "Como sairia dali?", pensou. Não tinha plano algum. Lembrou-se de que um amigo misterioso de Pestana queria lhe mostrar os sonhos que revelavam o passado da Cuca. Mas que tipo de informação seria suficiente para vencer aquela criatura demoníaca? Algo cortante em sua mão seria de muito mais utilidade no momento.

Um uivo cruzou a noite. Tibor sabia que era o amigo se transformando em Lobisomem. Mas, pela distância do uivo, Tibor presumiu que Rurique devia estar trancafiado em algum local muito longe dali, para não representar nenhum perigo à Cuca.

— Imagino que saiba de coisas além da sua capacidade, não é, Tibor? — O menino se sobressaltou ao ouvir a voz da bruxa bem ao seu lado. De algum modo ela conseguira se aproximar sem que ele percebesse. — Afinal, onde foi que escutou o meu nome? Só minha mãe me chamava assim. E não vejo minha mãe há muito tempo — falou ela, muito próxima do menino. — De nada adiantou, não é? Saber do meu passado. E imagino que minha irmã também tenha sido uma grande afronta para o Senhor dos Sonhos. — Ela fez um movimento com sua bocarra que pareceu um sorriso sarcástico. — Bom! Já é hora de iniciar esse ritual. O último deles — concluiu.

Um de seus partidários se adiantou. Era uma mulher. Trazia uma túnica feita de folhas avermelhadas. Tibor reconheceu a túnica. Era a mortalha de urtigas vermelhas.

A Cuca se desfez do seu capuz. O manto negro caiu no chão e a luz de uma lua cheia e opaca, parcialmente coberta por nuvens espessas, revelou um corpo velho e carcomido. Tibor se perguntou por que a Moura teria sido apelidada de Moura Torta, se a Cuca tinha um corpo muito mais disforme e raquítico. Suas pelancas balançavam, dependuradas, como se ela fosse só um esqueleto sob a pele solta.

Calçando luvas de couro para proteger as mãos de queimaduras, a seguidora entregou a túnica feita de urtigas. Cuca a vestiu. Parecia uma rainha infernal. O gemido sofrido que soltou ao ser tocada pelas folhas foi música para os ouvidos de Tibor. Ela já começaria a enfraquecer desde aquele momento. A hora de atacar estava próxima. Mas como faria isso?

Tibor sentiu o desespero lhe roçar o peito. A Cuca ajeitou-se dentro da mortalha, enquanto o menino buscava, em vão, uma forma de afrouxar as cordas. Se ao menos Rurique se libertasse de onde estava, poderia empurrar a bruxa para dentro da vala no centro da praça. Colocaria um ponto-final em tudo aquilo.

Outra das seguidoras se adiantou. Havia uma pedra em suas mãos, com o formato de um sapo. Era o último Muiraquitã. O que estivera em posse de seus pais. O Curupira havia tirado aquele amuleto dos cuidados de Naara e dado a Leonel e Hana, para que tivessem a proteção do Boitatá e mantivessem a bruxa longe deles. E o resultado disso foi catastrófico. Os pais estavam mortos, queimados pelo fogo do Boitatá. E a pedra estava ali, nas mãos da única pessoa que não poderia tê-la. A seguidora passou o cordão que sustentava a pedra por cima da cabeça da bruxa. Parecia mais uma coroação.

— Eu sei o que planeja, Cuca — gritou Tibor. O menino queria usar a única possibilidade que havia, a conversa, já que não podia fazer mais nada ali, preso. A bruxa voltou-se para ele. — Quer vencer a morte, não é isso? — continuou o menino. — Não quer morrer, assim como a sua mãe.

A Cuca deslizou até ele, farfalhando no seu novo traje vermelho. Parou diante do menino, com sua imensa boca. Tibor viu agora que, a não ser por alguns longos fios brancos que nasciam em alguns pontos da cabeça, ela era careca.

— E por acaso, você acha que minha mãe venceu a morte? — disse ela.

— Eu sei que sim! Vi a sua mãe se tornar a Senhora da Morte.

— Viu? E por que é que os mortos não têm sido coletados? Cada uma das vítimas que fiz perambula por aí, desde então. Sabe explicar por quê? — Ela remexia um resquício de sobrancelhas, enquanto falava. — Ela esqueceu seus compromissos como Morte? Esqueceu como andar em sua carruagem?

— Ah, então quer dizer que você quer tomar o lugar da sua mãe apenas para restabelecer a ordem das coisas? Conseguir a Carruagem da Morte e sair por aí, dando carona para todos os espíritos que achar no caminho? — afrontou Tibor, cheio de sarcasmo. — Quer que eu acredite nisso?

A Cuca perfurou o menino com o olhar e ele quase pediu para que ela não fizesse isso.

— Há mais de cem anos, minha mãe, a poderosa fazendeira destas terras, Ana Jansen, fez o primeiro dos seus rituais. Ofereceu a vida do filho de uma das suas escravas em sacrifício — contou ela.

— O Negrinho do Pastoreio — vociferou Tibor. — Você incriminou um inocente. Eu vi acontecer. Vi também sua mãe trocar a vela que representava a vida dela pela vela da Morte.

— E, assim, ela se safou da morte — completou a Cuca. — No entanto, se tornou uma escrava de suas obrigações. Ela e a Carruagem se tornaram uma coisa só. Foi o preço. Ela foi tapeada pela Morte. Caiu numa armadilha.

— E, ainda assim, você quer ficar no lugar dela? — perguntou Tibor, imaginando se conseguiria dissuadir a tia-avó.

— Há quinze anos, fiz o ritual. Apesar de viver mais do que a maioria, ainda assim posso ser morta — disse a bruxa, fazendo a pele enrugada do rosto estremecer enquanto falava. — Eu tinha um plano. Não podia cair na mesma armadilha que minha mãe. Sumi com quarenta crianças desses vilarejos — relatou ela, vaidosa, apontando o entorno. — Filhos dos meus inimigos.

— Os trasgos — comentou Tibor, perguntando-se por que a Cuca estaria agora lhe revelando suas mazelas. Mas a resposta não era tão difícil assim. Era evidente que a bruxa queria se gabar dos seus feitos e tinha orgulho deles.

— Sim. Eu os fiz de oferenda e adentrei a casa da Morte. Fui auxiliada por uma cigana fiel, que havia aprendido muita coisa por esse mundo afora. Alguém de outros tempos.

— A Moura — disse Tibor. A tia-avó assentiu.

— Retirei a vela da minha mãe do altar da Morte, e coloquei a minha em seu lugar.

— Então, você é a nova Senhora da Morte? A Carruagem é sua agora? — quis saber Tibor.

A Cuca, ajeitando-se sob a túnica que lhe queimava a pele, sorriu desdenhosa. Mas Tibor viu no fundo dos seus olhos um brilho de contrariedade. Para instigá-la a continuar, Tibor a provocou:

— Não se achou à altura do título? Ou será que o título não estava à altura da Sua Majestade...

— Desde esse dia, a Carruagem não tem sido usada. Não pude exercer minha função como a nova Senhora da Morte. — O menino ponderou sobre essas novas informações. — Algo parecia muito errado... — continuou a bruxa. — Fui atrás de objetos de poder que me permitissem estabelecer uma conexão mais longa entre a casa das velas e este mundo. O que tinha acontecido? Não havia feito o ritual do jeito certo? Será que eu tinha errado, assim como minha mãe errou? — ela perguntou, enquanto Tibor a escutava interessado, sentindo que a tia-avó lhe dava informações com algum propósito macabro. Era como se estivesse prestes a ser mordido por uma cobra. — Mas, antes que eu pudesse descobrir o que estava errado, o seu bisavô conseguiu me prender no Oitavo Vilarejo, e por tempo demais. Tive que arrumar um jeito de sair de lá. Desde então, venho me preparando para este dia.

— Foi aí que pegou o Muiraquitã dos meus pais, não é? — perguntou Tibor, tremendo de raiva, começando a perder a cabeça.

— Exatamente, garoto! — A bruxa exultou, como se celebrasse um grande feito. Sua bocarra se transformou num grande sorriso zombeteiro. — Assim que trouxe a Bernúncia para este mundo, fui buscar a pedra que estava com seu pai e consegui transformar a energia original do amuleto — contou ela. — Tirei seu bisavô do caminho e fiz questão de ir atrás dos outros Muiraquitãs. Precisava destruí-los. Eu suspeitava de traição e não podia deixar outros amuletos ao alcance de qualquer um.

"Então era por isso que a Cuca queria as outras pedras de jade?", perguntou-se Tibor. Para destruí-las? Afinal, ela já estava de posse do último Muiraquitã desde a morte de Hana e Leonel, no acampamento de ciganos. Isso significava que tudo o que ocorrera a Tibor e aos outros estava de acordo com os planos da bruxa. Afinal, todos os Muiraquitãs tinham sido destruídos.

— Quando adentrei a casa das velas na caverna — continuou a mulher desfigurada —, tive certeza de que existia um traidor. Minha vela não se encontrava na casa da Morte. Alguém a tinha roubado — confirmou, com uma raiva reprimida. — Suspeitei da Moura, já que era a única que conhecia o ritual. Aquela cigana sentia o poder. Era atraída por tudo o que emanava força. — A Cuca passou a rodear o tronco em que Tibor estava amarrado. Ela parecia ter um propósito ao contar tudo aquilo. — Como disse, ela era de outros tempos. Fora ela quem fornecera a pedra de Carbúnculo usada pela minha mãe no ritual malsucedido. — O menino continuou a ligar os pontos. — A Moura ofereceu a ela uma pedra falsa! O que lhe resultou em anos de sofrimento. E também no nascimento da Pisadeira e, mais tarde, da sua avó. A caçula Gailde.

A Cuca afastou-se de Tibor e andou na direção do cercado de prisioneiros. Foi contornando a fenda no chão e Tibor desejou que ela caísse. Que simplesmente tropeçasse e mergulhasse de cabeça naquela cratera. Mas isso não aconteceu.

— A Moura acabou vindo para estas paragens. Ela ainda tinha a verdadeira pedra de Carbúnculo nas mãos. — A voz da bruxa, agora mais alta, ecoou na extensão do buraco. — O Carbúnculo é um ser antigo. Um tipo de lagarto muito inteligente, que tem uma pedra preciosa fixada na testa. É um animal raro.

O menino nunca vira a tal criatura. Só ouvira a Morte mencioná-lo no sonho que Pestana lhe mostrara, no qual Ana Jansen tentara fazer o ritual pela segunda vez.

— A pedra retirada da testa desse ser fantástico é um dos amuletos mais poderosos que existem — disse a bruxa, parada bem diante dos prisioneiros. Sua presença os afetava e ela parecia se divertir com aquilo. — A Moura sabia que, algo, aqui, nesta região, possibilitava o aparecimento da casa das velas. Não sei por que, mas a quaresma, por estas bandas, é bem diferente de qualquer outro lugar, portanto esse tipo de ritual só funcionaria aqui.

Ouviu-se o canto fúnebre e macabro de um pássaro. Parecia uma risada irônica. Tibor percebeu que o canto vinha de algum lugar acima da sua cabeça. Olhou para o alto e não viu nada. Mas, assim que ele soltou novamente seu piado, o menino divisou, pousada no tronco em que estava amarrado, uma espécie de coruja com olhos grandes e amarelos, e penas de um tom que se confundia com o da madeira. Aquele era o pássaro do qual ouvira falar em seu sonho. O urutau. O pássaro-fantasma. Que cantava para anunciar a morte.

— Acabei descobrindo que a cigana realizou o ritual logo após eu conseguir trocar a minha vela de lugar com a da Morte. Logo após eu me tornar a dona da sua carruagem. Por isso, não tive tempo de exercer minha função como a nova Senhora da Morte. Não fiquei com o título por muito tempo — revelou a Cuca, distanciando-se dos prisioneiros, agora com os olhos negros fixados no pássaro acima da cabeça de Tibor.

O menino continuou escutando a tia-avó, mas sem nunca desistir de se soltar das cordas que prendiam seus pulsos.

— Para o ritual, é de praxe oferecer um inocente — continuou explicando a Cuca, enquanto passava por um dos Bradadores que vigiava a cela. — Portanto, a Moura precisava de um. Ela, finalmente, conseguiu entrar na casa das velas, depois de sacrificar um tal de Pedro Malasartes.

Tibor não acreditou no que escutara. Aquele era o pai de seu amigo Pedro! Ele sabia que o menino era apaixonado pela figura do pai, mas só conhecia do homem o que Dona Lívia lhe contara. Afinal, ele o perdera quando tinha apenas 2 anos.

O menino Lobato olhou para a cerca dos prisioneiros e, por trás dos pés gigantes de um dos vigias, viu Dona Lívia abraçada ao filho. Tinham escutado as palavras da bruxa, já que sua voz, fria e insensível, ecoava ao longe. O menino viu que ambos, mãe e filho, choravam copiosamente atrás do cercado. Era isso o que a Cuca queria, fazendo todas aquelas revelações? Causar pânico?

— A Moura não pôde ficar na casa das velas por muito tempo — continuou a bruxa, sem dar atenção ao que se passava à sua volta. — Afinal, Pedro Malasartes não era, de fato, um inocente e a coisa toda deu errado. Mas, ainda assim, ela conseguiu tirar a minha vela de lá.

— Cale a boca! — gritou Tibor, farto daquela ladainha. — Não vê quanto você é insana?

A bruxa, agora já próxima ao menino, tapou-lhe a boca com sua mão pegajosa. Tibor tentou se desvencilhar, mas ela era forte demais.

Apertou-lhe o maxilar com a potência de uma prensa mecânica. Se apertasse um pouco mais, ele tinha certeza de que deslocaria seu queixo e o deixaria com a boca tão desarticulada quanto a dela.

— Quando a Moura retornou da casa das velas, o posto da Morte ficou vago e por muito tempo ninguém usou sua Carruagem. Por isso há tantos fantasmas à solta por aí — continuou a bruxa, agora sem a interferência do menino. — Como a cigana manipulou poderes que estavam além do seu conhecimento, acabou alterando o curso das coisas e sua oferenda não morreu como deveria.

Tibor viu uma movimentação na cela dos prisioneiros.

— O meu pai está vivo?! — gritou Pedro, que acompanhava a conversa lá de dentro.

A Cuca soltou o maxilar de Tibor e andou na direção de Pedro. Tibor abriu e fechou a boca para se certificar de que estava inteira e preocupou-se ao ouvir um estalo.

— O seu pai não está, exatamente, vivo — respondeu a Cuca, com um falso ar de benevolência. — Virou uma espécie de morto-vivo e fica vagando pelos arredores da sua cova.

— O Corpo Seco... — adivinhou Tibor.

— A Moura o amaldiçoou. Deu a ele a missão de guardar a vela que representa a minha vida, ao longo de todos esses anos. Como pode ver, menino Malasartes, não sou tão perversa assim. Quero acabar com todo esse problema! — E voltou a caminhar pela praça. — Foi há poucos dias que tive acesso a tudo isso. Encontrei a cigana tentando mudar o esconderijo da vela e obriguei-a a me contar tudo. Por fim, a matei!

Um cerco de novos seguidores se aproximou. Passaram a formar um grande círculo em volta da praça. A Cuca foi para trás do tronco onde Tibor estava e saiu de seu campo de visão. O menino podia apenas ouvir sua voz.

— Agora, tenho tudo que preciso em minhas mãos, mas já não quero mais ser a Senhora da Morte — soou sua voz, vinda de trás do tronco.

— Como é que é? — quis saber o menino, sem entender as verdadeiras intenções da bruxa.

Ele ouviu um bater de asas frenético. Sentiu uma brisa forte causada por asas desesperadas. Era como se a bruxa tivesse pego o urutau nas mãos. O bicho soltou um piado por duas vezes, sentindo-se ameaçado. Da segunda vez o som saiu abafado, como se a grande ave estivesse dentro de alguma coisa. Depois, Tibor não ouviu mais piado algum do urutau.

A Cuca voltou para a frente do menino, com seu crânio desprovido de cabelos à mostra. Tibor percebeu que algo nela estava diferente. As longas bochechas se remexiam, como se tivesse algo vivo na boca.

Ela olhou para o menino, com seus olhos negros sobrenaturais, e começou a mastigar. O barulho de ossos se quebrando fez Tibor perceber o que a Cuca fazia. Alimentava-se do pássaro que estivera pousado ali um minuto atrás!

O menino fez uma careta de asco. Aquela bruxa era repugnante!

— Veja bem! — recomeçou a Cuca, engolindo os restos da ave. — A Moura me salvou de um destino cruel. Eu nunca quis seguir os passos da minha mãe. Mas não queria morrer, portanto, seguir os passos de Ana Jansen seria inevitável. — E a bruxa se aproximou do rosto do garoto, deixando-o ver o interior da sua boca enquanto falava. Havia penas presas entre os dentes. — Não se engane, meu querido sobrinho-neto. Eu não queria praticar o ritual porque estava doente, assim como Ana. Eu vim do outro lado. Vim do Além. A minha maldição é diferente da de minhas irmãs. A minha maldição é me lembrar! — E ela aproximou sua bocarra do ouvido de Tibor. — Eu me lembro de como é o Outro Lado. E não quero voltar.

A Cuca se afastou e voltou-se para o buraco, deixando Tibor ali, imaginando o que ela faria em seguida. Ele sentia seu peito arfar. Estava desesperado. Era essa a intenção da Cuca o tempo todo. Destilar informações para que o menino pudesse ligar os pontos e se sentir cada vez mais acuado. Assim como fizera com Sacireno na caverna, a bruxa precisava do seu prisioneiro atordoado para o ritual dar certo. E era assim mesmo que se sentia. O ritual ia começar e ela teria êxito em todos os seus planos.

A bruxa estendeu as mãos para a imensidão escura que a fenda formava.

— Vou acabar com tudo isso de uma vez. A Morte é a porteira para o Além — recomeçou ela. — A vela que simboliza a vida dela é o que separa este mundo do outro. Vou abrir a casa das velas. Devolver a minha ao seu lugar e apagar a vela da Morte. Assim, não poderei morrer e não haverá mais Carruagem da Morte. Aqueles que morrerem ficarão vagando — disse ela, indiferente às implicações do seu plano. Parecia ansiosa para colocá-lo em prática. — Não haverá mais distinção entre os mundos. Todos se tornarão um só. Abrirei os portões dos três mundos e serei a senhora de todos eles!

34

O OUTRO LADO

O ritual começou. Usando a mortalha de urtigas vermelhas e o Muiraquitã dos Lobato no pescoço, a bruxa pegou das mãos de uma das seguidoras uma vela de tamanho bem pequeno. Curioso, pensou Tibor. Isso significava que a vida da Cuca estava perto de se extinguir?

Tibor pensou em todas as pessoas que tinham sido afetadas, de algum modo, por aquela ambição de vencer a morte. Pedro Malasartes e sua família, Antenor e a família dele, Rurique e seus pais, a família Lobato. Poucos, nos vilarejos, não tinham sido prejudicados por essa sede de poder. Sacireno lhe dissera, uma vez, que a natureza era perfeita e equilibrada, mas que, "se alguém fuçasse onde não devia, não dava em coisa boa".

Era exatamente isso que a Cuca, a Moura e Ana Jansen tinham causado com sua ânsia por poder. E agora ela poria fim a tudo aquilo, pois estava prestes a realizar o seu último ritual. O curso natural das coisas já tinha sido alterado e agora poderia ser para sempre distorcido.

Tibor pensou em zilhões de maneiras de intervir, mas suas mãos ainda estavam muito bem atadas. Olhou para os prisioneiros. Sátir estava colada à grade e olhava para ele, temerosa. Ela também não podia fazer nada. Tibor conhecia o temperamento explosivo da irmã. Sabia que estava morrendo de vontade de sair da cela e agarrar aquela bruxa pelo pescoço. E ele gostaria muito que a irmã tivesse essa chance.

— Se a casa das velas é a casa da Morte, você acha que ela vai deixar você apagar a vela dela? — desferiu Tibor para a Cuca, numa última tacada, tentando achar um furo no plano da tia-avó.

— Desde quando a sua vela foi tirada do altar, a Morte goza de um sono eterno, pelo qual muito ansiou. Livrou-se da obrigação de conduzir a Carruagem e passou essa maldição para minha mãe — disse a Cuca. — Eu descobri que, conjurando a casa das velas com os três itens juntos, a pedra, a mortalha e o inocente, a Morte não é perturbada em seu sono. Nada mais pode impedir que aconteça: vou abrir as portas do Além, garoto!

Tibor sabia que a sua hora chegara. Tinha ciência de que, assim que aquela cobra preta e translúcida saísse do buraco aberto no centro da praça, ela iria se alimentar da sua alma. Ele era o inocente dado em sacrifício. Assim como Sacireno na caverna ou os trasgos e o pai de Pedro, muitos anos atrás.

Sacireno tinha dito alguma coisa sobre sacrifícios. Sobre o seu verdadeiro significado. Segundo ele, era um sinal de coragem fazer o que era necessário pelos amigos, pela família e pelo futuro.

Era isso o que tinha de fazer, então? Sacrificar-se por todos eles? Mas que sentido havia nisso? Se a Cuca tirasse a sua vida, a casa das velas apareceria e ela concluiria seus planos.

O Saci lhe dissera que ele precisava perder para ganhar. Que precisava estar preparado. Ouvira a mesma coisa de uma das Marias. Então era isso? Deveria perder? Deveria se entregar? Isso era estar preparado? Quem era o tal amigo misterioso que pedira favores para Pestana e para o Saci? Pestana tivera que lhe mostrar uma porção de sonhos e o Saci tivera que morrer.

"Que dilema!", pensou o menino.

Um vento zuniu forte, levantando poeira em toda a praça. O ritual tinha de fato começado. O Muiraquitã que a Cuca tinha no peito brilhou e a cobra surgiu do buraco, com seu longo corpanzil. A Bernúncia flutuou pelo ar e foi até a bruxa, como se fosse um bicho de estimação.

A Cuca estava à beira do buraco com os braços estendidos. Seus cabelos ralos esvoaçavam, juntamente com o manto de urtigas. Tibor desejou que a bruxa estivesse sofrendo bastante embaixo daquele manto ardente.

— Tibor...! — gritou a irmã de dentro da cela.

Não seria fácil dar adeus ao mundo com apenas 16 anos. Mas, se era a única coisa que podia fazer, estava preparado. Se fosse pelos amigos, pela família e pelo futuro, ele se sacrificaria, então.

Ouviu a Cuca dá-lo como oferenda à imensa cobra. A Bernúncia se voltou para ele. Mas Tibor não sentiu medo. Fechou os olhos e se concentrou em todos que amava. Sua morte enfraqueceria a bruxa e alguém teria de acabar com ela.

Quando abriu os olhos outra vez, viu a grande cobra retesada na sua frente, prestes a dar o bote.

— Venhaaaa! — berrou ele para a assombração, com toda a força dos seus pulmões.

E ela foi. Abriu a boca de jubarte e saltou na direção do menino. Mas, antes que a cobra o alcançasse, Tibor ouviu a irmã gritar:

— ...o Boitatá!

E algo se desligou.

Não foi tão ruim quanto pensou. Pareceu mais um balde de água fria sendo lançado sobre ele. Depois sentiu um solavanco e se viu deslizando para fora do seu corpo e da sua vida. Não sentiu mais o ardor das queimaduras de sol, nem as dores de cabeça nem a exaustão de um dia inteiro amarrado ao tronco.

Tibor estava morto.

Então por que ainda estava na praça? Ele podia ver a irmã chorando dentro da cela. Parecia desesperada. Não gostou de vê-la daquele jeito. Queria abraçá-la. Consolá-la. Afinal, ele estava ali. Mas por que estava ali? Não devia ter servido de alimento para a Bernúncia? Ou será que a cobra não gostara do sabor da sua alma? Nesse instante, viu a cobra flutuando sobre o buraco. E percebeu que os seus braços estavam soltos. Não estava mais amarrado ao tronco. Estava mesmo morto. Os sons ao seu redor eram vagos e distantes. Como se um cobertor abafasse os ruídos do mundo inteiro. Isso era morrer? Ou esse seria o Além? O Outro lado?

Tibor viu os outros prisioneiros tentando confortar Sátir, mas ela parecia inconsolável. Olhou para os gigantes com a boca eternamente aberta. De onde é que a Cuca tirara aqueles monstrengos? Também observou o círculo de seguidores ao redor da praça. Mas notou algo diferente. Pessoas translúcidas passeavam entre eles, sem se importar com o que estava acontecendo. Pessoas com uma aparência tão imaterial quanto Dona Arlinda ou os trasgos. Seriam fantasmas? Estariam vagando por ali, esperando pela Carruagem que nunca viria? E essa seria a sua condição também? Ele agora era um fantasma como eles?

Olhou para o tronco em que estava preso antes e tomou um susto. Havia um menino amarrado ali. Estava imóvel e de cabeça baixa. Aproximou-se e reconheceu o garoto. Era ele próprio! Mas sem vida. A Bernúncia o havia arrancado de dentro do seu corpo, mas, por algum motivo, não se alimentara da sua alma.

Reparou que algo o ligava ao menino no tronco. Uma espécie de corda saía da sua cintura e ia até a cintura do Tibor sem vida.

O que era aquilo? Será que ainda estava preso ao seu corpo? Aquela corda o teria impedido de ir parar no estômago da Bernúncia? Foi a única explicação que encontrou.

Teria de perder para ganhar, o Sacireno dissera. Tinha perdido. Tinha se entregado. Fora sacrificado para que a Cuca pudesse enfraquecer.

Uma nova ideia lhe veio à mente e lhe deixou um tanto alarmado. Talvez sua luta ainda não tivesse terminado. Lembrou-se de que, pouco depois de ser atingido pelo dardo venenoso, tivera um encontro muito estranho com o xamã da floresta. Sacireno lhe servira um chá com gosto de terra e colocara num dos seus machucados algo tirado de um sapo. Quando Tibor lhe perguntou do que se tratava, o velho Saci disse que estava fechando o seu corpo, pois ele logo enfrentaria a Cuca.

Aquela corda seria isso? Uma arte do Saci? Pelo nó que vira na corda presa à sua cintura, diria que sim. Era idêntico aos nós que apareciam nas crinas dos cavalos na época da quaresma. Esse era o resultado de se ter o corpo fechado? Ele não tinha se desligado da sua vida, por isso a Bernúncia não pôde levá-lo dali?

Se fosse isso, ainda tinha uma chance! Poderia continuar a luta contra a tia-avó. Logo ela enfraqueceria e ele teria de dar um jeito de atacá-la. Mas como?

E, então, viu a irmã. Ela gritara "Boitatá" no momento em que a Bernúncia lhe atacara.

Era isso? Devia chamá-lo? Mas ele estava no outro mundo. Será que a cobra o ouviria? Algo dentro do menino ainda não aceitava a ideia de chamar a grande cobra de fogo. No entanto, enganara-se tantas vezes em seus julgamentos...

Era isso que tinha de aprender? Olhar as coisas de outra perspectiva? Dar um voto de confiança àqueles que confiavam nele? Será que ele tinha sido tão estúpido e arrogante a ponto de não dar uma chance aos outros de provarem suas convicções?

De repente, a casa das velas se materializou na praça. Tibor ficou ali parado, assistindo-a ganhar forma, prateleira por prateleira. Do lado em que estava, o mundo parecia avançar em câmera lenta.

A visão era assombrosa. Um grande salão repleto de velas. Sendo cada vela, o tempo de vida de uma pessoa. E sempre que uma se extinguia, alguém tinha de se despedir e tomar a Carruagem da Morte para o Além.

Tibor se sentia em três lugares ao mesmo tempo. Na praça, na casa das velas e naquele outro lugar a que não sabia dar nome. Um limbo, talvez?

Nesse momento viu alguém passar por ele e teve um sobressalto. Se estivesse vivo, enfartaria.

— Mãe?! — exclamou ele. — É você? — O cheiro de mirra e laranja era inconfundível.

Hana Lobato virou-se para ele com o olhar perdido. E abriu um sorriso triste.

Antes que o menino tivesse chance de perguntar por que ela estava tão triste, viu outro fantasma do lado dela.

— Pai?! — E o garoto não se conteve. Envolveu os dois num abraço apertado.

Não acreditava que estava ali diante deles. Estavam do mesmo jeito de que se lembrava. Idênticos a quando moravam no acampamento cigano. Só que em suas versões espectrais. Podia ver no rosto deles os seus próprios traços e os de Sátir também. Eram muito parecidos com os pais.

Mas o olhar do casal estava distante. Tinham retribuído o abraço do menino, mas sem muito entusiasmo.

— Mãe? Pai? — chamou Tibor, sem entender.

— Desculpe, meu jovem — disse Leonel, hesitante. E a voz do pai soou como uma linda melodia aos seus ouvidos. Era com aquele tom de voz que costumava narrar o nascer de cada manhã —, mas quem é você? — perguntou, despertando Tibor para uma dura realidade.

— Sou o Tibor, pai. Filho de vocês! — explicou ele, perguntando-se se estaria tão diferente assim. Afinal, fazia só cinco anos que eles não se viam.

— Filho de quem? — questionou Hana.

Aquilo foi muito estranho.

— De vocês dois — anunciou Tibor. — Vocês são meus pais. E pais daquela menina lá também! — Tibor apontou para a irmã.

Percebeu que os dois nem tinham notado Sátir. Olharam um para o outro, como se não reconhecessem os filhos. O que estava acontecendo? Seus pais não se lembravam dele? Nem da irmã?

Era exatamente o que tinha acontecido com Miguel Torquado no ano passado. Miguel era um trasgo. Uma das quarenta crianças levadas pela Cuca. Pelo fato de a Carruagem da Morte não passar para buscá-lo, ele e todas as outras crianças e adolescentes ficaram perambulando pela floresta, sem um descanso digno. Entre eles, os filhos de Antenor. Ficaram todos vagando num lugar ao qual não pertenciam mais. Deveriam estar no Além. Onde a natureza os transformaria em outra coisa. Por terem ficado presos neste mundo, perderam a memória e, pouco a pouco, se tornaram apenas sombras do que um dia haviam sido.

Era isso o que a Cuca iria causar a todos. Não só às suas vítimas, mas a todos os seres que tivessem suas velas apagadas pelo tempo. Iriam vagar eternamente, em vez de seguir para onde deveriam. Uma imensidão de vidas perdidas e sem propósito.

Olhou mais uma vez para seus pais. Sempre pensara que estivessem descansando em algum lugar, mas não. Estavam ali, vagando sem rumo. E se a Cuca concluísse seus planos, ficariam ali para sempre.

Ele precisava fazer alguma coisa. Era hora de agir. Morto ou vivo, fantasma ou não, a responsabilidade de dar um fim a tudo aquilo ainda pesava em seus ombros.

Olhou para seus pais uma última vez. Deu-lhes mais um abraço apertado.

— Que saudade... Eu amo vocês! — E, mesmo diante do olhar confuso dos dois, Tibor juntou a mão do seu pai com a da sua mãe. Por algum motivo, depois que se afastou de Hana e Leonel, eles não soltaram as mãos. Ficaram se encarando, como pessoas que se cruzam na rua e têm a impressão de que já se conhecem, mas sem saber de onde.

— Cuca! — gritou ele. E ela o viu. Estava dentro da casa das velas e identificou-o por entre as prateleiras. Ela já havia colocado sua vela no altar onde deveria estar a vela preta da Morte, com a chama branca.

— O que faz aqui, menino? — perguntou ela.

Tibor percebeu que a figura da Cuca destoava de todo o resto, naquele lugar. Ela parecia mais sólida e de cores mais vivas. Tibor sabia que ele próprio devia estar translúcido aos olhos da bruxa. Era um fantasma, ela não.

— Sacireno fechou meu corpo, Cuca — revelou ele, tentando ganhar tempo para pensar no que fazer. — A Bernúncia não pôde me levar. Estou preso à minha vida.

A Cuca o fitou por alguns segundos, perplexa.

— Aquele maldito Saci! — vociferou ela, enquanto procurava uma prateleira de velas específica. — Não seja por isso, menino! Vou dar um jeito de colocar você onde deveria estar. E com certeza não é aqui — disse ela, pegando uma vela branca nas mãos. Uma vela nova e alta, com muito pavio ainda para queimar.

— Esta é a vela que representa a sua vida, menino — disse a bruxa. — Vou soprá-la e apagá-la para sempre. Sou a nova Senhora da Morte. Veja! — E ela apontou para o altar, onde seu cotoco reinava, solitário.

Sem pensar, Tibor investiu contra a bruxa. Tinha que evitar que ela soprasse a chama de sua vela ou o resto do mundo teria o mesmo destino que seus pais. Ele não podia deixar isso acontecer. Correu e conseguiu o impossível: alcançou-a antes que ela soprasse a vela. Era a vantagem de ser um fantasma. Movia-se na velocidade do pensamento.

Mas, justamente por ser um fantasma, seu corpo atravessou a Cuca. Não foi capaz de tocá-la. Não conseguiu.

A bruxa deve ter notado sua expressão de espanto, pois gargalhou com sua boca descomunal, que acabara de engolir uma ave inteira. Depois moldou os lábios em um bico enorme e soprou. Soprou com vontade. Como se Tibor fosse um mal a ser extirpado. A única pedra em seu caminho. E fosse um prazer chutá-la para longe.

Tibor sentiu um vento forte tirá-lo do chão e fazê-lo voar pelos ares. Carregou-o com a força de um furacão. Ele subiu e estava bem alto quando, de repente, sentiu um puxão na altura do umbigo. Era a corda. Havia se esticado até o fim e agora o mantinha suspenso ali, em meio ao vendaval. Pôde ver, lá de cima, a Cuca soprando a plenos pulmões para conseguir apagar sua vela. Mas ela não conseguia. A chama da vela bruxuleava, mas não apagava.

Quando viu que não conseguiria apagá-la, desistiu de soprar e devolveu a vela à prateleira. Tibor voltou para o chão, dando graças ao Saci por ter fechado o seu corpo.

— Bem, terei que usar outra estratégia para que você fique em seu lugar e não me atrapalhe mais. — E a bruxa se muniu de outra vela. — Será que a chama da vela de sua irmã é tão resistente quanto a sua?

O menino se desesperou. Tinha que fazer alguma coisa e sabia o quê. Estava na hora de deixar de ser tão teimoso. Respirou fundo e gritou:

— BOITATÁÁÁ!

E uma imensa cobra de fogo verde foi conjurada dentro da casa das velas. Com uns trinta metros de comprimento e pronta para avançar em quem quer que fosse.

A Cuca percebeu o perigo e desistiu de soprar a vela da menina. Aproveitou o pouco tempo que tinha, antes de ser atacada pela grande cobra. Segurou nas mãos o amuleto negro, em formato de sapo, e a Bernúncia tornou a surgir do grande buraco.

As duas cobras se encontraram e digladiaram entre si. Uma batalha épica. Uma cobra de chamas verdes atracada com uma cobra negra e translúcida. Ambas gigantescas. Enrolavam-se uma na outra, tornando-se uma coisa só. A cada investida da Bernúncia, o Boitatá se metamorfoseava num mundaréu de chamas verdes e se materializava em outro canto. E, a cada investida das presas do espírito da floresta, a Bernúncia se diluía em fumaça, como Tibor vira a Pisadeira fazer num sonho, e voltava a aparecer no corpo da serpente-fantasma que era.

Tibor não sabia o que os prisioneiros e todos os outros que estavam vivos conseguiam enxergar. Com certeza não era o mesmo que ele, mas imaginou que conseguiram ver quando a Bernúncia foi arremessada na direção de um dos enormes Bradadores. A cobra preta o atravessou na altura do coração e o grande monstro tombou sem vida. A Bernúncia levara sua alma embora. A queda do Bradador, porém, foi providencial. Um de seus braços destroçara a portinhola de ferro que encerrava a cela e todos os prisioneiros puderam escapar dali.

A praça virou uma verdadeira arena de guerra. Os seguidores que conseguiam enxergar a visão fantasmagórica diante dos seus olhos tentavam capturar aqueles que fugiam da cela. Tibor assistiu a irmã, enfim, descontar sua ira em alguns deles. Mas, na verdade, o que ela queria era alcançar a Cuca. Era o combinado. Precisavam atacá-la. O ritual a enfraqueceria.

No entanto, a bruxa não parecia mais fraca.

O Bradador que restara preparou-se para soltar um bom berro em cima de um menino que o enfrentava. Dona Lívia gritou desesperada, pois o menino era Pedro. Um brado daquele gigante, no mínimo, o deixaria surdo. Antenor, no momento em que viu o bicho se preparando para desferir seu grito, entrou na frente do garoto e tapou-lhe os ouvidos, deixando de proteger os seus.

Tibor, mesmo estando do Outro Lado e ouvindo tudo por trás de uma parede invisível que barrava o som, pôde perceber que os brados da fera eram capazes de estremecer até o seu espírito. Assim que o Bradador parou de gritar, Antenor e Pedro caíram desmaiados. Dona Lívia correu para socorrê-los.

Agora, o Boitatá é que era arremessado pela grande anaconda preta. O fogo verde envolveu o Bradador e deixou seu corpo em chamas. O gigante saiu correndo, em pânico, sendo queimado vivo.

Depois de jogar o Boitatá longe, a Bernúncia foi atrás de Tibor e lhe deu mais uma estocada feroz, tentando abocanhá-lo. Mas tudo o que Tibor sentiu foi um empurrão violento quando a cobra passou por ele.

Mas mais uma vez, o menino foi salvo pela corda em volta da sua cintura. E a cobra do Além só ficou mais irritada por não conseguir devorá-lo.

No meio da grande batalha de monstros, Tibor percebeu que a Cuca tinha se afastado depressa até um canto do salão das velas.

O menino a seguiu, mas não havia nada que pudesse fazer. Não podia tocá-la. Não conseguiria impedi-la de concretizar seus planos.

— Pare, Cuca! — berrou Tibor, sentindo-se impotente. Mas a bruxa não lhe deu atenção. Tinha sede de poder. Seu manto esvoaçava, perdendo algumas das folhas de urtiga que lhe ardiam a pele, enquanto ela deslizava na direção da vela da Morte.

Enquanto isso, o Boitatá armava o bote. Deu um impulso flamejante na direção da cobra preta, com a intenção de liquidá-la de vez. A Bernúncia abriu a boca o máximo que pôde e, aproveitando o impulso dado pela cobra de fogo, engoliu-o por inteiro.

Tibor levou as mãos à sua boca espectral, diante da cena bizarra. Inusitadamente, o Boitatá fora transformado em alimento. Mergulhara direto na boca da cobra do Além. A Bernúncia comemorou, sibilando, ameaçadora, com sua boca de jubarte. Era uma caçadora formidável!

Tibor se sentiu um pouco culpado. Assim como fizera antes, tinha julgado o Boitatá um traidor. Embora, lá no fundo, duvidasse que realmente fosse. E, agora, assim como se dera com Queirós e Sacireno Pereira, já era tarde demais.

— Tibor? — chamou uma voz na sua cabeça. — Uma vez pedi para que controlasse sua fúria e seu medo.

E o menino soube que era o Boitatá. Talvez não fosse tão tarde assim.

— Hoje lhe peço algo diferente — falou a voz.

— E o que é? — quis saber o menino, ávido por uma chance de agir de modo diferente.

A essa altura, a Cuca já tinha nas mãos a vela da Morte. Se conseguisse soprá-la, tudo estaria acabado. Ela abriria os portões do Além e tudo que um dia morresse não teria mais para onde ir. Ela seria a senhora de tudo que vive e de tudo que morre.

— Escute seus medos, são eles que te dão a noção do perigo real. Mas escute também a sua intuição, é ela que te leva para o caminho certo. Não é preciso saber de tudo para sentir o que é certo e o que não é.

E o menino entendeu. Os fatos indicavam que o Saci era um grande vilão, mas, depois de tudo que acontecera, seu coração já não sentia que Sacireno tinha feito algum mal ao seu bisavô. O mesmo podia dizer de Vlado. Mesmo sendo um dos caçadores que perseguira o bisavô em seus últimos momentos, no fim ele provou sua lealdade. Mas o coração do menino nunca suspeitara de Queirós. Seu grande embate fora com os fatos.

E quanto ao Boitatá, sabia que os pais tinham morrido pelo fogo. Antenor dissera que o próprio Boitatá o produzira. Mas o coração de Tibor, sua intuição, lhe dizia que não. O Boitatá não seria capaz disso. Ele trazia o equilíbrio.

Mesmo sem saber como tudo acontecera e o real motivo, aquilo tudo tinha que terminar, e era para isso que Tibor estava ali.

— Esse é o verdadeiro sacrifício, menino — disse o Boitatá. — Isso é perder para ganhar.

E o menino pensou que já tivesse perdido. Tinha se entregado para a Cuca e estava morto por causa disso.

— Morrer — continuou o Boitatá, como se ouvisse seus pensamentos — é fácil quando não se tem alternativa. — E Tibor deu total razão ao Boitatá. Não tivera alternativa a não ser morrer. Estava amarrado a um tronco, totalmente imobilizado. Não tinha sido, de fato, um sacrifício. — Eu posso trazer o equilíbrio, mas preciso que me empreste o seu eu para isso. O seu eu verdadeiro. Entregue-se! E podemos fazer a diferença.

O menino fechou os olhos. Sabia que o Boitatá se utilizava da força vital de um ser vivo para existir, mas agora ele estava morto. Não tinha força vital. Mas concentrou toda a força que tinha em sua alma. Decidiu se apoiar na crença da irmã e da avó. O Boitatá nunca faria mal aos seus pais. Nunca. Tomou a fé de Sátir e Gailde como a sua própria. Esse foi o sacrifício real. A desistência de si próprio, a morte do seu ego, pelo bem dos amigos, da família e do futuro.

Abriu os olhos.

— Queime! — ordenou Tibor.

Por um segundo, o que se ouviu foi a risada distorcida da bruxa. Logo após, o fogo verde explodiu dentro da Bernúncia. Saiu primeiro pela boca e pelos olhos, depois desintegrou-a por completo. O Muiraquitã, sobre o peito da Cuca, estilhaçou-se, causando uma chuva de cacos por toda a praça. Não se via mais cobra de fogo ou cobra-fantasma em nenhum canto da casa das velas, que também começou a se desvanecer. As prateleiras sumiram uma a uma. O grande salão se dissolveu no ar.

Um segundo antes de a casa desaparecer por completo, a Cuca soprou a vela preta que tinha nas mãos. E a chama branca, da vela da Morte, apagou-se do pavio.

35

AMIGO SECRETO

O buraco no meio da praça virou uma espécie de porta escancarada para o Além. A Cuca agora não só era a Senhora da Morte, como também comandava a ponte entre os mundos. E, com tal poder nas mãos, decidiu transformar tudo numa coisa só.

De dentro da cratera, uma infinidade de criaturas emergiu para o mundo terreno. Tibor viu fantasmas de pessoas e de outros seres que nunca vira antes.

Avistou a irmã junto dos outros. Ela parecia aturdida com tudo o que a cratera vomitava. Não só ela, mas todos ali. A Cuca atingira um objetivo que acalentava havia muito tempo. Os espíritos que saíam do buraco representavam o início de uma nova era. Uma era trevosa em que nada seguia a ordem natural da vida. A ambição da bruxa ditava novas regras. Sem se importar com as consequências.

Seria o fim?

Tibor queria acreditar que não. Viu um brilho de esperança ao perceber a tia-avó caída de quatro no chão. A casa havia sumido, portanto, a bruxa estava esgotada, como tinha acontecido da última vez e também com Ana Jansen. Era o momento tão esperado.

— Sátir! — gritou ele para a irmã. Mas ela não escutou.

Em meio a tamanho alvoroço, a menina não tinha percebido o momento em que a bruxa tombara. Com aquela horda de fantasmas saindo pela fenda, muitos seguidores e prisioneiros tinham corrido para se salvar. Não sabiam o que poderia lhes acontecer e tudo parecia perdido. Sátir, porém, foi a única que não correu. Em vez disso foi até o irmão, soltou seu corpo do tronco e agora chorava desolada em cima do garoto. Tibor achava que ninguém merecia passar por uma situação tão triste quanto aquela. Segurar nos braços um ente querido sem vida. Mas esse era o cenário em que a irmã se encontrava agora.

Ele desviou os olhos de Sátir e olhou para a corda que o prendia ao seu corpo moribundo. Aquela corda tinha que servir para mais alguma coisa, pensou ele. Puxou-a com força e se aproximou um pouco mais da sua versão cadavérica.

O espectro de Tibor deitou-se no exato lugar onde jazia o Tibor sem vida. E foi como se um se encaixasse no outro. Ele deslizou para dentro de si mesmo. E então sentiu as queimaduras na pele. Sentiu a dor em sua cabeça e sentiu as lágrimas da irmã molharem sua bochecha.

Estava vivo, novamente!

— Sátir, eu tô bem, maninha! — falou, assim que abriu os olhos. Queria tranquilizá-la o mais rápido possível. Não aguentava vê-la naquela situação.

Ela não conseguiu dizer nada ao ver o irmão vivo outra vez. Só ofegou, e Tibor viu seu corpo todo estremecer. Ele então a abraçou. Com a mesma intensidade que abraçara os pais.

— Sacireno fechou meu corpo, Sátir — contou. Mas evitou falar dos pais e do fato de estarem desmemoriados. Não queria provocar mais pesar na menina. Mesmo porque não tinham muito tempo. — Precisamos deter a Cuca, Sátir. Só nós podemos fazer isso.

— O que temos que fazer? — Sátir enxugava o rosto e já parecia pronta para o combate.

— Olhe! — apontou Tibor para a Cuca. — Ela está fraca.

A bruxa tentava se levantar sozinha, visto que seus seguidores tinham fugido. Pelo jeito, nem todo ouro do mundo agora bastava para comprar a lealdade dos seus asseclas.

Os irmãos não perderam tempo. Correram na direção da bruxa, para tentar jogá-la dentro do buraco. Mas, assim que se aproximaram, Tibor percebeu que, ao contrário dele, a irmã ainda era afetada pela presença da tia-avó. Quando estivera na cela, dentro da caverna, Sacireno mastigara uma folha e colocara na testa dele e na de Rurique, para evitar que se sentissem enfraquecidos ao se aproximar da Cuca, mas Sátir ainda era vulnerável à bruxa.

A menina caiu no chão e colocou as mãos na cabeça, como se recebesse choques no cérebro. Tibor sabia como era insuportável a sensação.

No ano anterior, ao se aproximar da Cuca para tentar impedi-la de levar Rurique, sua mente também fora bombardeada pelos seus piores medos.

Não pôde fazer nada por Sátir, mas sabia que, se jogasse a Cuca no buraco, neutralizaria os efeitos da presença nefasta da bruxa sobre a irmã. Preparou-se, então, para alcançar a tia-avó e empurrá-la com toda força para o portal do Além.

Mas ela foi mais rápida. Estendeu o braço para trás, para dar impulso, e acertou um tapa no rosto de Tibor, arremessando-o a vários metros de onde estava.

Tibor estatelou-se no chão, desorientado. Não esperava o golpe da velha. Ela deveria estar sem forças, mas parecia ainda muito poderosa.

— Sou sua nova senhora, garoto — disse ela, com arrogância. — Mostre mais respeito.

Foi então a vez de Sátir. Sem entender de onde a irmã tirara forças, viu-a correr com tudo na direção da bruxa. Um outro tapa da bruxa e Sátir voou longe também.

Agora que estava de volta ao seu corpo, Tibor tinha a sensação de que estava mais pesado. Sentia, dos pés à cabeça, o cansaço lhe abater.

— Tibor — sussurrou a irmã, ofegante. — Vamos os dois de uma vez.

O menino assentiu.

— No três? — sugeriu a menina.

— Um... — murmurou Tibor, iniciando a contagem.

— Três! — adiantou-se a irmã, ansiosa para acabar de vez com tudo aquilo.

Os dois partiram como um trem-bala para cima da bruxa, impulsionados por toda a sua fúria. Sabiam que, unidos, poderiam derrubá-la.

Mas a Cuca já estava preparada. Abriu os braços e com cada mão agarrou o pescoço de um deles. Os irmãos espantaram-se quando seus pés foram tirados do chão. A velha, que era só pele e osso, tinha uma força descomunal! Segurando cada um dos sobrinhos-netos com uma mão, mantinha-os no alto, enquanto se debatiam para se soltar.

— Eu não sei se devo apertar mais ou atirá-los neste buraco — disse ela, com seu costumeiro sarcasmo. Os dois irmãos arroxeavam e tentavam desesperadamente se desvencilhar do aperto férreo da velhota. — Eu queria que vissem o mundo novo que acabei de criar. Minha irmã do meio, a Pisadeira, criou pesadelos no mundo dos sonhos. Eu criei pesadelos reais. — A bruxa lambeu os lábios e, por um momento, Tibor achou que ela os engoliria. Não duvidou que coubessem dentro da sua bocarra. — Deviam ter feito como os outros. Fugido para encontrar um local seguro, onde pudessem viver o resto da vida.

— Chega, Cuca! Acabô! — decretou uma voz imponente, vinda de algum lugar da praça.

— Quem disse isso? — questionou ela, surpresa.

Tibor chegou a pensar que a Morte tivesse acordado do seu sono, mas logo se lembrou de que talvez ela nem existisse mais. Sua vela havia sido soprada. Ocorreu-lhe, então, que a voz era muito diferente da que ouvira quando a Morte falava. Aquela voz pertencia a outra pessoa. Mas não sabia quem.

— Coloca meus minino no chão. Já! — repetiu a voz, autoritária.

A Cuca, estranhamente, obedeceu e voltou-se para um homem que agora saía de dentro do abismo. Tibor e Sátir, ainda ofegantes no chão e se recuperando do choque, pousaram os olhos nele.

Era um índio de corpo esguio, com pinturas vermelhas e pretas na pele. Carregava um arco atravessado sobre o peito nu e uma aljava repleta de flechas nas costas. Tibor achou que seu semblante lhe parecia muito familiar.

— Maninho — chamou a irmã, massageando o pescoço. — Olhe os pés dele.

O índio tinha os dois pés virados para trás! Onde deveriam estar seus dedos, estavam os calcanhares. Então Tibor percebeu por que o índio lhe parecera tão familiar. Suas feições lembravam as de Dona Gailde.

— É nosso bisavô! — exclamou o menino. — É o Curupira! — Os dois irmãos abriram um grande sorriso.

Mal podiam crer que o Curupira, em pessoa, estava ali, diante deles. Sempre o imaginavam como alguém de idade avançada, no entanto, ali estava um índio de meia-idade, mas parecendo no auge do seu vigor.

— Eu fiquei esperando este momento! — revelou o índio. A Cuca o observava de canto de olho.

— Sabia que um dia ocê ia abri esta porta. Dei um jeito de ficá do outro lado pra te recebê.

— O que está dizendo, seu índio velho? — vociferou ela.

— Perdê pra ganhá! — falou ele. — É isso que tô dizendo. No dia que ocê e sua irmã pediro pro Sacireno tramá contra eu, ele me contô tudo.

— Maldito Saci! — rosnou ela.

— Assim que me contô, pedi que ele seguisse com o seu plano. Ele levô Gailde como isca pra me atraí até ocês. — O índio continuava parado à beira da fenda, enquanto contava sua história.

Tibor e Sátir se entreolharam, surpresos. Então o Sacireno não traíra o bisavô. Eles eram amigos! Deviam ter desconfiado, pensou Tibor, ao lembrar que tinham escrito juntos a simpatia para curar Lobisomem. A morte do Curupira fora só um acordo entre eles. Um pedido...

— Mas matamos você — falou a bruxa com desdém. — Do que adiantou tudo isso? Pelo que vejo, você perdeu!

— Será? — retrucou o índio, encarando-a com seus olhos verde-folha. Idênticos aos dos irmãos Lobato. — Sou o pai das mata. Um dos meus dons é enxergá de trás pra frente.

— E daí? — questionou a Cuca, visivelmente incomodada.

Tibor não fazia ideia do que o bisavô queria dizer com aquilo, mas se lembrou de que ele gostava de fazer coisas ao contrário. A ponte Du Avessu era um exemplo disso.

— Eu vejo o contrário do que já foi. Vejo pra frente. O que ainda não foi vivido — revelou o índio.

— Ele vê o futuro? — perguntou Sátir, ao irmão, que deu de ombros, intrigado.

Ambos estavam no chão, atrás da Cuca, e viam que em sua mortalha de urtiga faltava uma grande parte das folhas.

— Muitos ano atrás, tive uma visão de ocê abrindo a porta dos mundo. Vi ocê falando com meus bisneto sobre seus plano — contou ele, desviando por um instante o olhar selvagem para Tibor e Sátir. Isso os fez sentir um calor se expandindo no peito. — E eu intendi que tinha que sê assim.

— Não é possível! — desacreditou a Cuca.

Mas o índio continuou, sem lhe dar atenção.

— Mandei as icamiaba criarem os três Muiraquitã, depois pedi um favor pra sereia Naara. Pedi pra ela guardá as pedra pra eu. — E ele voltou-se para os meninos. — Meus neto, ocês tinha que passá por tudo isso. Num dá pra alterá o que ainda vai sê. Mas dá pra dá um jeito de se infiá nele. A Cuca mexeu onde num devia e fez uma zoada só. Com o Muiraquitã preto, ela conseguiu controlá o Boitatá — e ele pareceu pesaroso com aquilo. — Num consegui evitá a morte dos pai docês.

— Cale a boca, índio! — mandou ela. — Acabei com você uma vez e posso acabar novamente.

O Curupira moveu os lábios e emitiu um assobio bem parecido com o dos filhotes do Saci. No mesmo instante, raízes brotaram do chão, logo abaixo dos pés da bruxa. Raízes grossas e flexíveis saíram por entre as rachaduras do terreno cimentado da praça e se enrolaram nos pés, nos braços, na cintura da Cuca, prendendo-a no lugar.

Tibor e Sátir sabiam que se tratava do assobio original. O Curupira era um ser sem idade, que conhecia os segredos da natureza. Talvez, pensou Tibor, ele próprio tivesse criado o tal assobio.

— Sacireno morreu porque eu pedi — continuou o índio, para a Cuca. — Já era hora dele parti. Só dei um sentido maior pra morte dele. Eu queria que ocê seguisse com seus esquema. Ocê tinha qui chegá exatamente aqui, neste ponto que chegou.

Cuca não se continha. Tentava com todas as forças se desvencilhar dos braços naturais que a aprisionavam.

— Pedi pro Pestana mostrá os grãos certo de sonho pro menino — e ele apontou para Tibor. — Porque ele ia contá pra irmã, e eles também tinham que chegá aqui.

— Ah, é? E pra que tudo isso, Curupira? O que pretende? — indagou ela, os olhos faiscando de ódio.

O índio pegou o arco que carregava no peito. Com calma, retirou uma flecha da aljava e a encaixou no fio atado às duas pontas do arco. Olhou para a Cuca, decidido, e puxou o fio para trás, preparando a mira.

— Eu vim buscá ocê, Cuca — revelou. — Já fez muito mal pra esses mundo. Já, sim!

Ele soltou a flecha e os meninos a viram partir do arco, deixando em seu trajeto uma linha translúcida no ar, como uma corda.

A bruxa não teve chance nem de gritar. A seta se enterrou em seu peito.

O índio, mais que depressa, puxou a corda que ainda ligava o arco à flecha cravada no peito da Cuca. O corpo dela não se moveu, mas uma cópia espectral da bruxa foi arrancada do seu corpo.

Não foi uma visão bonita.

Eles a viram gritar e espernear, enquanto tentava se agarrar ao seu corpo moribundo, ainda preso entre as raízes no chão.

— Não! Eu não quero voltar! Eu não quero! — rugia ela.

— Ocê nunca devia ter vindo pra cá. O seu lugá nunca foi este — disse o índio, colocando a corda sobre o ombro e voltando-se para a cratera.

A cada passo do Curupira, a Cuca se afastava mais do seu corpo, arrastada sem dó. Os dedos tortos e agora translúcidos da bruxa tentavam se agarrar a cada fenda no chão, mas, na sua nova condição de fantasma, atravessavam tudo a que tentavam se segurar.

Antes de prosseguir, o Curupira se voltou para os meninos, que o fitavam fascinados.

— Meus neto, tô orgulhosu da família que tenho. Vô visitá ocês depois. Agora tenho o que fazê. E ocês também — disse o índio. — Vou levá ela imbora daqui, enquanto isso, ocês tem que dá um jeito de levá essas alma de volta pro Além. As que saíram e as que não entraro ainda. Elas têm que descansá. Já passô da hora. A natureza tá cheia de plano bom pra elas.

— Espere! — pediu Tibor. — Como vamos fazer isso? — E lembrando-se de outro assunto importante: — Precisamos achar um modo de livrar o Rurique da maldição do lobo também.

— Ora, meninu! — exclamou o Curupira. — Tá vendo aquela vela ali? — E ele apontou para a vela preta, caída perto de onde o corpo físico da Cuca permanecia, imóvel.

Tibor foi até a vela e a pegou. O Curupira deu um assobio curto e a chama branca voltou a queimar no pavio.

— Olha, Tibor! — Sátir chamou a atenção do irmão para uma carruagem negra, perto do tronco em que pousara o urutau.

O Curupira voltou a caminhar, calcanhares à frente, ainda arrastando a alma ensandecida da bruxa. Quase sumia dentro do buraco, quando sua voz soou outra vez:

— Acho que ocês têm uma carruage pra pegá! — sugeriu.

36

A CARRUAGEM DA MORTE

As nuvens se dispersaram no céu. Puderam ver a lua cheia e as três Marias. Uma das estrelas piscou e Tibor teve o palpite de que aquela era a Maria mais simpática das três.

— Tibor! Como faremos isso? — perguntou Sátir. — A carruagem não tem cavalos.

O menino olhou-a com ânimo renovado e um ar de astúcia.

— Acho que sei como resolver isso, Sátir! — Fechou os olhos e voltou seus pensamentos para um menino que já o salvara uma vez.

O barulho de cascos golpeando o chão preencheu o ar.

— Precisam de uma mãozinha? — perguntou um jovem de pele negra e cabelos ralos, que andava ao lado de uma manada de cavalos selvagens.

— Negrinho do Pastoreio! — exclamou Sátir.

Explicaram, ao ser fantástico, que precisavam encontrar o Lobisomem e levá-lo a sete cemitérios, antes do nascer do sol. E também tinham de recolher os mortos que vagavam, por onde quer que passassem.

Apesar da missão quase impossível, não pareceu tarefa difícil para o Negrinho. Ele se mostrou até empolgado. Atrelou os cavalos à carruagem. Estavam ali o cavalo baio, bem puxado para o amarelo; o cavalo todo negro e até o malhado, que lembrava a Mimosa. Depois o Negrinho ajudou os dois irmãos a subirem no coche.

Mas um choro chamou a atenção deles. Dona Lívia estava ajoelhada ao lado de duas pessoas caídas no chão. Ela também não havia deixado a praça. Tentava acordar Pedro e Antenor, sem sucesso.

— Sátir! Vá acudir Dona Lívia — pediu o irmão. — Eu cuido disso com o Negrinho.

— Tem certeza, maninho?

— Tenho.

Assim que a menina saltou da carruagem, Tibor apontou a vela negra para a frente e os cavalos partiram, velozes.

Num piscar de olhos, a praça ficou para trás. A Carruagem da Morte era rápida como o vento e capaz de atravessar coisas, assim como a Bernúncia.

— Precisamos achar o Rurique! — anunciou Tibor para o Negrinho.

— É só desejar que eu encontro! — avisou o amigo, que parecia comandar os corcéis com a força do pensamento.

Rurique estava preso a uma corrente enrolada no pescoço. E esta, por sua vez, estava fixada a um tronco como aquele em que Tibor tinha sido amarrado.

O Lobisomem estava mais feroz do que nunca. Assim que os cavalos pararam, Tibor saltou da carruagem e viu, estilhaçado no chão, o frasco que a avó dera a Rurique. Tibor se aproximou e a fera correu na direção dele, com as presas à mostra. Esticou a corrente até o seu limite e, com o tranco, caiu para trás. Rurique agora era um Lobisomem de lua cheia. Um lobo no auge da sua força.

O menino notou que, em volta do tronco, a relva estava pisoteada, como se o lobo tivesse se movimentado incansavelmente por todo o espaço que a corrente lhe permitia alcançar.

Numa árvore ao lado, Tibor viu uma gaiola pendurada, com três pessoas dentro. A gaiola estava ali para atiçar o lobo, deduziu. A corrente em seu pescoço não o deixava alcançá-la, mas era uma forma de tortura, tanto para o lobo, ansioso para pegar suas presas, quanto para as presas, que não queriam virar comida de Lobisomem.

Tibor se aproximou da gaiola e lá viu Horácio, a esposa Janaína e o filho do casal, Fabinho. A Cuca os aprisionara ali por pura diversão. Ela devia saber do trauma de Horácio com Lobisomens. Ele dissera a Tibor, uma vez, que aquelas criaturas eram atraídas pelo cheiro de recém-nascidos, pois eram presas fáceis. Por causa disso, assim que Fabinho nascera, Horácio se mudou, com a esposa Janaína, da Vila Guará, onde o lobo costumava aparecer, para uma cabana na Vila do Meio. Mas, no ano anterior, a Pisadeira tinha envenenado os remédios que sua avó Gailde fazia para João Málabu e ele então passou a se transformar descontroladamente. Um dos lugares que resolveu atacar foi, justamente, a cabana da família de Horácio, na tentativa de pegar Fabinho e conseguir sua refeição.

Desta vez, a Cuca, muito sádica, os colocara dentro da gaiola, para atiçar a fera e incutir mais medo na família. Mas Tibor não se fez de rogado. Encontrou um pedaço de pau por ali e golpeou a portinhola até libertar o trio. A família de Horácio saiu a toda a pressa e correu para longe do Lobisomem e daquela estranha carruagem.

O desafio agora era prender a corrente do lobo à carruagem. Enquanto pensava num jeito de solucionar o problema, o menino viu pequenos orbes azuis voando na direção da carruagem e atravessando a porta, até entrar na cabine.

— O que está fazendo, Negrinho? — quis saber Tibor, ao perceber o amigo andando devagar e com uma das mãos estendidas para o lobo.

Mas o menino não lhe deu atenção e Tibor apenas ficou ali observando. O Negrinho foi chegando cada vez mais perto do Lobisomem. A fera, a princípio, rosnou para o menino, como se avisasse para não se aproximar.

O Negrinho estalou a língua várias vezes, como se tentasse acalmá-lo. Tibor o vira fazer aquele mesmo ruído com os cavalos, antes. De algum modo, o lobo de fato pareceu ficar mais sereno. O Negrinho sabia como domar um animal feroz.

Tibor ficou apreensivo quando viu o Negrinho entrar no perímetro da corrente. No entanto, o lobo não o atacou. Só observava o Negrinho com seus olhos escuros.

— Calma, garoto! Shhhh. Calminha! — dizia ele, baixinho, para o lobo.

Se Tibor não estivesse ali, de testemunha, não acreditaria se alguém lhe contasse. O Negrinho estendeu a mão e acariciou o lobo.

— Tibor, essa é a chance — disse o Negrinho, coçando atrás das orelhas do bicho.

Tibor percebeu o lobo entretido, aproveitou a oportunidade e soltou a corrente que prendia o Lobisomem, atando-a à carruagem.

Os dois voltaram a se sentar no coche.

— Uau! Você é bom mesmo com animais! — elogiou Tibor. — Qual é o seu segredo?

— Segredo nenhum. Todo mundo é um bicho bravo de vez em quando. A gente só precisa de um pouco de atenção — revelou o menino.

— O que eram aquelas bolas azuis? — quis saber Tibor.

— Só algumas almas que temos que recolher — respondeu o Negrinho. — Vamos para o primeiro cemitério? O dia vem vindo aí.

Tibor concordou e a carruagem partiu, puxando o lobo pela corrente. Foram ganhando velocidade e passaram a avançar tão rápido que o cenário se transformou num borrão. Mesmo assim, Tibor via uma infinidade de orbes azuis voando em direção à carruagem e sumindo ao entrar na cabine. O Lobisomem corria para acompanhá-los, mas, como estava preso ao carro pela corrente, agora era tão veloz quanto ele.

Desaceleraram e o lobo pateou o solo do primeiro dos cemitérios. O de Membira. Uma porção de orbes embarcou no coche e Tibor viu algo parecido com um zumbi, sentado numa das lápides. Parecia solitário. Era o Corpo Seco, o fantasma do pai de Pedro. Mas Tibor e o Negrinho não puderam ficar ali por muito tempo. O lobo já andava na direção da assombração, mas teve de desistir de abocanhá-lo quando a carruagem se pôs em movimento.

Como fantasmas, atravessaram o grande muro de Membira e Tibor pôde ver moradores e Sacis lutando contra alguns seguidores. O Saci de gorro amarelo estava entre eles. Espectros perambulavam perdidos em meio ao combate, mas, assim que identificavam a carruagem, transformavam-se em orbes azuis e entravam na cabine.

Tibor distinguia no borrão a paisagem em volta — florestas, lagos, fazendas, casas —, tudo só por milésimos de segundo, pois logo ficavam para trás. Até que a carruagem desacelerou uma segunda vez. Estavam agora num cemitério em Vila Serena. Tibor pôde ver, por cima do muro da necrópole, homens de terno e chapéu branco, que o menino identificou como botos levando para a água um Gorjala seguidor da Cuca. Assim que o monstro caolho entrou no rio até os joelhos, um brilho intenso, tal como um arco-íris, surgiu embaixo d'água e o Gorjala desapareceu. Eram luzes de sete cores. Tibor soube que aqueles eram os Galafuzes, os guardas de Naara.

E a carruagem partiu.

Foi assim por um bom tempo. Em cada lugar que passavam, mais e mais orbes entravam na carruagem. Depois de Membira e Vila Serena, passaram por Diniápolis, Braço Turvo e Pedra Polida. Em todos eles, o Lobisomem tentava, em vão, abocanhar os orbes. Quando passaram pelo cemitério de Guará, Tibor reconheceu, entre os espectros, a amiga da avó, Dona Arlinda, mãe de Horácio. Ela lhe sorriu, aliviada, antes de se tornar uma bola de luz e entrar no carro.

Faltava a Vila do Meio, onde Tibor morava. Lá não havia cemitério, mas João Málabu pedira para ser enterrado ali, exatamente por esse motivo.

Antes de seguirem para o sítio, Tibor pediu ao Negrinho para seguir com a carruagem para um outro local. O grande carro negro estacionou diante de um velho moinho abandonado, no meio do mato.

— Tork! — chamou ele, descendo da cabine e procurando não ficar dentro do raio de alcance do lobo. Rurique não o atacou. Parecia cansado demais com a corrida. — Eu vim cumprir minha promessa.

Um fantasma apareceu, há uns dez metros de onde Tibor estava. Depois outro e mais outro, até que as quarenta crianças levadas pela Cuca, muitos anos antes, estivessem na frente de Tibor. Os trasgos.

— Você veio? — perguntou um jovem com cabelos cor de palha.

— Sim. Eu disse que viria. Só demorei um pouco para descobrir como — falou Tibor.

O menino percebeu que Miguel não estava cem por cento lúcido, mas o trasgo pareceu ter se apegado àquela promessa. Talvez fosse a única coisa da qual ainda se lembrasse. Identificou, entre os trasgos, a irmã de Tork com um bebê no colo. A menina olhou-o de volta com esperança nos olhos. Depois, Tibor viu três crianças juntas, uma delas era bem parecida com Antenor. Imaginou que fossem seus filhos, Noel, Mia e Lineu.

— E então? Alguém aí quer uma carona? — perguntou o menino.

Os sempre assustadores trasgos deixaram de ser tão aterrorizantes e assumiram a expressão de crianças recebendo um presente de aniversário. Seus olhos brilhavam. Foi a primeira vez que Tibor os viu sorrir. Viraram orbes azuis e voaram depressa para dentro da carruagem. O lobo ainda tentou abocanhar um deles, mas errou a pontaria por estar cansado e preferir não sair do lugar.

Tibor voltou para o coche sentindo-se muito mais leve. Os trasgos, enfim, iriam descansar. Assim que a carruagem voltou ao seu trajeto original, Tibor pensou ter escutado um assobio, como um cachorro choramingando. Rurique devia estar esgotado.

A carruagem desacelerou novamente e Tibor pôde ver onde estava. Atrás de sua casa, perto da horta de Dona Gailde. O galinheiro e o curral tinham sido parcialmente destruídos. Algumas janelas da sala estavam quebradas e havia uma grande bagunça lá dentro. A porta da cozinha pareceu ter sido arrombada a pontapés. Tibor não teve muito tempo para apurar o que havia acontecido. No momento, estava preocupado em saber se o túmulo de Málabu valeria como cemitério, na simpatia do Curupira e do Saci. Pôde ver o amigo Málabu se levantar do chão, onde haviam colocado um montinho de pedras para demarcar sua cova. Era um homem grandalhão que, em vida, sempre lhes tirava de enrascadas. Tibor sentiu a saudade latejar no peito. O semblante de João, ao observar a carruagem e o lobo preso a ela, pareceu tranquila e passou a sensação de missão cumprida. Transformou-se em orbe e se tornou o mais novo passageiro da Carruagem da Morte.

Nesse momento, o Lobisomem uivou para a lua. Parecia uma despedida. Caiu no chão, contorcendo-se como se sentisse dor. Seus membros foram diminuindo de tamanho e seus pelos avermelhados começaram a cair. Tibor saltou da carruagem e foi acudir o amigo. Ainda viu o focinho se achatar num rosto magricela. Rurique estava de volta. Suas roupas estavam um trapo só. Tibor lhe deu um abraço demorado e Rurique lhe deu um beijo no rosto, agradecendo-o.

Haviam conseguido eliminar o legado do Lobisomem. Caso Rurique fosse o único lobo existente, não haveria mais Lobisomem em canto algum. Subiram no coche, cada um de um lado do Negrinho, e partiram.

Pouquíssimo tempo depois, estacionaram de volta na praça, no centro de Membira. Tibor viu Dona Lívia sentada numa calçada. Ao seu lado estavam o filho Pedro, Sátir e Antenor. Todos pareciam bem.

Tibor e Rurique desceram da carruagem. Mais alguns orbes passaram por eles e os irmãos Lobato tiveram certeza de que sentiram um aroma de mirra e laranja por ali.

— E agora? — perguntou Tibor ao Negrinho.

— Agora, me dê essa vela aqui! — E Tibor lhe passou a vela negra com chama branca. — Vou completar o serviço. Sair por aí, mostrando o caminho para aqueles que procuram um.

— Ei, eu sei o que aconteceu com você — comentou Tibor. — João Pestana me mostrou.

— Você está se referindo às chibatadas e o formigueiro? — arriscou o menino e Tibor assentiu. — Sabe, Tibor. Eu não era feliz lá. Não era livre. Pode parecer péssimo, tudo o que aconteceu comigo. Mas, depois daquilo, eu finalmente pude ser livre. — Ele olhou para os corcéis que sempre o acompanhavam. — Assim como esses cavalos — complementou. — Agora, vai me dando licença! Tenho uma amiga que há muito tempo não vejo. Ela era minha amiga naqueles tempos. Amiga de infância. E, depois do acontecido, nunca mais a vi. Soube que, depois que Ana Jansen desapareceu, os outros escravos, aqueles que não tinham sido escolhidos para proteger o ouro enterrado, foram libertados e minha amiga foi adotada por uma tal de família Bronze.

Tibor cerrou o cenho, tentando enxergar uma conexão entre a amiga do Negrinho e a família de Rosa Bronze.

— Quando João Pestana me mostrou os sonhos dessa época, vi uma garotinha ao seu lado. É dela que você está falando? — quis saber Tibor. — Não me lembro do nome dela.

— Mirta — respondeu o Negrinho, com um largo sorriso nos lábios. — Ela viveu uma vida longa. Longa até demais, e morreu velhinha. Desde então, tem esperado pela carruagem. Vou fazer uma surpresa pra ela — contou, animado.

— Então vá! — falou Tibor. — Adeus, amigo.

— Adeus, Tibor. — E, segurando na mão a vela da Morte, que regia a carruagem, finalizou: — Desejo sorte em seu caminho. No de todos vocês. Que nada, nesta vida, seja forte a ponto de prender vocês. Todos somos livres, por natureza, para nos tornar aquilo que quisermos. — E a carruagem se pôs em movimento, ganhou velocidade e sumiu da praça.

37

RECOMEÇO

Assim que todo o pesadelo causado pela Cuca terminou, Tibor e a irmã tiveram notícias da avó e souberam que ela estava bem. Tinha organizado um enorme posto de socorro na floresta. Com a ajuda dos Sacis, montou tendas por entre as árvores. Assim, socorria a todos que precisassem de assistência. Contou com a ajuda de vários voluntários, como Dona Eulália e Avelino. Mas seu braço direito foi o velho Benson. O homem dissera que queria deixar a esposa orgulhosa, onde quer que ela estivesse. Segundo ele, a esposa sempre falava que ele era uma negação em curativos, mas tosquiava uma cabra como ninguém. E Benson agora queria honrar a memória dela, fazendo curativos nos feridos de guerra.

Tibor e Sátir souberam, também, que a Naara e os botos tinham lançado encantamentos sobre todas as vilas e, com seus assobios originais, os filhos do Saci tinham cuidado para que só os partidários da Cuca fossem afetados. Assim que os encantamentos chegavam aos ouvidos deles, eram atraídos para os lagos e os Galafuzes se encarregavam de lhes dar suas sentenças. Foi assim durante toda a semana, até não sobrar mais nenhum.

Todos os moradores voltaram para seus lares e tiveram de juntar suas forças para recomeçar, já que a maioria das casas estava em ruínas. Mas, antes de qualquer coisa, todos tiraram uma soneca para recuperar o sono perdido, após tantos pesadelos, noite após noite. João Pestana deveria ter trabalhado muito, pensou Tibor, pois nos dias que se seguiram ouviu muitos relatos de sonhos bons. Era nítido que o reino dos sonhos deixara de ser uma terra árida.

Durante aquela semana, Tibor e Sátir ajudaram a avó a colocar o sítio em ordem. Ficaram muito felizes ao ver, numa tarde, Mimosa e todas as galinhas, galos e pintinhos saírem de dentro da mata, direto para o terreno do sítio. Enquanto se perguntavam como era possível que aqueles animais tivessem sobrevivido na floresta, viram uma grande porca, duas vezes maior que uma leitoa normal, com seus sete porquinhos, sumir por entre as árvores.

— A Porca dos sete leitões! — disse Dona Gailde, ao assistir a cena.

Era noite. O último dia da quaresma. Tibor e Sátir despediram-se no corredor do primeiro andar e cada um foi para o seu quarto. Estavam animados, pois, no dia seguinte, fariam um grande almoço para alguns convidados especiais.

Tibor se deitou, sonolento, e evitou pensar em tudo o que tinha acontecido naquela terrível quaresma. Estava ansioso para dormir, pois, quando acordasse, a quaresma teria acabado. Era como se soubesse que estava dando adeus à última quaresma conturbada da sua vida.

De repente, teve a impressão de sentir um cheiro em seu quarto. Parecia o aroma de dama-da-noite. Olhou para um baú no canto do cômodo e viu ali uma sombra.

— João Pestana?

— Vim me despedir, garoto — respondeu o Senhor dos Sonhos. — E o homem alto, de terno preto curto, aproximou-se de Tibor, ficando sob a luz da lua que entrava pela janela. — Como eu disse, o que fiz por você foi a pedido de um amigo. Agora que já cumpri o combinado com seu bisavô, acho que nunca mais nos falaremos. Mas vou fazer uma promessa. — E Tibor notou seu estranho rosto observando-o no quarto escuro. — Sempre selecionarei os sonhos para você com carinho. — E ele sorriu.

— Obrigado — disse o garoto. E algo lhe ocorreu. — Ei, posso perguntar uma coisa?

— Mas é claro.

— O que aconteceu com a Pisadeira? — Ele não a vira mais em canto algum. Só escutara sobre seus feitos.

— A Cuca conseguiu eternizá-la de algum jeito. Mas a minha presença costuma afastá-la. Foi por isso que você e todos que estavam por perto não foram afetados pelos pesadelos dela. Depois que a Cuca partiu, eu consegui afastá-la, mas ela não foi embora para sempre. Toda vez que alguém, neste mundo afora, tiver um sonho ruim, pode ter certeza de que aí tem um dedo da Pisadeira. De qualquer forma, estarei de olho. O que não falta é grão em minhas mãos, para deixá-la de fora da mente de todos.

E Tibor ficou aliviado em ouvir o que João dissera.

— Aproveitando que hoje estou de muito bom humor — disse Pestana, colocando as mãos na cintura e parecendo uma enorme tesoura no meio do quarto —, vou lhe contar uma coisa. Uma vez eu lhe disse que cada sonho costuma ter um cheiro. Às vezes são cheiros desconhecidos para o olfato humano. Mas alguns são mais comuns. Acabei de deixar grãos na casa do Horácio. Ele teve um sonho muito bonito com a mãe, Arlinda. E ela amava as damas-da-noite.

E Tibor respirou fundo. O cheiro das flores era bem conhecido do seu olfato.

— É, eu me lembro disso — disse o menino.

— Deve se recordar, também, que os seus sonhos costumam ter um cheiro muito peculiar, menino Lobato — disse Pestana. — E finalmente consegui identificar que cheiro é esse.

— E que cheiro é? — perguntou Tibor, na maior expectativa.

O homem branquelo chegou mais perto.

— Esperança! — revelou.

O menino ficou pensativo. Mas então a sombra se moveu, como se buscasse algo em seus bolsos.

— Lembrei que tenho mais alguns grãos para deixar sob as pálpebras de vocês — avisou ele.

— Vocês? — estranhou, Tibor.

— Sim. Estes são diferentes. Acabaram de chegar — disse o Senhor dos Sonhos. — E a recomendação é para que eu os coloque sob as pálpebras da sua irmã e da sua avó também. Vocês três sonharão juntos.

O menino imaginou para onde João Pestana iria carregá-los.

— Não se preocupe! Confie em mim quando digo que este será um ótimo sonho.

— Eu confio — garantiu o menino.

Tibor abriu os olhos e se viu no meio de uma mata fechada. Era noite e os grilos e sapos competiam para ver quem fazia mais barulho, numa grande cantoria.

— Senta, Tibor! — pediu um índio sentado de pernas cruzadas, ao lado de uma fogueira.

Era seu bisavô.

Ao lado dele, estavam Dona Gailde e Sátir. O menino se sentou num tronco e sentiu o calor de um fogo verde lhe dando as boas-vindas.

— Quero agradecê ocês por tudo o que fizero — falou o índio, pousando o olhar sereno e, ao mesmo tempo, selvagem, em cada um deles. — Esta é a última vez que nos veremo. Agora que cumpri todos os meus compromisso, também vou descansá. Fico muito honrado em sabê da grande família que tenho. — E os três ficaram muito orgulhosos diante das palavras do Curupira. — Aproveitem este momento pra perguntá o que ocês quisé.

Enquanto a fogueira estalava e soltava fagulhas esverdeadas, Dona Gailde pareceu ter algo na ponta da língua para perguntar. Os netos esperaram que ela começasse a falar, mas ela ficou calada. Então, Tibor imaginou que ainda estivesse formulando a questão, e acabou perguntando primeiro.

— A Cuca pode voltar? — quis saber ele.

— Sim, ela vai voltá. — E todos arregalaram os olhos, assustados. — Mas não será mais como a Cuca que ocêis conhecêro. A natureza é gentil. Ela vai drená toda a maldade dela e transformá em algo mió.

Ficaram aliviados em saber.

— E o pai de Pedro? — perguntou Sátir. A menina estava preocupada com o namorado, que andava tristonho por saber que o pai era o zumbi que rondava o cemitério próximo à sua casa.

— É — interviu Tibor. — Quando passei com a carruagem pelo cemitério de Membira, vi o Corpo Seco por lá e ele não pôde fazer como os outros. Se transformar em orbe e entrar na carruagem.

O Curupira se ajeitou onde estava e respondeu.

— Pedro Malasartes é um morto-vivo. Por causa da sua parte viva, não pôde entrá na Carruage da Morte. Quanto a ele, João Pestana levô alguns grão para Lívia e Pedro Malasartes Júnior poderem se despedi esta noite. Vou libertá o Corpo Seco de sua maldição e levá ele comigo. Ele também merece descansá.

Um silêncio pontuado de estalos da fogueira encheu o ar.

— Ocêis não quer sabê o que aconteceu entre o Boitatá e os pai docês anos atrás? — questionou o índio.

Tibor olhou para a avó e a irmã.

— Não — respondeu Tibor, categórico. — Sabemos que não foi culpa dele. A Cuca o controlou quando mudou a energia da pedra.

E o Curupira sorriu com o canto da boca. O fogo verde bruxuleou.

— Mas eu quero! — confessou Sátir. Tibor e a avó olharam para a menina, surpresos. — Preciso! — completou, baixando a cabeça.

— Não tem problema, menina. É natural querê sabê. — E o Curupira olhou para a fogueira esverdeada.

Dentro das chamas, uma imagem apareceu. Uma mulher de túnica negra andando entre as barracas de um acampamento cigano. Numa delas, estava Hana Lobato pedindo a Sátir, na época com 13 anos, para tomar conta do irmão menor. A menina pegou a versão em miniatura de Tibor pelo braço e correu para longe dali. Hana, por sua vez, correu na direção de um homem que enfrentava a velha de túnica.

A velha era a Cuca, todos sabiam. E o homem era Leonel. Carregava o Muiraquitã pendurado sobre o peito. Nas chamas da fogueira, Tibor, a irmã e a avó assistiram Leonel conjurar uma enorme forma de Boitatá para combater a bruxa. No momento seguinte, uma gigantesca cobra preta surgiu, conjurada pela bruxa. A Bernúncia.

Em vez de se atracarem, como tinham feito na praça de Membira, a cobra-fantasma desviou-se do espírito de fogo e avançou na direção de Leonel. Num rápido mergulho, ela entrou no Muiraquitã e desapareceu. Estava dentro da pedra, que mudara da cor verde para a preta.

Assistindo à lembrança do próprio Boitatá, Tibor e os outros levaram as mãos à boca, ao reviver a noite fatídica da morte dos pais.

Puderam perceber o empenho da cobra de fogo para evitar o que estava acontecendo. Mas a Cuca, soltando uma risada insana, fez o Boitatá se voltar para Leonel e Hana. Com a ajuda da Bernúncia, que agora habitava o Muiraquitã, a bruxa conseguiu controlar o espírito que trazia equilíbrio para as matas. Um fogaréu esverdeado explodiu e ateou fogo a diversas barracas. Daquele instante em diante, ninguém mais viu Leonel e Hana com vida.

A imagem se desvaneceu e a fogueira espalhou mais fagulhas no ar. Não viram mais imagens nas labaredas.

— Agora vocês sabem — frisou ele. — Assim, meu amigo Boitatá também pode descansá em paz.

Os três ficaram abalados com a cena que tinham assistido. O Curupira reparou no estado de espírito que imperava e deu um curto assobio. Uma leve brisa soprou, balançando as árvores ao redor. E foi como se carregasse com ela os sentimentos de tristeza causados pela visão da morte de pessoas tão queridas. No instante seguinte, já se sentiam leves e serenos.

Com exceção de Dona Gailde, que parecia um pouco inquieta.

— Filha? — chamou o Curupira, fixando os olhos lúcidos em Gailde. — Tem algo pra me perguntá?

E a avó dos meninos assentiu. Ainda assim, pareceu insegura.

— Pois diga.

— Como foi que nasci, pai? — quis saber ela, com melancolia. — Já vivi bem mais do que qualquer pessoa normal. Já tive outra família e tive que vê-los envelhecer e morrer. Sobrevivi a todos. — Tibor e Sátir se entreolharam. Já tinham suspeitado, inúmeras vezes, da idade da avó. Descobriram que Dona Gailde tinha sido parteira de Dona Arlinda, por isso já devia ter nascido havia muito tempo, assim como as irmãs. Mas os meninos nunca conseguiram encontrar um jeito de tocar no assunto. E também jamais imaginaram que a avó tivesse formado outra família. — O avô de vocês foi meu segundo marido — explicou ela, voltando-se para os netos. — Foi quando nos casamos que compramos o sítio. Mas ele já se foi há muito tempo. Eu não sei por que tenho uma vida tão longa, mas imagino que tenha alguma relação com o momento do meu nascimento.

— Quando sua mãe, Ana Jansen, fez o ritual pela terceira vez, conseguiu o que queria. Não podia mais morrê. Em compensação, ficô responsável pela Carruage da Morte. E essa era uma forma de escravidão — explicou o índio. — Eu já tinha sentido a presença da Morte materializada naquela região duas vezes, então segui Ana pela mata, pra entendê o tipo de aberração que estava acontecendo naquela clareira. Assisti todo o ritual. Vi ela entrá na casa das vela.

E Tibor lembrou-se da clareira em que vira Ana Jansen conversar com a Morte. O Curupira se referia à última vez que Ana fizera o ritual. Na qual usara o inocente, Negrinho, incriminado injustamente pela Cuca.

— Quandu entendi o que acontecia ali e o tipo de ritual que ela estava praticando, achei que aquilo estava indo longe demais. A Morte queria obrigá Ana deixá mais alguém passá, do Além para o mundo onde ocês vive — contou ele. — No momento em que a alma passô pra dentro da barriga da Ana, tentei interferi. Entrei na frente e a coisa passou por dentro de eu. Ao fazê isso, assim como a Cuca alterô a natureza do Muiraquitã, eu alterei a natureza daquela alma. Ela levou muito de eu para dentro de Ana e essa era você, minha filha! — disse ele, para Gailde. Havia carinho em seus olhos. — Tem mais. Quando a coisa passou por dentro de eu, houve um estouro de energia e tudo o que ela tocô, passô a tê um tanto mais de vida que o normal. E, ali, naquele dia, além de eu, Ana e a Morte, tinha uma menininha, amiga do Negrinho, que tinha seguido Ana Jansen pra descobri o paradeiro do seu amigo.

— O Negrinho comentou sobre ela. — falou Tibor. — O nome dela é Mirta.

E o Curupira confirmou com a cabeça.

— Minha filha. Não se preocupe. Não irá vê seus neto invelhecê e morrê. Nem os filho de seus neto. A sua vela ainda tá grande e vai queimá muito, mas ocê não vai precisá se despedi de mais uma família. Você vai descansá, assim como essa amiga do Negrinhu descansô. Todos meréce.

Pensando no que o Curupira tinha revelado, admiraram as chamas verdes consumindo as achas de madeira.

— E a Morte? O que aconteceu a ela? — perguntou Tibor.

— Eu acordei ela. Tivemo uma conversa longa e ela não vai deixá mais o seu posto. Todos são importante pra fazê a coisa toda continuá a girá. E ela tem um papel de extrema importância. A vida e a Morte são dois lado de uma mesma folha — explicou o Curupira. — Fiz ela vê e entendê o valor que tem e, assim que o Negrinho devolvê a carruage, ela vai assumir as rédeas e tudo vai segui o seu curso natural.

— E os portões do Além? — quis saber Sátir.

— Foram fechado — assegurou o índio. — Eu mesmo fiz o serviço. Sou um ser fantástico. Pra ter acesso ao mundo do Além precisei morrê. Agora que tô aqui, posso usá os poder que tenho.

— Aqui? Aqui onde? — perguntou a menina. — Aqui faz parte do Além?

O Curupira apenas assentiu. Tibor e os outros olharam em torno e perceberam que o Além era bem diferente do que imaginavam e bem parecido com o tipo de cenário a que estavam acostumados.

— O Além se manifesta de acordo com a essência de cada um — revelou o índio. E viram que só estavam em meio à mata por causa da essência do Curupira.

— Tem mais uma coisa que me deixa confuso — começou Tibor.

— Pode perguntá.

O menino olhou o bisavô nos olhos e sentiu um calor bom percorrer seu corpo todo.

— Por que a Morte deixou essas almas passarem? A Cuca, a Pisadeira e... — Ele olhou para sua avó e ela fez questão de abrir um sorriso que o deixou tranquilo. — O que a Morte pretendia ganhar com isso?

— Você faria qualqué coisa por seus amigo? — perguntou o Curupira.

— Com certeza! — disseram Tibor e Sátir, juntos. A menina ficou constrangida por ter pensado alto e respondido a uma pergunta dirigida apenas ao irmão. O Curupira e Gailde sorriram.

— Pois, então. Foi o que ela fez! — contou o índio.

— A Morte é amiga da nossa avó Gailde e das bruxas? — Sátir pensou alto, de novo.

— Digo amizade não no intendimento humano do termo. — Todos olharam para o Curupira, confusos, e ele fez questão de explicar. — O Além é onde a natureza transforma tudo. Algumas almas que vão parar lá precisam de um processo maior de transformação. Pra isso, pricisam cumpri algumas tarefa. A Morte, antes de assumi o seu manto de Morte, antes de controlá a carruage, era uma alma dessas. O seu legado foi esse. Assim que chegá a hora, a natureza vai transformá ela em ôtra coisa. Mas não por enquanto.

— E onde a Cuca e as irmãs entram nessa história? — quis saber Tibor.

O Curupira se ajeitou onde estava e continuou.

— Elas são alma que precisa de um tempo maior pra se transformá, tanto quanto a Morte. Algumas não aguenta esperá o processo terminá. Querem saí de lá de todo jeito. A Morte não é ruim. Ela só faz o trabalho dela. Dessa vez, ela resolveu fazê um pouco mais que isso.

— Ela deixou as bruxas passarem... por amizade? — vociferou Sátir.

— Sim. Acho que você pode encará desse jeito — respondeu Curupira. — Mas quando as almas vêm pra cá, não podem se lembrá do otro lado — e o índio olhou diretamente para sua filha Gailde. — Pelo menos, não devia se lembrá. A Cuca foi um acaso.

— Mas elas são bruxas, como podem ser amigas? — emendou a menina.

O Curupira soltou um suspiro, como se percebesse que seus netos não se deixavam convencer facilmente. Mas pareceu feliz com isso.

— Nem toda bruxa é ruim — dessa vez quem falou foi Gailde. — Não sei se você sabe, minha neta, mas, com todas as qualidades que tenho, posso ser considerada uma bruxa. — Sátir e Tibor encararam a avó de uma nova perspectiva. — Não é o rótulo que faz a pessoa. Mas sim o que ela é por dentro e como age neste mundo ou em qualquer mundo.

E os netos ficaram pensativos. A avó sempre os surpreendia com sua sabedoria. Os meninos costumavam guardar esses ensinamentos para usar na vida. Enquanto matutavam, os estalos da fogueira pareceram ainda mais altos.

O Curupira olhou para o céu, como se algo lhe chamasse a atenção.

— Acho que estendêmo essa conversa por tempo demais — comentou, olhando para cada um deles. — Já tá quase na hora de vocês acordá. Me parece que vão receber visita, né? — Todos assentiram, animados. — Não deixem de fazê o ritual do Dia de Aleluia — frisou ele. — A Mãe D'Ouro abençôa todos que fazem o ritual juntos. Será uma ótima manêra de renová os laço entre vocês. — Tibor reparou que os olhos do bisavô estavam marejados. Era um ser fantástico poderoso, mas nesse momento pareceu tão frágil quanto qualquer um. — Tá na hora de recomeçá e seguí em frente! — disse ele — Desejo uma ótima vida pra vocês. Agora é hora de acordá!

Ele bateu as palmas das mãos, num tapa no ar. As chamas da fogueira dobraram de tamanho e soltaram mais fagulhas verdes, que subiram na direção do céu, se confundindo com as estrelas.

Pela manhã, assim que Tibor deu bom-dia à irmã e à avó, ninguém precisou falar nada. Souberam que os sonhos tinham sido reais. A felicidade não lhes cabia no peito.

Aos poucos, os convidados para o almoço foram chegando. O primeiro foi Rurique, que veio acompanhado dos pais.

— Por favor, digam que não tem carne neste almoço de vocês — implorou ele. — Acho que, depois de tanto tempo sendo Lobisomem e comendo carne crua, virei vegetariano, viu?

— Olha, Gailde! — comentou Eulália, assim que entrou na casa. — Achei que o Avelino ia ficar até chateado com o menino por ter parado de comer carne. Ele costumava pegar uma porção de peixe em Braço Turvo. Peixe era sempre nosso prato principal no final de semana.

— De dia de semana também — comentou seu Avelino.

— Agora, Avelino é obrigado a pescar menos, já que só eu e ele é que comemos peixe — dizia Eulália, falando pelos cotovelos. — Se bem que estamos até nos acostumando a essa vida sem carne.

Tibor ficou feliz em saber que Dona Eulália voltaria a dar aulas. Mas Seu Avelino tinha dito que teriam de achar uma nova sala, pois o local onde ela costumava lecionar tinha ficado em ruínas depois da guerra. O menino reparou que não se viam mais as antigas olheiras sob os olhos dos Freitas.

Um pouco depois apareceu, à porta do sítio, o Senhor Benson, que presenteou Gailde com uma saca de café moído, do seu cafezal.

Apareceu por ali também a família de Horácio. Janaína trazendo Fabinho nos braços. Os três pareciam se deliciar com os quitutes que a avó preparara. Janaína teve até de dar uma bronca em Fabinho, pois, num descuido, o menino enfiara a mão num dos bolos de chocolate.

Tibor reparou na mudança que ocorrera na família de Horácio. No ano anterior, tinham ojeriza de Málabu, por ser ele o Lobisomem que os perseguira e os atacara. Mas a atitude com Rurique foi bem diferente. Era como se soubessem que o terror do lobo não os rondava mais. Prova disso, era vê-los rindo ao flagrar Rurique pegando um pedaço do bolo e dando a Fabinho às escondidas.

E, por último, chegou Pedro, com um sorriso que ia de orelha a orelha. Tibor, a irmã e a avó sabiam o motivo daquele sorriso. O Curupira havia pedido a João Pestana para fazer o menino ter um sonho em que pudesse encontrar o pai e se despedir dele. O Corpo Seco não assombraria mais aquelas regiões. Quando o menino chegou para o almoço, Tibor ainda teve de presenciar um desconcertante beijo entre o amigo e a irmã. Mas percebeu que aqueles beijos estalados já não o incomodavam tanto assim.

Com Pedro Malasartes, viera sua mãe, Dona Lívia, acompanhada do seu novo namorado, Antenor.

Tibor estava feliz por Antenor ter sobrevivido à batalha contra a bruxa. O homem tinha sido um símbolo da resistência, e sobreviver era uma prova de que valia a pena lutar até o fim, sem nunca desistir. Pois sempre há esperança. É claro que, dentre todos ali, ele fora o mais afetado. Como se postara diante do Bradador para tapar os ouvidos de Pedro, sem proteger os seus, acabou ficando surdo. Mas Dona Lívia já aprendera uma maneira de dialogar com ele e os dois pareciam se completar. Ela tinha um novo amor e ele, uma nova família.

Gailde, mesmo com a cozinha meio desfalcada por causa dos invasores durante a guerra, caprichou como pôde para fazer um almoço saboroso. Havia todo tipo de iguaria sobre a mesa, que Sátir e Tibor ajudaram a colocar no quintal.

Antes que pudessem se sentar para comer, os irmãos Lobato fizeram questão de atender ao pedido do bisavô. Era Sábado de Aleluia, portanto, encheram uma bacia prateada com água e colocaram sobre a grama no jardim. Todos rodearam a bacia e esperaram para ver o segundo sol refletido ali. Um sol misterioso que só aparecia uma vez por ano, naquele mesmo dia e horário.

Tibor, Sátir e Rurique estavam abraçados. Eram um trio para a vida toda. Sabiam que seriam amigos até o fim. Nunca deixariam de ser o braço forte um do outro e, não importava o que a vida lhes reservasse, fosse quaresma ou não, estariam juntos para enfrentar qualquer situação. Já tinham lutado por um futuro melhor e, agora, tinham o direito de aproveitá-lo da melhor maneira possível.

O segundo sol apareceu na bacia, rodeou o reflexo do sol de verdade e se foi. Era essa a bênção da Mãe D'Ouro. O aparecimento do sol na bacia era um rito que, segundo o Curupira, reforçava os laços de quem estivesse presente e lhes trazia muita sorte.

Tibor estava descalço, como gostava. Sentia a grama por entre os dedos dos pés e o sol sobre a cabeça. Satisfeito, olhou para o sorriso largo de todos ao redor. E partiu, cheio de fome, para uma nova aventura: atacar as delícias preparadas pela avó. Estava despreocupado, pois sua intuição lhe davà a certeza de que, dali em adiante, tudo ficaria em paz.

Bônus exclusivo

CONTOS DE DONA MIRTA

A ORIGEM DA QUARESMA

A pequena Rosa Bronze observava, curiosa, os aparatos que rodeavam sua avó Mirta. No quarto, ao lado da cama em que a avó ficara nos últimos dias, havia um cilindro grande de oxigênio, com alguns pequenos relógios. Estes, a menina logo percebera, não marcavam as horas. Segundo a mãe, eram válvulas e reguladores, cujos ponteiros estavam constantemente em movimento. Mas a garotinha, de apenas 9 anos, não fazia ideia de para que serviam.

— Nossa, vó! — admirou-se Rosa. — Parece que você vai para uma missão espacial. É uma astronauta!

Mirta soltou uma risada ao ouvir a neta. Tinha de concordar com a menina. Até suas risadas saíam abafadas, por causa da máscara transparente que lhe cobria a boca e o nariz.

A pequena Rosa correu até a janela do quarto e abriu uma das cortinas. A luz azulada da noite infiltrou-se no quarto escuro, iluminado apenas pelo abajur próximo à cabeça esbranquiçada da velha Mirta.

— Vó, você acredita em disco voador? — quis saber a menina, contemplando as estrelas.

— Disco voador? — repetiu Mirta, retirando a máscara de oxigênio.

— É. Vi um filme com meu pai um dia desses. Tudo lá era muito moderno, muito tecnológico, ele disse.

— Entendi. E você quer saber se eu, que sou uma velhinha nada moderna, acredito em discos voadores e extraterrestres.

A menina fez uma careta. A avó tinha razão, alguém com a idade dela não devia entender muito desses assuntos. Mas não queria que ela se sentisse velha e antiquada só porque não sabia responder à sua pergunta. Ela podia não saber sobre discos voadores e extraterrestres, mas sabia muito sobre várias coisas.

— Não se preocupe! — ela a tranquilizou, com um sorriso no rosto e estendendo a mão calosa para a neta. — Sou mais velha do que você pode imaginar... Então, na verdade, por mais idade que você ache que eu tenha, ainda assim vai parecer um elogio. — A menina fez cara de interrogação. — E sobre os discos voadores, acho que o senhor Bronze se enganou quando disse que eram coisas modernas...

— Então você acredita neles? — perguntou a menina, animada, prevendo uma nova história a caminho.

— Mas é claro que acredito, minha neta! — Mirta teve de parar para tossir. Sentia-se frágil e fraca, mas nada podia impedi-la de contar suas histórias. Amava passá-las adiante. Achava que era assim que as pessoas permaneciam vivas para sempre. Com histórias que partiam de bocas para orelhas, e nunca deixavam de seguir adiante. — No ano em que você nasceu, me lembro que passou na TV uma notícia que fez todo mundo ficar de orelha em pé — começou ela.

— Eita! Bem no ano em que nasci? Que notícia, vó? — perguntou a menina, cheia de curiosidade.

— Não me lembro muito bem de todos os detalhes, mas era algum objeto desconhecido que tinha sido visto sobrevoando uma cidade.

— Era um disco voador? Um ÓVNI? — Rosa parecia ter colocado o dedo numa tomada. Estava agitada com a perspectiva de que os óvnis existissem mesmo.

Mirta pensou antes de responder.

— Bom, quem sabia o que era aquela coisa parecia fingir que não era nada de mais. E quem não sabia de absolutamente nada, parecia saber muita coisa. Portanto, na época, foi um fuzuê de informações desencontradas, brotando de tudo quanto é canto. — Rosa Bronze já estava acocorada perto do abajur, completamente imersa no que a avó contava. — Ouvia-se de tudo. Alguns diziam ter visto a coisa descer e pousar. Outros diziam ter visto seres esquisitos e cabeçudos, com olhos vermelhos, pelos arredores da cidade. Mas a TV sempre insistia em dizer que era tudo boato. — A menina apertou os olhinhos, como que buscando solucionar o mistério em sua cabeça loura. — No entanto, soube que até o Exército foi investigar. Devia ser, mesmo, coisa séria! — concluiu Mirta.

— E o que foi que aconteceu, vó?

— Nada — disse ela. — Depois de alguns dias, ninguém mais falou no assunto e isso foi sendo esquecido com o passar dos anos. Hoje, parece só um causo antigo.

— Mas você acredita, não acredita? Você disse que acreditava.

— Acredito, sim, minha neta — garantiu Mirta. — Há muitos e muitos anos, quando eu ainda era uma garotinha, lá onde eu morava contavam histórias de uma coisa parecida que tinha acontecido ali. Algo tinha descido do céu, mas não pousado, como o que mostraram na TV. Nesse caso, a coisa caiu no chão, e com tanta força que abriu um buraco e jogou um mundaréu de terra pra cima.

— Minha nossa! — exclamou a menina.

— Pelo que diziam nas senzalas e até no casarão onde moravam os patrões dos meus pais, era alguma coisa diferente de tudo o que existia na época. O pessoal que morava perto tentou abrir a coisa pra ver o que tinha dentro, mas ninguém conseguiu. Tentaram por muitos meses e nada. Deixaram a coisa lá. Com o tempo, ela já não era mais novidade e ninguém prestou mais atenção. — Mirta contava como se rememorasse tempos longínquos, gravados num canto da memória onde guardava coisas bem antigas. — Um certo dia, a coisa começou a fazer um barulho estranho e irritante. E também passou a vibrar. Ninguém sabia como fazer aquilo parar. Era como se tivesse alguém preso lá dentro.

— Eram os extraterrestres pedindo socorro! — arriscou Rosa, com os olhinhos arregalados.

— Eu não sei o que era. E ninguém daquele tempo também chegou a descobrir. Resolveram enterrar a coisa, para que o barulho parasse de incomodar, e assim resolveram o problema.

— Que pena... — suspirou Rosa. — Enterraram o disco voador.

— Mas, nos quarenta dias seguintes, perceberam que coisas estranhas começaram a acontecer. Não se pode dizer que uma coisa tenha relação com a outra, mas as aparições que vez ou outra aconteciam na região, passaram a ser mais frequentes. Não só lá, mas em todo lugar. No entanto, ninguém podia negar que ali elas eram ainda mais constantes. — Mirta percebeu a neta inquieta, como se estivesse apreensiva com todos os relatos de aparições e coisas do tipo. — Após quarenta dias, tiveram paz. Ninguém sabia muito bem o que pensar daquilo, então, decidiram não comentar mais nada sobre o assunto. Só que não conseguiram manter a coisa em segredo por muito tempo. Exatamente um ano depois, começaram mais quarenta dias como aqueles. E no ano seguinte também e no outro e no outro...

— Até hoje é assim, vó?

— Uma cidade foi construída naquela região e todos os moradores tiveram que se adaptar àquele período esquisito. Veio o tempo da luz elétrica e, pouco a pouco, as pessoas foram aposentando as velas e as lamparinas. Mas, ainda sim, era só chegar a época dos quarenta dias que tudo que precisava de energia pifava, o que fez com que os aparatos antigos voltassem a ficar em voga.

— Os pulsos eletromagnéticos — comentou a menina.

— Pulsos o quê?

— Pulsos eletromagnéticos — tornou a dizer a menina. — Devia ser por isso que as coisas elétricas pifavam. Por causa dos pulsos eletromagnéticos que a nave dos ETs emitia pra pedir ajuda — concluiu Rosa. — Pelo menos era assim que acontecia no filme que assisti com meu pai.

— Bom, aí o assunto já ficou muito moderno pra mim — replicou Mirta. — De qualquer maneira, esses quarenta dias foram chamados de quaresma, no mundo todo. Existem várias histórias sobre as origens dela, mas quase ninguém sabe que ela se deve a essa coisa que caiu do céu, há muitos e muitos anos, e que foi enterrada em algum lugar onde uma cidade foi construída. — Mirta olhou a neta nos olhos e prosseguiu. — Essa cidade foi, mais recentemente, dividida em sete vilas. Seus pais, inclusive, têm casa numa delas.

A menina fitou a avó, boquiaberta.

— A Vila do Meio? — perguntou a menina, surpresa.

A avó apenas assentiu, enquanto tossia mais algumas vezes.

2

O PAVÃO MISTERIOSO

A avó e a neta ficaram quietas por um tempo. O som do oxigênio percorrendo o tubo de plástico até a máscara era a única coisa que se ouvia no quarto. A menina observava a avó, mas seus olhos estavam desfocados, mostrando que sua mente estava longe dali. Infinitas teorias passeavam pela sua cabeça naquele momento. Assim que Mirta começou a respirar melhor, voltou-se para a neta, tirando-a dos seus devaneios.

— Sei que está aí pensativa com o que acabei de contar sobre os tais extraterrestres, mas será que ainda cabe mais uma história aí, nessa sua cabecinha cheia de pensamentos?

Por um instante, a menina ficou tristonha ao perceber que o braço outrora forte da avó tremelicara ao devolver a máscara transparente ao criado-mudo. Mas logo a menina se aprumou, pronta para ouvir mais uma história.

— É preciso filtrar bem tudo que se escuta por aí, Rosinha. Nem tudo o que voa e é desconhecido é extraterrestre. Já ouviu falar do pavão misterioso?

— Eu, não — respondeu ela.

— Pois é — começou Dona Mirta, ajeitando-se na cama. — Essa é uma história que ouvi quando já era mocinha. Na época já era livre e morava com os Bronze.

— Já era livre? Como assim, vó? — questionou a menina.

— Ah, Rosinha, essa é uma história que prefiro deixar para outro dia. Tudo o que posso dizer é que sou de um tempo em que algumas pessoas eram obrigadas a trabalhar para outras. Sem direito a nada, além de chicotadas.

— Você foi escrava, né, vó? — soltou Rosa Bronze.

— Minha neta, você sabe mais do que eu imaginava! — e Mirta riu-se, surpresa. — Pode-se dizer que sim, Rosa. E, como escrava, sei bem o que é querer a liberdade. A história que vou contar não é sobre escravos, mas sobre o desejo de ser livre.

Rosa ajeitou os cabelos atrás das orelhas. Parecia não querer que nada se entrepusesse entre as palavras da avó Mirta e seus ouvidos.

— Muito longe daqui, além do mar. Em outras terras, onde se come comidas diferentes e se fala de um jeito diferente, existiu um pintor muito talentoso. Ele usava uma técnica, em suas pinturas, que deixava todo mundo boquiaberto. Misturava tinta com água e criava os mais belos quadros.

— Eu sei como chama essa técnica, vó.

— Ah, é? E como se chama?

— Água com tinta? É aquarela! — disse a menina, com uma expressão espertalhona. — A gente aprende isso na escola.

— Pois bem — continuou Mirta, admirada com a esperteza da neta. — Naquele tempo, essa tal de aquarela era novidade por aquelas bandas. E o tal pintor, o nome dele era Faunim, encantava qualquer um que visse suas obras. Diziam que seus pincéis eram mágicos!

— Os pincéis dele eram mágicos?

— Sim, minha neta. Mas, assim como neste mundo existem coisas belas, também existem coisas feias, como a cobiça e a inveja — disse Dona Mirta, arqueando as sobrancelhas brancas, que se destacavam em sua pele escura. — Naquele tempo havia também um rei. Um rei que queria que todos o venerassem e que nada tirasse o seu brilho e sua importância.

— Hum, que rei mais convencido... — comentou Rosa. — Não gostei dele.

— Esse rei, assim que soube das pinturas de Faunim, também não gostou nada do aquarelista.

— O que foi que esse tal rei fez com o pintor? — A menina colocou as mãos na cintura, já indignada.

— Mandou dar fim a todas as obras dele, dizendo que nada deveria ser mais belo ou chamar mais atenção que o próprio rei.

— Credo! Que rei invejoso!

— Mandou também dar um sumiço nos pincéis de Faunim. — Mirta fez uma breve pausa, ao ver a neta levar as mãos à boca. — Por fim, o rei mandou prender o pintor.

— Mas ele não tinha feito nada errado, vó!

— Eu sei, minha querida. As pessoas daquele povoado também sabiam disso. Mas ninguém teve coragem de peitar o rei.

— E ele ficou preso lá pra sempre?

— Aí é que a coisa fica interessante, Rosa. Lembra que eu perguntei se já tinha ouvido falar do pavão misterioso?

A menina apenas assentiu.

— Faunim fez uma proposta ao rei. Disse que, se lhe arranjassem uma tela, um pincel e algumas tintas, com um pouco de água, ele pintaria um retrato do monarca. O retrato mais belo que alguém já pintara. E, em troca, o rei lhe daria a liberdade.

— E o que foi que o rei fez, vó?

— Primeiro ele se irritou com a proposta. Achou muita ousadia um pintorzinho qualquer querer propor uma troca ao rei. Por princípio, não aceitaria de maneira alguma. Ele era o rei, ora bolas! — contou Dona Mirta, imitando a expressão ultrajada do rei. — Era poderoso, e aquela proposta era uma afronta! — Mas, por outro lado, o rei já vira os belos quadros de Faunim. E desejava muito ter um retrato dele mesmo para exibir a todos do povoado.

— Então ele queria a pintura, mas não queria soltar o pintor? — quis saber a menina Bronze.

— Pois é, minha neta. Como eu disse, apesar das coisas belas, esse mundo também tem coisas feias. O rei tinha inveja do talento de Faunim.

Mas o pintor não era bobo. Apesar de ouvir, da boca do rei, que aceitaria a proposta, Faunim sabia das verdadeiras intenções do soberano.

— E o que foi que ele fez, vó?

— O rei pediu aos guardas que colocassem a tela dentro da cela de Faunim, para que ele não pensasse em fugir. Pintaria o quadro do rei dentro da prisão. O rei também mandou que os guardas dessem ao homem um pincel novo, nunca usado, para não correr o risco de que ele usasse um dos seus pincéis mágicos e desse um jeito de fazer algum tipo de magia para fugir da prisão — relatou Dona Mirta. — Mas o rei não previu até onde ia a esperteza do pintor.

— Acho que eu... também não! — confessou a menina. E avó reprimiu uma gargalhada, entrecortada por uma tosse rouca.

— Faunim tinha pensado em tudo — revelou. — As barras da sua cela ficavam muito próximas para uma pessoa passar, mas não para um pássaro.

— Ainda não entendi!

— O rei desceu com seus guardas até a prisão. Sentou-se numa réplica do seu trono, colocado na cela para que Faunim pudesse pintar e retratar a cena na tela. Seguiram assim por algumas horas. Faunim dava pinceladas sem parar e o rei ficava cada vez mais ansioso para ver o seu retrato. Mas o que aconteceu no fim foi diferente do que o rei esperava.

— Diferente como?

— Faunim estava pintando, quando de repente, num piscar de olhos, desapareceu diante dos olhos do rei e dos guardas. No lugar dele, viram um enorme pássaro, com penas de cores vibrantes, azuis e verdes. Com um imenso rabo colorido cheio de desenhos que lembravam pedras preciosas.

— Ele se transformou... num pavão? — perguntou Rosa, confusa.

— Sim, Rosa. Antes mesmo que os guardas pudessem fazer alguma coisa, o pavão misterioso saltou para a janela da prisão. Todos viram apenas o enorme rabo colorido sumir por entre as barras de ferro.

— E o que tinha no quadro?

— O rei ficou fulo da vida quando viu a pintura. Ali não tinha rei nenhum! Só um pássaro idêntico àquele em que Faunim se transformara. E em sua cabeça havia uma espécie de coroa natural, que dava à ave um ar régio que o próprio rei não possuía.

— Não entendi, vó. Como ele se transformou num pavão se não estava com seus pincéis mágicos?

— Mas seus pincéis não eram mágicos! Faunim era um ser fantástico. *Ele* era mágico! — revelou Mirta.

Rosa ficou maravilhada

— E ele fugiu para onde? — quis saber a menina, morta de curiosidade.

— Dizem que o pavão misterioso foi visto em vários lugares, inclusive numa embarcação que cruzou os mares e veio para estas bandas de cá. E contam que foi só depois desse dia que começaram a existir pavões por aqui. E isso faz muito sentido, afinal, Faunim precisava ficar distante daquele rei. O pintor sabia que sua cobiça era infinita. Pavões são aves tão belas que não há joia ou coroa que supere sua beleza. E nem cela que possa aprisionar tanta realeza. Portanto, ele precisou partir.

— Que história bonita, vó! Eu queria ter o talento de Faunim.

— Para que precisa do talento dele, minha neta? Não precisamos querer o talento dos outros, porque cada um de nós tem o seu. — A menina assentiu, mas ficou refletindo sobre o que a avó dissera. — E qual é o seu talento, minha neta? Tem algo que você sabe fazer melhor do que a maioria das pessoas?

— Acho que sei sim, vó — afirmou a menina, com um grande sorriso nos lábios. — Sei reconhecer o cheiro do jantar da minha mãe a quilômetros de distância. E, pelo cheirinho bom que está chegando aqui no quarto, tenho certeza que ela está cozinhando mandioca!

3

MANI OCA

— Eu não sabia desse seu talento, Rosa. Mas você tem toda razão! O cheirinho de mandioca está delicioso! — disse Dona Mirta, sorridente. — E, por falar em mandioca, que tal uma última história?

— Última história? Ah, não, vó. Quero mais... — pediu Rosa, fazendo beicinho.

— Ora, menina! O jantar de sua mãe está quase pronto. Não quer deixar a mandioca esfriar, não é?

A menina concordou e se ajeitou onde estava, para ouvir a avó. Queria muito saber que última história era aquela.

— Que tal saber sobre a Mani Oca? — perguntou Dona Mirta.

— Mandioca — corrigiu Rosa.

Dona Mirta fingiu não ouvir a correção da neta.

— Foi numa aldeia de índios que a pequena Mani nasceu. — Rosa apurou os ouvidos. A história já a cativara. — Ela não era parecida com os outros índios da sua tribo. Nasceu com a pele muito branquinha e com os olhos grandes e curiosos. Conforme Mani ia crescendo, a diferença entre ela e os outros ficava cada vez mais evidente — contou a avó. — Mani não falava muito e nem comia tanto quanto os outros. A indiazinha também se cansava com facilidade. Apesar de tudo isso, Mani era animada e curiosa. Fuçava em tudo que via e sorria de um jeito que quem a olhasse sorria também. Era como se inspirasse felicidade nos outros índios da tribo.

Dona Mirta reparou que Rosa Bronze já estava entretida na história e tinha um sorriso nos lábios.

— Um dia, Mani caiu doente e precisou ficar de repouso em sua oca.

— O que é oca?

— Oca significa "casa" na língua dos índios — explicou Mirta. — Mas o fato de ela ficar doente não impediu que todos os índios que iam visitá-la saíssem de sua oca com um sorriso, como esse aí que você tem agora nos lábios. — Mirta apontou para Rosa, que esticou ainda mais os lábios, num largo sorriso. — Mas Mani não viveu muito tempo. Numa manhã, a pequena índia de pele branquinha não se levantou da rede onde dormia. Esse foi um dia triste e sem sorrisos, como havia muito tempo a aldeia não tinha. Todos da tribo se despediram da pequena indiazinha e os pais de Mani resolveram enterrar a menina na entrada da sua oca.

— Que triste, vó... — lamentou a garota, que já não tinha sorriso algum nos lábios também.

— A natureza é sábia, menina! — disse Mirta. — Ela transforma todas as coisas. Portanto, de certa forma, nada vai embora de fato. Nem Mani, nem eu e nem você!

— Como assim, vó?

— No lugar onde Mani foi enterrada, nasceu uma espécie diferente de planta que aqueles índios nunca tinham visto antes. Sabendo como a natureza agia, os índios resolveram cuidar muito bem da planta. Com o passar do tempo, a terra ao redor dela rachou. Os pais de Mani cavaram, para ver o que acontecia com a planta, e foi aí que descobriram!

— Descobriram o quê?

— A planta tinha raízes muito grossas e, por debaixo da casca, perceberam que ela era tão branquinha quanto Mani. Mais tarde, os índios descobriram, também, que aquelas raízes eram boas para comer.

— Qual o nome dessa planta, vó? Pensei que fosse... — desconfiou Rosa.

Mirta fungou o ar da máscara e afastou-a outra vez.

— Você sabe o nome dessa planta — falou Mirta, observando o olhar concentrado da neta. — Os índios resolveram chamá-la de Mani oca. Ou a casa de Mani, já que ela brotou na frente da oca da indiazinha. E, de tanto as pessoas repetirem o nome por aí, como num telefone sem fio, acabaram por chamá-la de mandioca.

— Uaaaaaauuuu! Essa é a história da mandioca? Agora vai ser muito mais gostoso comer essa mandioca no jantar!

— Rosaaaa. Vem jantar! — chamou a voz de Miranda Bronze, lá da cozinha.

A menina correu até a porta do quarto e estacou, voltando até a cama da avó Mirta.

— Você não vem, vó? — quis saber ela.

A velhinha tossiu duas vezes antes de responder.

— Agora não, Rosa. Estou me preparando para uma longa viagem.

— Uma longa viagem? Para onde você vai?

— Acho que vou para um lugar lindo. Mas não sei ao certo como é por lá — comentou Mirta, dando mais uma fungada na máscara presa ao cilindro de oxigênio.

Rosa ficou pensativa, tentando imaginar que tipo de lugar era esse do qual sua avó falava.

— Tem pavões por lá?

— Creio que sim. Um lugar lindo não pode deixar de ter pavões. Senão não é tão bonito assim.

— É verdade — concordou Rosa. — E como vai pra lá se é tão longe, vó? Vai de disco voador? — brincou.

— Não! Disco voador, não! Sabe que tenho medo de altura. Acho que vou de carruagem — supôs Dona Mirta. Rosa Bronze sorriu feliz, como se olhasse para a própria Mani. — Vá logo, menina. Antes que a mandioca esfrie no prato. Ah, e não se esqueça de apagar a luz. Quero descansar um pouco antes de a carruagem vir me buscar.

A menina deu um beijo carinhoso na avó e correu para o interruptor, com a barriga já roncando de fome e louca para dar uma boa dentada num pedaço de mandioca quentinha.

— Boa noite, vó!

Mirta não respondeu. Apenas soltou um suspiro longo e relaxado, como se já estivesse pegando no sono. A menina desejou que a avó sonhasse com um lugar cheio de histórias bonitas, como as que estava acostumada a ouvi-la contar.

Impresso por :

Graphium
gráfica e editora

Tel.:11 2769-9056